Joe Treasure

Het mannelijk oog

Vertaald door Nan Lenders

Anthos | Amsterdam

De vertaalster ontving voor deze vertaling een werkbeurs
van de Stichting Fonds voor de Letteren.

ISBN 978 90 414 1144 0

Oorspronkelijke titel *The Male Gaze*
Oorspronkelijke uitgever Picador
Omslagontwerp Roald Triebels, Amsterdam
Omslagillustraties Eric Grigorian/Polaris Images/Hollandse Hoogte
(boven en onder), Seth Resnick/Workbook/Hollandse Hoogte (midden)
Foto auteur David Zeiger

Verspreiding voor België:
Veen Bosch & Keuning uitgevers n.v., Wommelgem

Voor Leni Wildflower

1

Wat me uit mijn slaap haalt is de schreeuw. Hij komt vanuit het appartement. Ik zit aan mijn bureau, buiten op het zonneterras. Boven de daken, in de richting van de oceaan, pakt de lucht zich samen tot een heftige zonsondergang. Er zijn nog andere geluiden, die losstaan van de schreeuw – een passerende sirene, een deur die ergens beneden in het gebouw dichtslaat, een windgong. Maar uit het appartement klinkt alleen de schreeuw. Geen brekend glas en geen bons of gekletter die op een val zouden kunnen duiden. Geen lichamelijk letsel, dus, waarschijnlijk. Wat mijn hart er niet van weerhoudt te bonzen. Want zo gaat dat bij mij tegenwoordig – ik schrik me rot van elk geluid. Ik lig de halve nacht wakker en sleep me vervolgens door de dag. We zijn hier nu drie weken – ik kan niet blijven zeggen dat ik last heb van jetlag.

Maar ik ben tenminste druk bezig geweest in mijn slaap. Ik heb honderdachtendertig bladzijden gevuld met de letter b – zeker ingedut met een vinger op het toetsenbord. B van dat beroerde boek schrijft zich niet zelf. Mijn hand trilt als ik de cursor versleep en het scherm zwart maak. B voor geen benul wie het dan eens gaat schrijven. Misschien is het tijd voor een borrel.

Rebecca staat in de badkamer en wrijft met een washandje over de voorkant van haar rok. Ik toon respect en blijf in de deuropening staan.

Ze kijkt niet op. Zegt alleen: 'Waar kijk je naar?'

Ik heb geleerd op dit soort vragen geen antwoord te geven. Zo'n vraag is een val. Waar ik naar kijk is natuurlijk naar haar – mijn mooie, prikkelbare vrouw – met haar hoofd gebogen over haar gewrijf, een handeling die haar ertoe noopt haar romp naar links te draaien en haar linkerbeen op te tillen zodat alleen de tenen nog de grond raken. De pose doet me denken aan een ballerina van Degas, al is Rebecca's bouw van een andere schaal. Afgezien van de rok heeft ze een bh aan en een lint in haar haar, en verder niks. Het gewrijf doet de spieren in haar bovenarmen en schouders uitkomen, en de omvang van haar dijen. Gevuld is het woord dat bij me opkomt.

Om mezelf te kalmeren doe ik mijn butlerimitatie. 'Mevrouw heeft geschreeuwd?'

'Moet je die rok nou zien,' zegt ze.

'Leuke rok. Altijd al gevonden.'

'O, doe me een lol!'

Gevuld is geen eufemisme. Ik bedoel niet dik, ook al is er een aantrekkelijke zachtheid rond haar middel. En het is ook geen wellustige code voor... weet ik veel... dikke tieten of zo. Ze heeft alleen iets breeds, iets zwaars, iets stevigs dat maakt dat ik wil blijven kijken. Niet dat ik het zeg, natuurlijk. Ik heb geleerd niet te flirten met dat soort woorden. Je zou zomaar dood kunnen zijn voordat je de verschillende nuances adequaat hebt uitgelegd.

Het helpt ook niet echt dat we naar het land van de dunne mensen zijn gekomen. Ik heb ergens gelezen dat Amerikanen steeds dikker worden. Nou, díkke Amerikanen misschien, maar wij wonen niet waar de dikke mensen wonen. Waar wij wonen is vet iets wat uit een liposuctiepomp komt, zoals Rebecca laatst opmerkte.

Ze is klaar met haar rok en heeft de gemorste lotion van de rand van de wasbak geveegd. Nu wijdt ze zich aan haar gezicht door met soepele, symmetrische bewegingen van de handen haar oogleden met crème te masseren, van de neusbrug naar de slapen, waarbij alleen de middel- en ringvingers de huid aanraken.

'Doe maar niet,' zegt ze, 'je weet dat ik er een hekel aan heb.'

Ze vindt het niet leuk om bekeken te worden en zelfs met haar ogen dicht weet ze dat ik er nog sta. Ze bewerkt haar rimpels. Ze heeft het de laatste tijd vaak over rimpels. Het stelt niks voor, zeg ik, je ziet ze nauwelijks. En trouwens, ze geven je gezicht meer karakter. Dat lijkt niet te helpen. Ze is pas vijfendertig, zeven jaar jonger dan ik, maar ze maakt zich nu al zorgen over oud worden. Toen ik veertig werd had ik het gevoel dat ik nu eindelijk definitief volwassen was, dat ik mijn zaakjes beter onder controle had. Het hielp natuurlijk dat ik met Rebecca was. We waren toen al drie of vier jaar getrouwd, maar ik kon mijn geluk niet op. Nog steeds niet, trouwens.

'Wil je wat drinken?'

'Doe niet zo raar. En trouwens: we hebben geen tijd.' Ze doet een oog open. 'Ga je zó?'

'Waarheen?'

'Godsamme, David!'

Ik heb mijn lievelingstrui aan, gestopt op de ellebogen en met een rafelende halsboord. 'Ik zat te werken.'

'Ik heb het tegen je gezegd. Het is belangrijk. Het staat op de kalender.'

'Tja, als het op de kalender staat...'

'Wat betekent dat nou weer?'

'Ze zullen wel allemaal in het zwart zijn, neem ik aan.'

'Dat lijkt me niet, het is voor mensen van de universiteit. Er komen academici, vooral kunsthistorici. Voor mij is het een kans om mensen van de vakgroep te leren kennen. Probeer nou maar om er niet zo...'

'Niet zo wat?'

'Niet zo hopeloos Engels uit te zien.'

'Ze vinden het juist leuk dat we Engels zijn.'

'Maar je hoeft er niet mee te koop te lopen.'

Engels staat natuurlijk voor een hele berg onzekerheden. Misschien betekent het niet helemaal op de hoogte zijn van Foucault.

'Ik zorg voor een metamorfose.'

'Dat zou pas écht nieuws zijn.' Het grapje duidt op een wapenstilstand.

'Het komt allemaal wel goed, hoor, met je werk – het gaat best lukken. Iedereen zal dol op je zijn. Ze zijn kennelijk tevreden met wat je gepubliceerd hebt en ze komen er snel genoeg achter wat voor geweldige docente je bent. Als je zes maanden voorbij zijn, zullen ze je smeken te blijven...'

'Als jij nu eens rijdt...'

'En als ze naar mij vragen, zeg je maar dat je me bij een verloting hebt gewonnen.'

'Ik kan dit niet. Ik heb het gevoel dat ik de boel belazer.'

Ik kan haar bezorgdheid niet weerstaan, die frons op haar voorhoofd. Ik loop naar haar toe en leg mijn handen op haar schouders. Die spannen zich aan en worden dan weer slap. Ze buigt haar hoofd naar achteren. Lekker voelt dat, als ze zo tegen me aan leunt. Ik til haar haar op en kus haar lichtjes in de nek.

Ze legt haar armen om me heen en drukt me even tegen zich aan. Ze maakt een onduidelijk bromgeluidje. 'Nu niet, David,' zegt ze.

'Ik haal wat te drinken voor je.'

'Er staat nog een fles rode wijn open naast het fornuis.'

Ik loop terug naar het zonneterras om mijn laptop te sluiten. Alweer een dag van meetbare onderprestatie. Waarom is dit opeens zo moeilijk? Het is niet bepaald zo dat ik de academische wereld versteld moet doen staan. Het is verdomme niet meer dan een klote leermethode voor levensbeschouwing. Ik hoef alleen maar in een taal die begrijpelijk is voor niet al te slimme veertienjarigen het verschil uit te leggen tussen de vasten en de ramadan. Maar alles lijkt opeens drijfzand. Ik krijg de boel niet op een rijtje.

De zon zakt in de richting van de oceaan. Door de smog heen verbreedt hij zich in spectaculaire oranje strepen. Het is nog steeds aangenaam warm. Beneden in de steeg klinkt gekletter. Een oude vrouw is bezig flessen en blikjes uit een van de vuilnisbakken te trekken en ze in haar winkelwagentje te stapelen. Ze doet het heel netjes, heel ordelijk – flessen achterin, blikjes voorin. Zij heeft haar zaken duidelijk wél op een rijtje. Om haar middel zit een stuk touw om haar jasje dicht te houden. Ze loopt langs de zongebleekte muur naar de volgende vuilnisbak, langs opzienbarende uitspattingen van karmozijnrode bougainville.

Ik breng Rebecca een glas wijn. Ik schat zo in dat ik het harder nodig heb dan zij, maar aangezien ik moet rijden zal ik nuchter moeten blijven. Ze staat in de slaapkamer haar blouse dicht te knopen. Ze heeft haar haar losjes opgestoken zodat er piekjes los hangen in haar nek en rond haar oren.

'Ik zet het hier neer,' zeg ik, 'op de toilettafel.'

'Bedankt.'

Ik trek mijn trui uit en schiet een colbert aan. Ik pak mijn portefeuille en mijn rijbewijs van de toilettafel. De autosleutels hangen bij de deur. Ik houd mezelf bezig, doe de ramen dicht en spoel een paar dingen om in de gootsteen.

We verlaten het appartement via de garage en rijden een stoffige zijstraat in. Aan het eind van de straat gaan we weer de hoek om en worden we onmiddellijk opgenomen in de vijf rijstroken chaos. We zijn afgedaald naar het natuurlijke leefgebied van de stad, het verkeerslandschap, waaruit de logge gebouwen oprijzen en waarin ze elk moment weer zouden kunnen terugzakken. Ik heb ergens gelezen dat er in deze stad meer auto's zijn dan mensen. Het zou mij niks verbazen als er meer autorijders zijn dan mensen. Je komt ze tegen, die autorijders, gestrand en autoloos, als ze kleren verkopen, fastfood kopen of bij de bank of het postkantoor staan te wachten, en ze zijn niet echt zichzelf, ze gedragen zich keurig en glimlachen alsof ze uit de catalogus van de orthodontist zijn gestapt. Ze staan erop dat je verder nog een prettige dag hebt, dat je je haaks houdt, dat je voorzichtig bent. Maar hierbeneden in het verkeerslandschap geven ze zich over aan moordzuchtige agressie. Hier heerst het rijden met één hand – eentje voor het stuur en de claxon, de andere vrij om met de telefoon en het koffiekopje te jongleren, om de muziek harder te zetten, om opwellingen van woede mee uit te drukken.

We hadden ook naar New England kunnen gaan, waar de bomen in deze tijd van het jaar prachtig bruin en oranje schijnen te kleuren. Ik had mijn boek net zo goed daar niet kunnen schrijven als hier.

We rijden door een woud van reclameborden. Ze maken reclame voor televisieshows en afslankprogramma's en Live Naakte Meisjes. Er zijn reclames in het Spaans voor rechtsbijstand en directe leningen zonder lastige vragen. Rebecca heeft de stadsplattegrond. Ze heeft de uitgeprinte e-mail van de routebeschrijving. Ze heeft goede ideeën over hoe snel we moeten rijden en wanneer we richting moeten aangeven. We zetten ons vast schrap voor een afslag naar links. Van de vijf rijstroken moet je de oneven strook, die in het midden, in de gaten houden. Daar razen jeeps, SUV's, pick-ups en Cadillacs op elkaar af. Ik wissel van rijstrook en kom terecht in een spelletje wie-is-de-schijterd met een tank. Het tienermeisje aan het stuur zit aan haar mobiel haar weekend te plannen. Ik ga hard op de rem staan, maar zij is zonder enige waarschuwing verdwenen, met gierende banden, dwars over twee stroken verkeer. Wat meer van dat soort zekerheid zou niet verkeerd zijn. Maar ik ben van te middelbare leeftijd om me onsterfelijk te voelen. We zijn vijf minuten bezig voordat ik het gaatje vind dat we nodig hebben.

En eindelijk zijn we op de invoegstrook en kruipen we richting snelweg. We gaan met een slakkengangetje vooruit en er is niets anders om naar te kijken dan de donker wordende hemel en het verkeer dat rusteloos van de ene rijbaan naar de andere beweegt.

Rebecca drukt op een knopje in het dashboard en we luisteren naar de beleefde stemmen van de nationale publieke omroep. Er is ergens een ambassadegebouw met een gat in de zijkant en misschien wel zeventien doden. Volgens onbevestigde berichten, noemen ze dat. Een woordvoerder van het Witte Huis zegt genoeg om duidelijk te maken dat hij niets te zeggen heeft. Terug in de studio kondigt de nieuwslezer een verhoogd terreuralarm aan en ik vraag me af wat die informatie betekent, als het al informatie is, en wat wij geacht worden ermee te doen. Verwachten ze van ons dat we aan de kant van de weg gaan staan en voorover gaan zitten met ons hoofd in de handen? Moeten we naar huis gaan en de ramen barricaderen? Het nieuws is verschrikkelijk en het is niet meer dan we al weten. Het is een existentieel angstalarm – het psychisch equivalent van een pollentelling. Hou er rekening mee dat mensen gaan trippen, tekenen van vreemde, ongerichte vijandigheid gaan vertonen. Maar we rijden door LA, dus wat kun je verwachten?

Als we eindelijk de snelweg weer hebben verlaten, is de schemering ingevallen en beginnen de lichten aan te gaan. We zien goedkope kledingzaken en meubelhallen en verwaarloosde appartementencomplexen. We steken een groot kruispunt over en de omgeving wordt welvarender. Na een poosje stoppen we voor een rood stoplicht en we zijn op Sunset Boulevard, waar de neonreclames en de met schijnwerpers verlichte reclameborden mode, filmsterren en seks krijsen. En Rebecca legt uit wie de mensen zijn waar we naartoe gaan, die mensen waar het feestje is. De vrouw in de auto rechts van de onze zit op haar stuur te trommelen en gooit haar haar naar achteren – soepel, blond, shampoo-reclamehaar – en ik bedenk hoe perfect ze eruitziet, met haar regelmatige trekken en haar perfecte huid en haar Porsche en hoe gelukkig ik ben met Rebecca met haar aangenaam onvolmaakte huid.

'Wat er dus op neerkomt dat Frankie het hoofd van mijn vakgroep is,' zegt Rebecca. 'Max werkt voor de televisie. Hij maakt documentaires. Het schijnt dat er een serie van start gaat waar hij druk mee is geweest, dus daar zou je hem naar kunnen vragen als je niet weet waar je over moet praten.' Ze zegt dit omdat ze weet dat ik niet goed ben in feestjes, zelfs in Engeland niet, en veel liever thuis een boek zou zitten lezen.

De auto's achter de Porsche staan te toeteren en ik zie dat hij op de rijstrook staat voor rechts afslaand verkeer maar niet rechts afslaat.

'Dus die twee zijn een homostel, Max en Frankie?'

'David, alsjeblieft, onthoud dit nou eens, zo moeilijk is het niet. Frankie is het hoofd van kunstgeschiedenis. Max is haar echtgenoot. Als we ooit op dat feestje aankomen zou het leuk zijn als je net zou kunnen doen of je ze herkent, want het zijn de mensen die ons van het vliegveld hebben gehaald.'

Voordat ik zie dat het groen is geworden, is de Porsche voor ons gedoken. Ik haal mijn voet van de rem en zet met een schok de achtervolging in. Dan trap ik weer op de rem omdat er een klap klinkt en een schurend geluid en de Porsche opeens zijwaarts beweegt, samen met een SUV die er met zijn voorbumper aan vastzit. In een draaiende beweging trekt de Porsche de SUV mee, bij ons vandaan. Alle auto's op de kruising lijken uit hun verband gerukt en wijzen alle kanten op. Heel even heb ik een besef van de mysterieuze orde van deze bewegingen, alsof alles gebeurt volgens plaatselijke gewoonte en alleen mijn verbazing verbazingwekkend is. De SUV, een goudkleurige Mercedes en een huurbusje hebben aan de overkant de koppen bij elkaar gestoken en de Porsche staat verlaten midden op de weg als een weggegooid sigarettenpakje. Het portier gaat open en de bestuurster gaat wankel op haar voeten staan. Boven haar oor zit iets in haar haar wat eruitziet als een takje rozen en ik zie dat het bloed is. Ze doet een paar stappen in de richting van de stoep. Dan zijn er andere mensen die haar vastpakken. En het getoeter begint, of ik begin het getoeter te horen. En mijn vrouw, die gilt als ze gezichtscrème op haar rok morst, heeft mijn arm vast en mompelt: 'Niks aan de hand, niks aan de hand met ons, helemaal niks aan de hand...'

Auto's manoeuvreren om ons heen, zoeken zich een weg langs de autowrakken, om linksaf te slaan naar Sunset Boulevard, of rechtdoor de heuvel op te scheuren. Andere auto's beginnen te bewegen en naderen ons van beide kanten en ik zie dat het stoplicht weer op rood staat. Ik herinner me ongeveer hoe we moeten rijden. We schieten vooruit de verkeersstroom uit en rijden de valley in waar Max en Frankie wonen.

'Gaat het een beetje?' vraagt Rebecca.

'Gaat wel. En jij?'

'Denk je dat we hadden moeten stoppen?'

'Ik weet niet. Het is niet eens bij me opgekomen.' En ik realiseer me dat dit, als ik er überhaupt al bij stil heb gestaan, voor mij allemaal niet meer was dan een buitenlandse puinzooi op een buitenlandse weg die die buitenlanders zelf maar moesten oplossen. 'Er waren genoeg mensen in de buurt.'

'Ja, daar heb je wel gelijk in.'

Ik zit nog steeds te trillen als we bij het huis aankomen. Het is een gebouw zonder verdiepingen, met afwisselende panelen van glas en hout en een dak met een overhangende rand. Het licht valt, niet door jaloezieën gehinderd, naar buiten. Ik zie hoekig meubilair en kunstvoorwerpen en vegetatie. Max lijkt blij ons te zien. Hij begroet me als een oude vriend en roept een versie van mijn naam vanuit de hal.

'Dave! Hoe gaat het, ouwe makker?'

En hij trekt me naar zich toe voor een omhelzing. Ik ben me bewust van zijn oor tegen het mijne, van een scherpe muskusgeur en van mijn armen die onhandig omhooggaan om zijn omhelzing te beantwoorden.

'Frankie zal zo blij zijn dat jullie er zijn.'

Hij laat me los en wendt zich tot Rebecca. Hij pakt haar handen vast en houdt haar eerst op een armlengte afstand alsof hij vol bewondering kijkt hoeveel ze gegroeid is sinds ze elkaar voor het laatst hebben gezien. Dan krijgt ze de volledige lichaamsbehandeling.

Frankie verschijnt. 'We zijn in de tuin,' zegt ze. 'Jullie kunnen zelf nemen wat je maar wilt.' Frankie heeft een New Yorks accent en New Yorks haar – kort en donker met zilvergrijze highlights.

Zij en Max gaan ons door de woonkamer en open keuken voor in de richting van de tuin. Er is meer glas dan hout aan deze kant van het huis en het onderscheid tussen binnen en buiten lijkt provisorischer. De kamer is stijlvol, maar ziet er op een of andere manier uit alsof er niet in geleefd wordt. Er liggen boeken en tijdschriften opengeslagen op de salontafel en er staan schaakstukken verspreid over een bord, maar de argeloze rommel van het dagelijkse leven is nergens te bekennen. Je kunt je niet voorstellen dat iemand hier een stapel kranten van een stoel tilt en die op een wasmand dumpt zodat je kunt gaan zitten.

Een man met de lichaamsbouw van een bodybuilder komt naar ons toe met een dienblad vol drankjes – witte wijn, sinaasappelsap en water met bubbels. Als hij ons het blad, balancerend op één hand, voorhoudt, zwellen de spieren van zijn borstkas en bovenarm onder zijn hemd. Rebecca neemt een glas wijn.

Frankies arm ligt om haar schouder. 'Wat zijn dat toch prachtige oorbellen,' zegt ze.

Ik steek mijn hand uit naar een wijnglas, slaag erin het op te tillen zonder de andere omver te gooien en neem een paar slokken.

Max is doorgelopen om met wijd gespreide armen het nieuws van onze aankomst te verkondigen.

'Neem me niet kwalijk,' zeg ik tegen de bodybuilder. 'Je hebt zeker niet toevallig iets sterkers in de aanbieding?'

Hij glimlacht en zegt: 'Ik kijk wel even of er iets te regelen valt.'

Ik draai me weer om naar Rebecca, maar zij en Frankie zijn de tuin in gelopen. Ik zie hoe haar aangename gestalte zich terugtrekt in een kleine wildernis van struiken waar discrete lichtjes door het gebladerte schijnen, en ik vraag me af of de bodybuilder me zal vinden als ik haar volg. Hij heeft zijn dienblad achtergelaten, dus pak ik nog maar een glas voor het geval hij me niet vindt.

'We moeten praten.' De vrouw die dit zegt passeert me op weg naar de tuin. Ik realiseer me pas als ze haar hoofd omdraait dat ze het tegen mij heeft. Een massa roodbruin haar deint mee en vlijt zich op haar schouders en ik zie dat ze naar me kijkt met een ernstige, bijna strenge uitdrukking. 'Denk erom dat je niet te vroeg weggaat.'

'Ken ik u?' vraag ik haar. 'Ik bedoel, zou ik me u ergens van moeten herinneren?'

Ze haalt haar schouders op. 'Wie weet? Uit een vroeger leven misschien?' Ze glimlacht, stapt met lichte tred de tuin in en verdwijnt uit het zicht. Ze lijkt een jaar of dertig. Misschien is ze ooit een studente van me geweest, langer geleden dan ik me kan herinneren. Maar in mijn vakgebied trek ik maar weinig internationale studenten aan en dat haar zou ik niet snel zijn vergeten.

Zodra ik buiten ben hoor ik Rebecca lachen en ik ben blij dat ze zich begint te amuseren. Ik passeer een olijfboom en daar staat ze, met Frankie, en allebei kijken ze in de richting van het zwembad. Een jongeman, gesoigneerd en gebruind, loopt in hun richting met een glas in de hand. Hij kijkt Frankie van opzij aan en zijn mond ontspant zich in een glimlach. En nu hoor ik Frankie lachen – een ijlere, breekbaardere lach, niet zo aards als die van Rebecca.

'Frankie,' zegt de jongeman, alsof de naam een geheime betekenis heeft. Dan doet hij iets soortgelijks met Rebecca's naam, die hij suggestief uitrekt. 'Jullie zien er fantastisch uit, meiden.' Hij begint hun wangen te kussen en maakt kleine geluidjes van genot en pijn. Hij bekijkt ze allebei vorsend. 'Wat zouden jullie vinden van een triootje, strakjes?'

'Nou ja, Amir,' zegt Rebecca, 'je bent onmogelijk.'

Frankie lacht nog steeds. 'Ik zag dat je er was, maar ik had mijn handen vol.'

'Ja, Max zei dat je bezig was met het eten of de kinderen of zoiets.' Hij maakt een loom handgebaar om een nog langere lijst van onnodige bezigheden te suggereren. Dan ziet hij mij. 'Jij hoort zeker bij Rebecca,' zegt hij.

'Ja,' zeg ik, 'ik ben haar entourage.'

'Haar entourage!' Hij proeft het woord, genietend van hoe Frans het is, en beloont het met een trage grinnik vanuit zijn keel.

Glimlachend pakt Rebecca mijn arm vast en begint die te strelen op een manier die er liefdevol uitziet, maar die betekent 'gedraag je!'. 'Dit is David,' zegt ze. 'Amir is een student van Frankie.'

'Amir Kadivar,' zegt hij en we schudden elkaar de hand. 'En, hoe bevalt het jullie twee om de beschaving zo ver achter je te hebben gelaten?'

'Bedoel je of we Tufnell Park missen?' Ik weet niet waarom hij me irriteert, afgezien van het feit dat hij er zo goed uitziet, op een soort verwende manier, en zo overmatig tevreden is met zichzelf.

'Daar kom ik niet vaak, Tufnell Park. Is het ver van Londen? Het klinkt heerlijk lommerrijk.'

'Het is daar prima,' zegt Rebecca, die mijn arm steviger vastpakt, 'maar het is heerlijk om hier te zijn, voor de verandering – toch, David?' Ze leent mijn wijnglas, neemt er een slokje uit en zet het op een stenen richel net buiten mijn bereik.

'Is dat een nieuw pak, Amir?' Frankie streelt met haar hand over de smalle revers en zijwaarts over het borstzakje.

'Is het té?'

'Het is fantastisch.'

Er rent een kind voorbij, giechelend – een jongetje met donkere krullen en mollige knietjes. Een ouder meisje zit hem achterna, steekt haar hand uit om hem op zijn arm te tikken en blijft, ademloos van het lachen, met haar hoofd tegen Rebecca's zachte heupen staan. Het jongetje doet een monster na door op zijn tenen naar ons toe te waggelen. Het meisje begint te gillen.

Frankie gebaart naar haar dat ze het volume moet dempen. 'Laura, het is nu grotemensentijd. Jullie moeten zachtjes doen, anders brengt papa jullie naar bed.'

De kinderen gaan ervandoor en kibbelen luidruchtig over wie van hen het meeste lawaai maakt. Rebecca strijkt haar rok glad.

'Vertel eens, Amir,' zegt Frankie, 'met wie heb je gepraat?'

'Die vriend van je, daar, met dat pinnige gezicht, denkt blijkbaar dat ik een Arabier ben.' Amir knikt in de richting van het groepje bij het zwembad. 'Hij bleef maar leuteren over zijn reis naar Syrië.'

'Dat was vast Stu Selznick.'

'Nou, Stu Selznick schijnt een onderzoeksreis te hebben gemaakt naar Damascus om feitenmateriaal te verzamelen. Damascus, zei ik, daar zijn je ogen zeker wel opengegaan. Natuurlijk begreep hij de grap niet en dacht hij dat hij een bondgenoot had gevonden. Toen probeerde hij me te betrekken bij een geldinzamelingsactie voor de Palestijnen. Ik zei dat ik zou bijdragen aan een actie om via een luchtbrug fatsoenlijke Franse wijn te vervoeren naar de Westoever, als hij dacht dat dat iets zou uithalen.'

'Dat heb je toch niet echt gezegd?'

'Nou, het zou een beschavend effect kunnen hebben...'

'Amir, dat kun je niet maken,' zegt Rebecca ontdaan maar niet kwaad.

'Wat zei hij?' vraagt Frankie.

'Hij keek verbaasd, bedankte me voor mijn interessante suggestie en liep weg om iemand anders lastig te vallen.'

'Arme Stu. Nu voelt hij zich vast opgelaten. Hij deugt echt wel. Doet een boel voor de burgerrechtenbeweging. Je had alleen maar hoeven zeggen dat je Iraniër bent – hij weet waar Iran ligt.'

'Frankie, ik had hem net verteld dat ik onderzoek doe naar Perzische kunst. Wat wil je dat ik doe, met een bord om mijn nek rondlopen?'

'En die roodharige dame?'

'Die roodharige dame?'

'Zag eruit als een heftig gesprek.'

'Heb je dat gezien?'

'Was het privé?'

'Wie ís dat?'

'Dat wilde ik jou net gaan vragen.'

'Het is jouw feestje.'

Inmiddels hebben we allemaal vastgesteld waar de roodharige dame van Amir, die tevens mijn roodharige dame is, de vrouw die denkt dat we elkaar wellicht al in een eerder leven hebben ontmoet, zich bevindt. Ze staat met haar rug naar ons toe en luistert naar een zwarte man op leeftijd met een gebogen rug en dik grijs kroeshaar.

'Ken je haar dan niet?' vraagt Rebecca.

Frankie haalt haar schouders op. 'Ze zal wel met iemand meegekomen zijn.'

Opgelucht zie ik de bodybuilder in onze richting komen met een dienblad. Hij reikt me een glas aan. Wat hij er ook in heeft gedaan, het is bijna vol. Hij vult Frankies wijnglas bij en dan dat van Amir. Rebecca legt haar hand op dat van haar en kijkt mij vernietigend aan. Ik troost mezelf met een paar flinke slokken, terwijl de bodybuilder verder loopt in de richting van het zwembad. Het is bourbon, waar ik zelf nooit voor gekozen zou hebben, maar ik voel dat het werkt en de knoop in mijn maag losser maakt.

'Volgens mij is ze lichtelijk gestoord,' zegt Amir 'maar best amusant. Zij had in elke geval wél door waar ik vandaan kwam. Helaas geobsedeerd door de islam. Waarom gaan mensen er altijd van uit dat ik over het geloof wil praten? Zie ik er gelovig uit?'

'Het is waarschijnlijk een erkende aandoening,' zegt Frankie. 'Iets masochistisch. Zoals die kabbala-trend onder filmsterren. Er is vast een naam voor mensen die zich aangetrokken voelen tot een exclusieve levensbeschouwing...'

'Relifiel?' zegt Amir, wat kennelijk zo lollig is dat Frankie de wijn door haar neus uitproest, wat Rebecca weer vreselijk aan het lachen maakt. Amirs glimlach wordt breder.

Ik heb de neiging de vrouw, die hier niet is om zich te verdedigen, te verdedigen. 'Er is niets mis met geïnteresseerd zijn in religie,' zeg ik. 'Eigenlijk is het lang niet verkeerd om erin geïnteresseerd te zijn.'

Amir fronst bedachtzaam. Hij begint te knikken alsof ik iets diepzinnigs heb gezegd. 'En ik heb gehoord dat steniging ook hartstikke lollig is,' zegt hij, 'zolang je maar niet degene bent die gestenigd wordt.'

'Ja zeg, wacht eens even...' Hij loopt nu wel erg hard van stapel. 'Dat is niet echt eerlijk. Ik bedoel, natuurlijk kun je in elke religie excessen vinden, en misstanden. Maar dat ontkracht alle goede dingen nog niet.'

'Alle goede dingen.' Amir herhaalt de woorden langzaam, alsof hij de betekenis zoekt.

'Ja, zoals, je weet wel... tolerantie en wijsheid en respect voor het menselijk leven...'

'O ja,' zegt Amir, 'Mullah Light. De ellende is dat we denken dat we er best mee om kunnen gaan, maar dat de maniakken uiteindelijk altijd weer kiezen voor de harde kant.'

Voordat ik hier een antwoord op kan bedenken, voordat ik erachter ben wat het betekent, vraagt Rebecca Amir hoe het met zijn onderzoek gaat en moeten Frankie en Amir allebei lachen, Frankie enigszins sardonisch, wat erop lijkt te duiden dat promovendus zijn wellicht niet betekent dat je ook werkelijk iets doet in het geval van Amir. En dan hebben ze het allemaal over de mannelijke blik in het Perzië van de zeventiende eeuw, wat kennelijk Amirs onderwerp is.

Ik slenter tussen de bomen en de struiken door en volg een kronkelende lijn van stenen. Ik heb spijt van mijn zwaarwichtige opmerking. Laat die lui maar denken wat ze willen – wat kan mij het schelen? De helft van de tijd weet ik zelf niet wat ik denk. Ik wijk uit voor de kinderen die nog steeds niet naar bed zijn gebracht en loop dwars over een stuk grind om de volgende groep volwassenen die volwassen gesprekken voeren uit de weg te gaan. Een stuk van de tuin is geplaveid en daar staat een tafel met wat eten erop en een paar glazen en een open fles. Ik zet mijn lege bourbonglas neer en schenk een glas wijn in voor mezelf. Dan stop ik een stuk bleekselderij in mijn mond zodat mijn tanden iets hebben om op te bijten. Ik blijk bij een hek te staan vanwaar ik omlaag, de duistere canyon in kan kijken. Ik vraag me af waarom ik me zo op de zenuwen laat werken door een jongen als Amir.

Flarden van gesprekken drijven uit verschillende delen van de tuin in mijn richting en worden een gesprek.

'Hé, Joel, heb je dat gehoord van Schwarzenegger?'

'Ze is genaaid door de codecommissie – twee jaar onderzoek verpest.'

'Hij is een Stier, weet je, maar hij staat op de cusp, en dat is echt klote.'

'Ik had begrepen dat De Niro niet beschikbaar was en dat ze het toen hebben herschreven voor DeVito.'

'Doe me een lol, die vent is een debiel.'

'Dat meen je toch niet – Nietzsche heeft een enorme invloed gehad.'

'Maar hij is toch een neoconservatief?'

'Ze heeft een overzichtstentoonstelling bij Zuckmeyer – de recensenten gaan helemaal uit hun bol.'

Dan klinkt het ademloze gelach van de kinderen die elkaar nog steeds achternazitten.

'Weet je wát raar is?' Deze vraag maakt geen deel uit van de gesprekken. Er staat een vrouw naast me. Het is de vrouw met het haar. Het is roestbruin en weerspannig.

'Ik zou het niet weten,' zeg ik.

'Zie je die man daar?' Ze wijst naar achteren, de tuin in, in de richting van het zwembad. Het gladde oppervlak van het water lijkt te glanzen in zijn eigen licht. 'Die kale man met die baard.'

'Die man die op Freud lijkt.'

'Hé, je hebt gelijk, hij lijkt écht op Freud. Dat is ook typisch!'

'Alleen nog de sigaar. Hij is toch niet toevallig therapeut?'

'Jeetje, nee!' Ze leunt naar me toe om haar geheim op te biechten en ik ruik haar parfum dat donker en kruidig is met een vleugje jasmijn, tenzij de jasmijn van ergens uit de tuin komt, of omhoog komt drijven uit de woestenij achter het hek. 'Ik houd me strikt aan de regel om niet naast therapeuten te gaan staan op feestjes.'

'Dat is een ongebruikelijke regel.'

'Ik ben zo vaak betast door therapeuten dat ik er een paar levens mee toe kan.'

'Op feestjes?'

'Op banken, op parkeerplaatsen... Maar hoe dan ook, die kale vent is slim. Je zou hem mogen. Professor in de natuurkunde. Niks zo sexy als een natuurkundige die over natuurkunde praat, vind je ook niet?'

'Daar heb ik eigenlijk nog nooit over nagedacht.'

'De eerste keer dat ik de relativiteitstheorie werkelijk snapte – ik bedoel, echt tot in mijn buik, alsof ik kon voelen dat de ruimte zich kromtrok – werd ik nat. Kwam zowat klaar daar in die auto. Ik was uit met een vent van de vermaarde technische universiteit van Boston.'

'Klopt – dat is ongetwijfeld erg raar.' Ik til mijn wijnglas naar mijn mond en ontdek tot mijn verrassing dat ik het al heb leeggedronken. De kinderen zitten op hun hurken bij het zwembad kiezels in het water te gooien. Ik vang een glimp op van Rebecca en Frankie die met een paar andere mensen bij het huis staan.

'Maar ik heb nog niet eens gezegd wat ik bedoel. Het gaat om elektronen. Kennelijk kun je weten waar een elektron zich bevindt, goed. En je kunt ook weten hoe snel het beweegt. Maar je kunt het niet allebei weten. Is dat niet waanzinnig? Het blijkt dat het wel overal kan zijn. Ik bedoel, echt overal. Het ene moment snort het hier ergens rond, bezig met, nou ja, waar een elektron zoal mee bezig is – met zijn kleine subatomaire gedoetje – Jezus! het zou zomaar deel van jou kunnen zijn – deel van je oor...' Om de proef op de som te nemen raakt ze mijn oor aan, wrijft mijn oorlelletje tussen haar duim en wijsvinger, als om te voelen of ze het elektron kan vinden. Mijn ademhaling voelt opeens onnatuurlijk, een vreemde beweging van lucht die mijn mond in en uit gaat. 'Daar zit-ie dan rond te zoeven in jouw moleculaire vulsel, of wat dan ook, en opeens, zap, bevindt het zich aan de achterkant van Jupiter. En omgekeerd. Een of ander elektron van...god! weet ik veel...het regenwoud van de Amazone maakt opeens deel uit van je centrale zenuwstelsel.'

'Ja, dat is inderdaad verrassend.'

'Het gaat natuurlijk om de percentages. De kansen zijn niet groot, maar, Jezus, de implicaties zijn grenzeloos, vind je niet?'

'Het begint me geloof ik te dagen.'

'Ik bedoel, moet je nagaan, onze neuronen zitten rechtstreeks ingeplugd in het ruimte-tijdcontinuüm. En dan lopen mensen zich druk te maken over autistische *savants*. Mensen zijn zo rechtlijnig, zo driedimensionaal. De kosmos is zo krom als een krakeling en ze proberen hem allemaal in hun kleine cartesiaanse hokje te stoppen. Heb je deze dipsaus al geproefd? Is vetvrij. Maar, wauw, als je erover nadenkt. Seks is er niks bij, toch?'

'Het is zeker een opwindende gedachte.'

'We hebben het over totale interpenetratie op een multigalactische schaal. Over orgasmen gesproken!' Ze stopt een stuk wortel in haar mond. Haar nagels en lippen lijken paars in het door bladeren gefilterde licht. 'Dit kun je rechtstreeks rangschikken,' zegt ze door de wortel heen, 'onder kosmische extase.'

Tot mijn verrassing zie ik de bodybuilder op me afkomen met een glas. De ijsklontjes tinkelen als hij het me aanreikt. 'Dacht dat u wel aan een volgende toe zou zijn,' zei hij.

'Dank je,' zeg ik, 'hartstikke bedankt.'

'Graag gedaan,' zegt hij.

De vrouw met het roestbruine haar lacht. 'Je hebt echt een schattig accent,' zegt ze.

'Ik heb er jarenlang op kunnen oefenen.'

'Ik wist wel dat wij moesten praten.'

'Waarom zeg je dat?'

'Omdat je er interessant uitziet.'

'Net als Amir.'

'Amir?'

'De Iraanse student die Perzische kunst bestudeert. Daarginds.'

Ze rolt met haar ogen. 'Schijn bedriegt. Is dat frisdrank?' Ze pakt de hand vast waarmee ik het glas vasthoud. 'Mijn god, je trilt. Gaat het wel goed met je?'

'Ja hoor, prima. Het gaat prima met me.'

'Wil je erover praten?'

'Niet echt, nee.'

Ze tilt het glas naar haar neus en ruikt eraan. 'Godzijdank. We zijn hier omgeven door zich bekerende alcoholisten.'

'Ik ben niet van plan me te bekeren,' zeg ik en ik neem nog een flinke slok.

Ze lacht uitgelaten. 'Je bent slim. Ik wist dat je slim zou zijn. Ik ben Astrid.' Ze steekt haar hand uit.

'David,' zeg ik, 'David Parker.' Ze geeft een stevige hand. Het gebaar doet raar formeel aan nu ze al aan mijn oor heeft gezeten.

Ik voel de koele lucht van een windvlaag langs mijn nek strijken. Astrids jurk, blauw en golvend, glimt als hij beweegt. Hij volgt haar figuur waar de wind ertegenaan blaast, om elders in royale plooien bijeen te komen. Ik neem een paar flinke slokken en draai me om, om naar de mensen te kijken die in groepjes onder de bomen staan. Ik herken de weidse gebaren van Max, donker tegen het licht in het huis.

'Ik kan dit hele gedoe gewoon niet echt serieus nemen. Ik denk voortdurend dat het allemaal maar een illusie is. Zou jij misschien een illusie kunnen zijn, denk je?'

Ze lacht. 'Vast wel, wie niet?'

'En ik kan nu ieder moment wakker worden en erachter komen dat ik dood ben, omdat mijn lichaam totaal verminkt daarbeneden op straat ligt.' Ik hoor mezelf dit zeggen en schrik ervan dat die gedachte zich in mijn hoofd schuilhield. Ik til mijn glas op en ontdek dat er niets meer in zit.

'Nou lieve schat, voor zover ik kan voelen ben je gewoon van vlees en bloed, hoor,' zegt ze, terwijl ze mijn hand vastpakt.

'Sorry. We zaten bijna in een kettingbotsing op weg hierheen. Geen ernstig gewonden, geloof ik.' Ik hoor nog steeds het schuren van metaal langs metaal, en metaal langs asfalt.

'Klinkt alsof het universum net weer zo'n kleine opsplitsing heeft gemaakt waar het zo dol op is.' Ze staat dicht bij me met mijn hand in haar hand en kijkt uit over de canyon. En ik vraag me af of het haar parfum is of de bourbon waardoor ik me zo gewichtloos voel. Ik kijk naar het glimmende oppervlak van het zwembad, dat zich losmaakt en tussen de bomen blijft hangen, waar de mensen met elkaar versmelten en zich vermenigvuldigen en hun gepraat zich vermengt met het gegil van kinderen. Ik houd mezelf voor dat ik dit waarschijnlijk niet zou moeten doen, hier onder de bomen staan, hand in hand met deze lekker ruikende vreemde vrouw, en ik zou het ook zeker niet doen als we in Tufnell Park waren, maar dit is een andere plek waar normale regels niet gelden en waar mensen weglopen van aanrijdingen.

'Het is puur toeval dat we ons op dit niveau bevinden,' zegt Astrid, 'en dit gesprek voeren. Waarom zou er niet nog een ander niveau zijn waar je het niet overleefd hebt, en een derde waar... ik weet niet... waar je de Nobelprijs voor de vrede hebt gewonnen?' Ze lacht en ik lach en mijn lach voelt zwak en los van mezelf. 'Dat is de snaartheorie, lieverd, en je hebt gewoon een van de snaren beet.'

'En dat heb je allemaal geleerd van hoeheetie... Freud daarginds, of... die ander.'

'Ik ben met een boel natuurkundeprofessors uit geweest.'

'Wat leuk voor die natuurkundeprofessors.'

'En ook met een stel macrobiologen. En die vent die zo ongeveer de chaostheorie heeft uitgevonden – man, wat bleek dat een controlfreak te zijn. Ik denk dat ik altijd al in de buurt heb willen zijn van waar de wereld aan het veranderen is. Niet dat hij dat deed, natuurlijk.'

'Wat deed?'

'Veranderen. Hij werd althans niet beter, dat is zeker.'

'Van al het bedrog van de wereld, het vlees en de duivel, goede God, verlos ons.'

'Zeg dat wel. Het bleek dat ik het in de verkeerde richting zocht. Je zou verwachten dat die ideeën exploderen in het hoofd van die mensen en ervoor zorgen dat alles... je weet wel...'

'Orgastisch wordt?'

'... fris en onschuldig en nieuw wordt. In plaats daarvan kruipen ze, waar je ook kijkt, weer terug in de duisternis.'

'Ik snap wat je bedoelt.' Er gebeuren vreemde dingen aan de randen van mijn gezichtsveld – spiraalvormige lichten en de donkerte daartussenin.

'En daarom ga ik nu voor de islam.'

'Dat is jammer, want dan zul je deze mooie blauwe jurk niet meer kunnen dragen.' Ik steek mijn hand uit om de kraag aan te raken, om de zijdeachtige stof tussen mijn vingers te voelen.

'Niet?'

'Niet als je moslim wordt.'

'Ben je een klein beetje dronken?'

'Hoe weet je dat?'

'Je bent schattig als je dronken bent. Niemand anders op dit feestje is dronken.' Ze draait zich om naar de tuin. 'Moet je ze zien. Allemaal te bang om de controle te verliezen.'

'Dronken worden kun je dan ook niet meer, zelfs niet een beetje, als je moslim wordt.'

'Lieverd, ik ga me niet bekeren. Het is research. Ik heb al zoveel radicaal islamitische sites bezocht dat ik ondertussen waarschijnlijk op een of andere lijst van de veiligheidsdienst sta. Niet dat ik er veel wijzer van ben geworden.' Ze zucht ongeduldig. 'Ik heb zoveel vragen.'

Ik moet denken aan mijn bureau buiten op het zonneterras, het geklingel van de windgong, de lichtende streep van het verre water tussen de gebouwen. Nu ik daar niet ben, lijkt schrijven opeens zo makkelijk.

'De dag dat ze de Berlijnse Muur begonnen af te breken,' zegt Astrid, 'was ik veertien. Het was op mijn verjaardag. Ik dacht dat het een verjaardagscadeautje van het universum was. Het leek net of we allemaal hand in hand het zonlicht in stapten. Nu lijkt het wel of we ons midden in een of andere psychotische zenuwinzinking bevinden. En misschien heeft het iets met religie te maken en misschien ook niet, maar mensen vermoorden elkaar, dus ik neem aan dat het ergens om moet gaan. Wat het ook is, het maakt dat je de hele tijd zou willen huilen.'

Het kleine meisje zit haar broertje achterna rond het zwembad. Hun krullen lichten op als halo's als ze het raam passeren. 'Het is genoeg,' zeg ik, 'om zelfs de engelen aan het huilen te maken.'

'Wat je zegt.'

'Een kleine alinea over de ramadan. Een hoofdstukje over de islam. Een stuk of zes vragen om een klassengesprek op gang te brengen. Je zou toch verwachten dat ik daartoe in staat moet zijn. Ik zit voor mijn laptop, en wat komt eruit? Honderdachtendertig bladzijden bullshit – bullshit met een b. Dat boek wordt zo langzamerhand mijn ondergang.'

'Welk boek?'

'Mijn boek.'

'Schrijf je een boek over de islam?'

'Nou, voor een deel over de islam.'

'Jezus! Over synergetisch gesproken!'

'Nee, nee, je begrijpt het niet. Het is maar een leermethode...'

'Ik barst van de vragen en ik kom de man tegen – mijn god! – die de leermethode aan het schrijven is.'

'En ik doe alleen maar de tekst. Iemand anders doet de plaatjes en de grafieken. Ik bedoel, het is maar iets voor de eerste fase.'

'Dat is een stadium van verlichting, toch?'

'Nee!' Ik hoor gelach van de andere kant van de tuin en het geluid van opspattend water. 'Of, jawel, in zekere zin, maar niet echt, nee, eerlijk niet.'

'Heeft het te maken met Jung? Ik ben dol op Jung.'

Het kleine meisje bij het zwembad staat er ineens roerloos en onbeholpen bij, met een vinger in haar mond. Ik probeer mijn hoofd helder te krijgen, zodat ik kan uitleggen hoe onbelangrijk het is wat ik aan het schrijven ben, wat ik niet aan het schrijven ben.

'Islam, dus. Wat is het verschil tussen de soennieten en de sjiieten, theologisch, bedoel ik? En vertel eens iets over de wahabieten.'

'De wa...?'

'Wahabieten – daar zijn er enorm veel van in Saoedi-Arabië.'

Ik houd mijn mond open in de hoop dat er iets intelligents uit zal komen. Er klinkt een gil en een van de vrouwen springt in het zwembad.

'Er gebeurt iets,' zegt Astrid.

Water spat op de stenen en tegen het raam. Max rent tussen de bomen door.

'We missen het feestje.' Ze trekt me aan de hand mee. 'We gaan wel een keer lunchen.'

Ik hel naar haar toe en struikel vooruit, over het grind, door de struiken.

'Dit gaat echt leuk worden!'

Er is een man die zijn schoenen uit schopt. Het is mijn vriend de bodybuilder, die me mijn drankjes brengt. Hij staat op het punt om het water in te duiken als we bij het stenen plaveisel aankomen. Dat zelfs de kelner niet wordt uitgesloten van het feestje, maakt dat ik het hier al een stuk leuker begin te vinden. Terwijl hij zijn duik neemt, springt Astrid er gillend van de voorpret achteraan. Ik heb tijd om te zien hoe haar blauwe jurk rond haar middel opbolt. Ik heb tijd om het jammer te vinden dat ik zo Engels ben, om het jammer te vinden dat ik altijd aan de kant sta toe te kijken. Maar het water, glinsterend van de versplinterde lichtjes, helt naar me toe. Het werpt zich in mijn gezicht, overspoelt me met een intiem tumult. De oude geluiden van geschreeuw en gespetter klinken gedempt. Terwijl ik bijna zwaartekrachtloos rondwentel, zie ik benen die misschien van Astrid zijn – groen en vervormd – en andere vrouwenbenen en benen in broekspijpen. Ik zie een arm die wild heen en weer beweegt voor mijn gezicht en ik zie dat het mijn arm is. Ik breek door het oppervlak naar boven en hap naar adem. Overal klinken stemmen. Door een waas van water zie ik mijn vriend de bodybuilder druipend op zijn knieën zitten. Een vrouw zit op haar knieën met haar armen om het meisje heen. Er is een nevelig beeld van geschokte gezichten. Het jongetje met de krullen ligt op zijn buik en de bodybuilder drukt zijn grote handen op zijn rug. Alleen Rebecca kijkt naar mij en roept iets terwijl ze haar jasje uittrekt.

2

De rit naar huis is onaangenaam. Rebecca rijdt, natuurlijk. Ik bevind me in de overgangsfase tussen dronkenschap en een kater en concentreer me op niet overgeven. Max heeft me wat droge kleren geleend, dus ik zit tot aan mijn nek verpakt in dure merken.

Op zeker moment besluit Rebecca te spreken. 'Die vrouw moet wel een erg fascinerende gesprekspartner zijn geweest.'

'Niet onaardig.'

We staan te wachten bij een stoplicht. 'Waar hadden jullie het eigenlijk zo lang over?'

'Kernfysica...'

'David!'

'... en de islam, en dan meer in het bijzonder over de wahabieten.'

'Wat ben je een armzalige, zielige leugenaar.'

Ze neemt de bocht net iets te snel terwijl ze dit zegt, en ik moet mijn ogen sluiten en diep inademen voordat ik me in staat voel om te antwoorden.

'Nee, eerlijk waar. Daar hadden we het over.'

'Met dat puntgave decolleteetje van d'r had het jou natuurlijk niks kunnen schelen als ze inderdaad over kernfysica had gepraat.'

'Nou, de fysica bleek uiteindelijk maar wat prietpraat te zijn.' Ik adem omzichtig in door mijn neus en blaas de lucht weer naar buiten. 'Haar ware interesse lag bij de wahabieten.'

'Eerlijk, David, je hebt niet eens het fatsoen om je opgelaten te voelen.'

Maar ik voel me wél opgelaten. Ik zou het tegen haar zeggen, als ik de energie had om met haar in debat te gaan. Als het vermogen me opgelaten te voelen een teken van fatsoen is, moet ik een van de fatsoenlijkste mensen zijn die ik ken. En op dit moment herbeleef ik hoe ik struikelend het water in, en er vervolgens weer strompelend uit kwam. Ik herinner mezelf eraan dat mijn bestaan voor de meeste mensen op dat feestje, net als voor de meeste mensen waar dan ook, hooguit een vluchtige gedachte is, maar het gevoel blijft.

Anderzijds neem ik Rebecca's irritatie niet al te serieus. Rebecca heeft het niet zo op jaloezie. Afgunst, daarentegen, behoort wel degelijk tot haar repertoire. Afgunst maakt deel uit van haar academische bagage en is door elkaar gehaspeld met alle gebruikelijke lichamelijke onzekerheden. Het ontgaat me bijvoorbeeld niet dat ze niet alleen Astrids decolleté heeft opgemerkt, maar dat ze het puntgaaf vond, en puntgaafheid is niet een van haar sterke kanten. Een decolleté heeft zij ook achter de hand, als dat vereist is, geen probleem. Puntgaafheid ontgaat haar. Maar ze mag zich dan misschien kapot ergeren aan Astrids strakke figuurtje, de ervaring heeft geleerd dat ze zich waarschijnlijk niet al te druk zal maken over het effect dat dat op mij heeft.

Een paar dagen later bevestigt een terloopse opmerking over *die sloerie* dat haar irritatie dan misschien niet voorbij is, maar nu is beland in een fase van zelfparodie. Sloerie is een van de woorden die haar grootmoeder bezigt voor beroemdheden met wier capriolen de roddelblaadjes vol staan.

Ik zit aan mijn bureau in de middagzon over dit alles na te denken als mijn laptop me mededeelt dat ik mail heb. Er is een boodschap van astro@spinmail.com. Ik heb de muis in mijn hand en laat de cursor boven het delete-icoontje zweven. Astro klinkt niet als iemand die ik ken en wil me waarschijnlijk een potentieverhogend middeltje aansmeren. Maar ik verlies het van mijn nieuwsgierigheid. Er is geen aanhef. *te gek gesprek dat we hadden*, luidt de boodschap. *zoveel vragen. hoop dat je nog opgedroogd bent. heb je me vergeven? zit je te schrijven? komen bij elkaar in moonglow café malibu. zin om ook te komen over drie kwartier? als je zit te schrijven, vooral doorgaan. zo niet, kom gezellig! Astrid. ps als je niet wil, moet je niet komen, maar ik heb alle zes graden van verwijdering doorlopen om je gegevens te achterhalen. alleen maar nee zeggen als je zit te schrijven. a.*

Ik schrijf een antwoord. *Beste Astrid, Ik vond het ook erg leuk om je te leren kennen. Bedankt voor de uitnodiging. Ik zou dolgraag komen, maar helaas heb ik geen auto. Rebecca gaat ermee naar haar werk. Ik probeer te schrijven, maar eerlijk gezegd wil het niet erg vlotten. Laat nog eens wat van je horen, David.* Dan wis ik het deel over Rebecca die de auto heeft, omdat het klinkt alsof ik naar medeleven zit te hengelen, of omdat het gewoon te veel informatie is. Dan vraag ik me af of ik het gewist heb om Rebecca te wissen. Dus voeg ik er een PS aan toe – als Astrid een PS kan toevoegen, waarom ik dan niet? *PS: Rebecca is op haar werk.* Dan wis ik het PS, omdat het irrelevante informatie is. Dan wis ik de hele boodschap en schrijf: *Kan niet komen. Geen auto. Sorry.* Ik verzend de boodschap en krijg onmiddellijk het gevoel dat ik iets ben misgelopen. Nu gebeurt er weer helemaal niks. Astrid was in ieder geval iets.

Ik heb de grootste moeite met het formuleren van een eenvoudige zin over het religieuze doel van vasten, die niet controversieel mag zijn, maar ook niet slaapverwekkend saai, als Astrids antwoord komt. *in reparatie? geen gewonden mag ik hopen. Ik stuur jake. hij is er over een halfuur. a.*

Ik lees de boodschap een paar keer over. Het laatste stukje begrijp ik in ieder geval. Astrid heeft niet alleen mijn e-mailadres achterhaald. Jake zal over een halfuur hier zijn. Ik hou dus genoeg tijd over om me af te vragen wat ik hiervan vind, om te bedenken wat ik zal aantrekken en om te bedenken of het feit dat ik iets zo onwaarschijnlijks zit te bedenken als wat ik zal aantrekken, niet een aanwijzing is dat ik me in de nesten zit te werken. En wie is Jake? Is Astrid oud genoeg om een zoon te hebben die kan rijden? Hoe oud moet je in deze stad trouwens zijn om te rijden – twaalf? Misschien is Jake een of andere huisbediende en in dat geval kan hij ook ouder zijn. Zou hij een uniform dragen? Ik lees de boodschap opnieuw. *in reparatie? geen gewonden mag ik hopen.* Ik neem notitie van de aanname dat een aanrijding de enig denkbare reden is waarom iemand geen auto ter beschikking zou hebben. Ik neem er ook notitie van dat de gedachte om te antwoorden *Kan toch niet komen*, pas bij me opkomt nu het te laat is, want Jake is al onderweg.

Ik zit op de bovenste tree van de trap voor het appartement en zie de auto onze straat indraaien. Hij stopt en het opgewaaide stof dwarrelt weer neer. Het is een sportieve auto, of was dat ooit. Het voorspatbord hangt scheef. Een van de koplampen wordt op zijn plaats gehouden met tape. Er lopen horizontale strepen over het chassis waar de verf is gaan bladderen en alleen het portier aan de passagierskant, dat duidelijk vervangen is, is helemaal rood. Ik buk me om door het open raam naar binnen te kijken.

De jongen kijkt naar mij op van onder de klep van zijn baseballpet. 'Dus jij bent Astro's nieuwste.'

'Ik ben David,' zeg ik en ik steek mijn hand uit.

'Jake,' zegt hij en ik schudt hem een paar keer als een kind dat speelt dat het volwassen is. Hij kijkt ernstig. Hij laat de motor gieren en kijkt in de spiegel of er iets aankomt.

Dan kijkt hij me doordringend aan. 'Je hebt toch geen Asperger, hè?'

'Asperger?'

'Asperger.'

'Voor zover ik weet niet.'

'Ja, sorry hoor,' zegt hij, 'ik dacht alleen maar.'

Ik stap in en laat me wegzakken in het versleten leer. Er hangt een wierookgeur in de auto. Als ik het portier dichttrek, zakt de veiligheidsgordel met schokjes omlaag, trekt zich strak over mijn borstkas en we schieten vooruit. Aan het eind van de straat vindt hij een klein gaatje in het verkeer waar hij ons in lanceert. Hij geeft met een hand kleine rukjes aan het stuur, terwijl de andere hand op de versnellingspook ligt, en de auto maakt scherpe, onverwachte bewegingen, als een vis in zijn element.

Jake is ergens rond de twintig en hij heeft inderdaad een soort uniform aan – T-shirt, flodderige shorts tot op de knie en trainingsschoenen. Het is de favoriete uitrusting van de skateboarders op de promenade en van alle jongens die scenarioschrijver willen worden en die met hun laptops in de cafés langs het water zitten, en van alle jongelui tussen de dertien en de dertig voor wie, bedacht ik onlangs verontwaardigd, wolkeloosheid en eindeloze zonneschijn het lege luchtgezicht van het brein is geworden.

Jakes brein is wolkeloos noch leeg, zo blijkt. Aanvankelijk zegt hij niet veel. Ik bedank hem ervoor dat hij me is komen ophalen. Ik vraag hem wat hij doet en hij vertelt me dat hij bezig is met een tweejarige opleiding aan de universiteit, maar dat hij hoopt in de lente naar een grote universiteit over te stappen om sociologie te gaan doen. Hij is bezig met een of ander project dat het midden houdt tussen een essay en een proefschrift en dat misschien wel iets multimedia-achtigs zou kunnen blijken te zijn. Stukken ervan zouden wellicht gedanst of gezongen kunnen worden.

'Eerst dacht ik dat het misschien een boek zou worden,' zegt hij, 'maar shit, weten we eigenlijk wel of er over vijf jaar nog boeken bestaan?'

'Wat is het dan tot nu toe?' vraag ik. 'Wat is het op dit moment?'

'Op dit moment is het... een soort pijn. Er zijn van die dagen dat het iets kolossaals is dat aan me vreet. Vandaag is zo'n dag. Dat ik alleen maar probeer te overleven. Probeer te beseffen wie ik ben.'

'En wie ben je?'

'Een ongelooflijk prachtig menselijk wezen in een wereld vol pretentie en onenigheid en nonsens. Wát het uiteindelijk ook gaat worden, het zit er in wezen alleen maar op te wachten om naar buiten te komen. Ik moet het alleen toestaan om de vorm aan te nemen die het moet aannemen, wat dat ook mag zijn. Wat ik moet doen is mezelf afzijdig houden, snap je? Ik moet het proces gewoon zijn gang laten gaan.'

'Ik weet hoe dát voelt,' zeg ik. Eigenlijk weet ik niet zeker of dat wel het geval is, maar om een of andere reden mag ik Jake wel, en ik zou hem graag helpen ontspannen. Ik vraag me af of het door mij komt dat hij zo nerveus is, of dat hij altijd zo is. Hoe kan iemand zo koortsachtig intens leven? Als hij over zijn project praat beweegt de klep van zijn baseballpet, die gerafeld is en zwart aan de randen, voortdurend op en neer.

'Er zijn van die dagen,' zegt hij, 'dat ik in mijn hele lijf voel Dit Gaat Niet Werken, en dat ik gesaboteerd word door Alles Is Een Teringzooi. Hij tilt even allebei zijn handen op om van die konijnenoortjes in de lucht te maken die aanhalingstekens moeten voorstellen en mijn maag zit in mijn keel.

Een ogenblik lang, voordat hij een ruk aan het stuur geeft

om een botsing met een brede truck te vermijden, ben ik me akelig bewust van de weg, van al die vierkante kilometers verkeer, dat met een noodgang richting sloop dendert, van de pletbare zachtheid van het menselijk lichaam. Ik word me ook op een nieuwe manier, ergens diep in mijn ingewanden, bewust van zijn manier van praten. Ik merk dat ik zit te wachten op de soort zinsnede die hij wellicht tussen aanhalingstekens zou willen zetten, en bereid me erop voor om in 't geweer te komen.

'Wat eigenlijk best ironisch is, weet je,' zegt hij, 'want dat is in wezen waar ik over aan het schrijven ben, het feit dat in wezen alles een teringzooi ís. Zoals bijvoorbeeld, om maar eens wat te noemen, inheemse volken verzooid zijn door de multinationals, en liefde verzooid wordt door ambitie, en de ijskappen verzooid zijn door miljoenen kilometers snelweg.'

Ik klamp me vast aan de tweede bewering, omdat ik Jake liever over zichzelf hoor praten dan over kapitalisme of de opwarming van de aarde. 'Dus jij vindt dat liefde verzooid wordt door ambitie?'

'Tuurlijk. Jij niet dan? Dan zie je zo'n vent in een bar met een meisje of zo, en hij staat haar een domme grap te vertellen over zijn skivakantie in Europa, of hij staat haar uit te leggen waarom het te gek is om bedrijfsjurist te zijn, en zij staat daar maar te lachen en haar perfecte gebit te showen, en allebei doen ze net of ze op zoek zijn naar liefde of zo...' Zonder waarschuwing zet hij 'liefde' tussen aanhalingstekens en rekt het woord op als het refrein van een liedje, en ik zet me schrap tegen het dashboard en kijk naar wegzwenkende witte lijnen en de sterrenregen van remlichten, tot zijn hand weer omlaag valt op het stuur. 'Ondertussen vist zij naar de omvang van zijn bankrekening en betast hij haar pincode en meer gebeurt er niet.'

'En seks?'

'Ja, misschien ook, vast wel, maar seks is ook niet meer dan een handelsartikel en het heeft allemaal te maken met macht en geld.'

Hij geeft een zwieper aan het stuur alsof hij boos is en we zwaaien dwars door het verkeer naar links. Ik krimp ineen in mijn stoel, alsof dat zal helpen ons erdoorheen te persen. We gaan vol gas een zijstraat in met de zon in onze ogen en wegstervend getoeter achter ons. Ik moet toegeven dat hij hier goed in is.

Vervolgens gaat het een poosje bergop. We passeren kledingzaken met hoekige poppen in de etalages. Dan volgen er echte mensen, die zich uitsloven in tredmolens of achteroverliggend hun teennagels laten knippen. De weg duikt omlaag, en tussen de gebouwen door is daar ineens de oceaan, een donkerblauwe rechthoek, en het lijkt wel alsof ik hem nog nooit eerder heb gezien, zo helder en tastbaar is hij. We draaien weer naar het noorden en nu is de oceaan links onder ons, geflankeerd door een grasstrook. De gebogen palmen reiken met hun slanke, geschubde stammen naar de hemel. En tussen de stammen door, beneden bij hun wortels, zijn de joggers en de wandelaars die hun heupen en ellebogen heen en weer bewegen als salsadansers. Er zijn ook gekke mensen, en mensen die zaken doen aan de telefoon, en allemaal praten en gebaren ze druk tegen onzichtbare toehoorders.

'Hoor eens Jake,' zeg ik, 'ik weet niet wat voor indruk Astrid jou heeft gegeven, maar... je noemde me haar nieuwste. Ik weet niet precies wat je daarmee bedoelt, maar volgens mij klopt het niet.'

'Hoe zou je jezelf dan noemen?'

'Een kennis, neem ik aan. Ik heb haar pas één keer ontmoet. Ik bedoel, het was niet meer dan een praatje op een feestje...'

'Ja, en jullie zijn het zwembad in gesprongen en een of ander kind was bijna verdronken. Dat heb ik allemaal al gehoord.'

'O, is dat zo.' Dat is verontrustend. 'Nou ja, ik weet niet wat

Astrid erover verteld heeft, maar zíj wist het in elk geval nog min of meer stijlvol te doen. Ere wie ere toekomt. Ik vrees dat ik me nogal belachelijk heb gemaakt.'

'Omdat je op een abstract niveau leeft.'

'Is dat zo?'

'Dat zegt Astro, en dan bedoelt ze dat je zo slim bent dat je de helft van de tijd niet weet wat er om je heen gebeurt.'

'Ik weet niet of dat nu wel helemaal overeenkomstig de waarheid is.'

'Ga nu maar niet meteen naast je schoenen lopen, of zo. Astro neemt graag een genie op sleeptouw. Jij bent gewoon haar nieuwste.' Hij geeft me een korte zijdelingse blik. 'Meestal zijn het idioten,' zegt hij, 'of van die geleerde types die al met één voet in het graf staan. Jij valt nog mee.'

Ik besluit dit als een compliment op te vatten. 'We gaan dus naar het Moonglow Café.'

'Naar de Moonglow, ja.'

'En dat is waar precies?'

'Een kilometer of drie verderop langs de kust. Ma en Astrid komen daar veel.'

'En Astrid is een vriendin van je moeder.'

'Haar enige vriendin zo'n beetje. Ze hebben elkaar leren kennen bij Anonieme Overeters. Nu woont Astrid parttime bij ons.'

'Overeters...? Dat kan ik me haast niet voorstellen. Astrid is toch niet... ik bedoel, ik kan me haar niet voorstellen...'

'Volgens mijn moeder is dik zijn een geestesgesteldheid. Astrid is meestal in New York. Ze heeft een eigen appartement aan de Upper West Side.'

'Maar als ze hier is, wonen jullie met z'n drietjes bij elkaar.'

'Vier, met Natalie erbij.'

'Wie is Natalie?'

Hij aarzelt voordat hij antwoord geeft, alsof hij het goed wil uitleggen. 'Natalie is een heel bijzonder iemand. Ze zou weleens de meest ongelooflijk begaafde persoon kunnen zijn die ik ken. Ze is soms geen makkelijk gezelschap. Maar ze is diepzinnig, weet je, en hartstikke authentiek.'

'Niet ambitieus, dus.'

Zijn gezicht betrekt en ik kan mezelf wel voor mijn kop slaan om die onhandige verwijzing naar zijn scriptie.

'Er zijn verschillende soorten ambitie. Als je kunstenaar bent kun je maar beter ambitieus zijn, anders droog je uit en blijft er niks van je over. Of je moet genoegen nemen met een baan in het bedrijfsleven en dan ben je nog minder dan niks.'

In het gras is opeens een opening waar de weg omlaag buigt, en daar is het water weer, helder en glinsterend. Een tijdje lang houden we het naast ons en dan verdwijnt het tussen lage gebouwen, om van tijd tot tijd weer op te doemen als een extra stukje lucht. Rechts wordt de weg gezoomd door kliffen die zich hoog verheffen en weer terugvallen, even een ravijn in duiken en weer oprijzen, om vervolgens over te gaan in een heuvellandschap. Een paar van de gebouwen die ons uitzicht op de oceaan blokkeren, zijn vrijstaand en hebben stijlvolle gevels. Maar de meeste zien eruit als keten of garages of motels, en liggen in een lange rij aan elkaar vast. En alle voordeuren liggen slechts een paar meter van de weg af, als strandhuisjes, maar dan langs een snelweg.

Zonder waarschuwing trekt Jake het stuur naar links en een adembenemend moment lang tollen we zijwaarts. Ik kijk door het zijraampje naar de grijnzende radiators van twee voertuigen, en tussen mij en hen is niets anders dan een autoportier en een krimpend stukje weg. Met de voorkant van de auto in de richting waar we vandaan zijn gekomen, staan we abrupt stil op de smalle strook tussen de weg en de rij gebouwen, terwijl het verkeer aan ons voorbij raast.

3

De Moonglow is een keet met een neonreclame erop in de vorm van een maansikkel. Aan de straatkant zit een rij patrijspoorten. Ik loop achter Jake aan de trapjes op. Hij trekt de deur naar zich toe. Hij gaat krakend open en zwaait achter ons dicht met een klap van hout op hout. Het lawaai van het verkeer wordt buitengesloten en ik hoor de oceaan. Het ijzeren tegengewicht, dat aan het uiteinde van een kabel hangt, slaat tegen het deurkozijn voordat het stopt met zwaaien. Er is een bar en tafels en stoelen, en het geheel vormt een nautische toneelschikking met touwen, visnetten, kreeftenfuiken en grove houtblokken. Aan de andere kant van de ruimte bevindt zich een rij ramen die uitzien op het water en de lucht, en zitten mensen aan tafels. Ik zie een bos rood haar afgetekend tegen het blauw van het water, en herken Astrid. Tegenover haar zitten twee andere vrouwen, en dan is er nog Jake, die tussen mij en hen in drentelt alsof hij pas kan ontspannen als hij me heeft afgeleverd. De jongste van de drie vrouwen ziet me het eerst. Ze ziet er breekbaar en ondervoed uit. Haar ogen zijn te groot voor haar gezicht. Door de verschrikte blik waarmee ze me aankijkt, krijg ik het gevoel dat ik per ongeluk getuige ben van iets illegaals, een samenzwering of een heksensamenkomst. Dan gaat Astrid staan met haar armen wijd voor een knuffel. Haar jurk is zwart en modieus sjofel. Ik herinner me haar geur. Ze draait zich om naar de anderen om me voor te stellen – Mo en Natalie. Mo, die de moeder van Jake moet zijn, is mollig. Ze is overvloedig behangen met kralen en bedeltjes. Natalie ziet er nog even gespannen uit, ook nu ze weet wie ik ben.

Astrid trekt me naast zich op een stoel. 'Zoals ik dus al zei, David is een genie,' zegt ze. 'Hij kan je alles vertellen over de islamisten.'

'Hoor eens, Astrid,' zeg ik tegen haar, 'ik wil dit even ophelderen voordat we verdergaan, ik bedoel, ik wil niet het gevoel hebben dat ik hier onder valse voorwendselen ben...'

'Weet je, David, daar kan ik in meegaan,' zegt Mo. 'Daar kan ik echt helemaal in meegaan.' Ze strekt haar hand uit om hem op mijn arm te leggen en haar bedeltjes rinkelen op de tafel. 'Wat je moet weten over Astrid is dat ze denkt dat je met liefde en begrip alles kunt oplossen en dat is, zoals je zegt, een vals voorwendsel. Je kunt niet van zelfmoordterroristen houden.'

'Maar je kunt ze proberen te begrijpen, liefie,' zegt Astrid. 'We zijn helemaal nergens, als we niet ten minste proberen vat op ze te krijgen.'

'Je kunt niet houden van mannen die hun vrouw slaan en onder de duim houden.' Mo's greep om mijn arm verstrakt terwijl ze praat, ook al heeft ze het nu tegen Astrid.

'En hoe zit het dan met folteraars?' zegt Astrid. 'Hoe zit het dan met die kerels in het Pentagon met hun slimme bommen en hun nevenschade? Kun je daarvan houden?'

Mo denkt hierover na. 'Weet je, ik zie het meer als een kosmische verwonding – het enige wat je kunt doen, is wachten tot het geheeld is. Wat vind jij, David? Denk je dat sommigen het, over nog een stuk of tien levens, uiteindelijk zullen snappen – dat er uiteindelijk iets tot ze zal doordringen?'

'Nou, eerlijk gezegd denk ik niet zo ver vooruit,' zeg ik tegen haar. 'Ik ben al blij als ik het eind van de week haal.'

Mo zet grote ogen op. Ik voel haar nagels door mijn mouw. 'Wat heb je gehoord? Zijn ze iets van plan?'

'Nee, ik bedoel... Het was eigenlijk meer een grapje. 't Spijt me.'

'Dat is je geraden ook, dat het je spijt. Het is niet iets om grapjes over te maken.'

Astrid zit te lachen.

'Nee, dat meen ik, Astrid.'

'Eigenlijk niet eens een grapje,' zeg ik. 'Gewoon zoals het er op het moment voor staat.'

Dat stemt Mo wat milder. 'Het is net alsof de wereld ziek is,' zegt ze. 'Je ruikt dat het kwaad uit haar poriën sijpelt.'

'Alsjeblieft, laten we het niet over Het Kwaad hebben,' zegt Astrid. 'Laat dat maar aan de regering over.'

'Je lijkt de apostel Paulus wel,' zeg ik tegen Mo. 'Want wij weten, dat tot nu toe de ganse schepping in al haar delen zucht en in barensnood is.' Het blijft stil. Mo kijkt me bevreemd aan en Astrid lacht.

Er staan glazen water op tafel en er ligt bestek en een videocamera – zo'n ouder type waar van die kleine bandjes in worden gebruikt.

Natalie zit me nog steeds aan te kijken met haar grote ogen. 'Dus jij bent de vriend van Astrid.' Haar stem is zacht en ze kauwt op haar duimnagel onder het praten. 'Je lijkt verdrietig. Vind je ook niet, Mo – dat zijn aura iets verdrietigs heeft?'

Ik weet niet wat ik hierop moet zeggen. Verdrietig klopt niet helemaal. Ik zou het kunnen ontkennen. Ik zou een alternatief kunnen aandragen – bezorgd, misschien, of in de war – maar ik heb geen zin om in een therapie te belanden waar ik niet om heb gevraagd.

'Met David gaat het prima, liefje,' zegt Mo, 'hij is alleen een beetje stijfjes. Hij komt uit Engeland.' En ze streelt Natalies haar.

Jake heeft een stoel bijgeschoven aan de tafel en zit het menu te bestuderen.

'Wil je eten?' Astrid schuift een menukaart in mijn richting. 'Wij hebben al besteld.'

'Ik weet niet,' zegt Natalie. 'Op een of andere manier verwond.'

'Misschien is hij niet verwond, liefje,' zegt Mo. 'Er manifesteert zich op dit moment alleen een hoop duistere energie.' Ze kijkt me aan en neemt mijn beide handen in de hare. 'Als je niet in contact bent met je schaduwzijde, weet je maar nooit wat daar de kop zou kunnen opsteken. Weet je, de kosmos is op weg naar een crisis, die misschien wel terminaal zal zijn, of een doorbraak naar een ander niveau.'

Mijn mobiel gaat over. Het is een nummer dat ik niet herken. 'Sorry,' zeg ik, terwijl ik me losmaak uit haar greep, 'ik denk dat ik even moet opnemen.' Ik sta op en loop in de richting van een open ruimte bij de bar.

'David. Met Rebecca.'

'O, hoi. Alles goed?'

'Ja hoor. Stoor ik? Ben je aan het schrijven?'

'Nee, niet echt. Het wil maar niet vlotten.'

'Rot voor je.'

Er barst opeens lawaai los aan een tafel bij me in de buurt.

'Wacht even, laat me even…' Ik loop een stukje verder langs de bar. 'Rebecca, sorry, wat is er?'

'Niets bijzonders, ik wilde alleen maar praten. Waar ben je? Ik dacht dat je thuis zou zijn.'

'Ik ben gewoon even het huis uit gegaan.' Ik voel me overvallen. Ik zou het gewoon tegen haar moeten zeggen – maar waarom zou ik de boel onnodig ingewikkeld maken?

'Is er iemand bij je? We kunnen ook straks praten als er iemand bij je is…'

‘Nee hoor, kan best nu. Zeg het maar…’

Er is een open deur die uitkomt op een zonneterras. Buiten voel ik de lucht die vanaf het water landinwaarts drijft. De lijn tussen de oceaan en de lucht is wazig en er is een nevelring rond de zon.

‘Waarom belde je?’

‘David? Je klinkt gespannen.’

‘Volgens mij ben ik niet gespannen.’

‘Het was geen beschuldiging of zo. Ik zeg het alleen maar. Misschien is dit niet zo’n handig moment.’

‘Is er iets gebeurd?’

‘Nee. Luister, ga jij zo weer naar huis? Ik kan proberen om vroeger naar huis te komen als jij er dan ook bent.’

‘Wat is er dan?’

‘Er is niks. Ik dacht alleen dat we misschien zouden kunnen praten. Mag ik je alleen maar bellen als er iets aan de hand is?’

‘Dat zeg ik niet.’ Ik leun over de balustrade en kijk naar het kolkende water dat onder me bruisend tegen de keien en de houten stutten slaat. ‘Hoe laat denk je dan dat je naar huis komt?’

‘Als jij er toch niet bent heeft het niet veel zin. Ik heb nog genoeg te doen.’

‘Ik kan wel zorgen dat ik over een tijdje thuis ben als jij vroeger komt.’

‘Waar ben je nu dan?’

‘Ik weet het eigenlijk niet.’

‘Wat bedoel je? Hoe kun je dat eigenlijk niet weten?’

‘Ergens aan het water.’

‘Op het strand?’

‘Ja, op het strand.’

‘Is er iemand bij je? Het klinkt alsof er iemand bij je is.’

Ik aarzel. Ze hoeft niet te weten dat ik bij Astrid ben – ze is zo al overstuur genoeg. ‘Dat zijn gewoon de mensen in de bar.’

'Ik dacht dat je op het strand was.'

'In een bar op het strand.'

'Ben je aan het drinken?'

'Bel je daarom? Om te vragen of ik zit te drinken?'

'O, David, dit heeft geen zin.' Ik hoor de brok in haar keel als ze begint te huilen.

'Ik kijk wel of ik thuis kan komen.'

'Laat maar zitten, David, als het zo'n probleem is.'

'Nou, bel maar als je behoefte hebt om te praten.'

Ze is weg. Ik denk erover haar terug te bellen. Maar om wat te zeggen dan? Je hebt gelijk, er is iemand bij me, maar het is niet belangrijk – zou het daar beter van worden?

Ik loop terug langs de bar naar de tafel, nog steeds aangedaan door dat afgebroken gesprek.

'Hij zou dood zijn geweest als die jongen van de catering niet had ingegrepen.' Astrid heeft het over het jongetje dat in het zwembad is gevallen. 'Je had hem bezig moeten zien.'

'Die jongen is een genezer,' zegt Mo. Ze zit met de videocamera Natalie te filmen die in haar glas water staart.

'Hij heeft iets paramedisch gestudeerd,' zegt Astrid, 'en hij heeft gewerkt als strandwacht – je weet wel, zo tussen andere baantjes door.'

'Paramedisch of wat dan ook – hij is een genezer.'

'Baantjes in de catering?' vraag ik, niet omdat het me iets kan schelen, maar omdat ik graag iets, ergens, duidelijk en afgebakend wil hebben.

'Nee,' zegt Astrid. 'Acteerwerk.'

'Is hij acteur?'

'Hij is een genezer.' Mo blijft filmen terwijl ze praat.

'Er heeft zich iets aangediend,' zeg ik, 'ik zou eigenlijk maar weer moeten opstappen.'

'Niet noodzakelijkerwijs, eigenlijk,' zegt Natalie. 'Kinderen hebben iets verbazingwekkends met water, een soort van affiniteit. De meeste mensen raken het kwijt, net zoals we de wijsheid kwijtraken, weet je wel, en die verbondenheid met de natuur die we hebben vanuit de baarmoeder. Maar kinderen verdrinken niet.'

'Misschien zou Jake me naar huis kunnen brengen.'

'Jezus,' zegt Jake, 'ik moet eten. Mag ik misschien even eten?'

'Het is net alsof het water weet wie ze zijn.'

'Kinderen verdrinken aan de lopende band,' zeg ik. 'Baby's kunnen in hun badje verdrinken.'

'Ik weet niet,' zegt Natalie. Haar grote ogen flitsen mijn kant op en weer weg. 'Hoeveel baby's verdrinken er vergeleken met de baby's die niet verdrinken?'

'Hoe bedoel je? Is dat een vraag?' Ik voel dat al mijn irritatie zich concentreert op de glibberige logica van Natalie.

'Jij begrijpt wat ik bedoel, toch, Mo?' zegt Natalie. 'Hoe leven we in de baarmoeder, waar we in al die vloeistof ronddrijven en zo? Daar moeten we toch een herinnering aan houden, een affiniteit.'

'Tuurlijk,' zegt Mo, terwijl ze de camera laat zakken, 'dat heb je wel goed gezien.'

'Vind je?' vraag ik. 'Heeft ze dat echt wel goed gezien?' Maar Mo zit met een soort verzaligde blik naar Natalie te kijken, alsof Natalie een voorlijk kind is. En Astrid zit naar de oceaan te staren en ik kan haar gezicht niet zien. Dan tilt Mo opnieuw de camera op en kan ik dat van haar ook niet meer zien.

'Ik ga een hamburger bestellen,' zegt Jake, terwijl hij van tafel opstaat.

Natalie leunt naar de camera toe om een geheim op te biechten. 'Toen ik klein was verstopte ik me altijd in het zwembad. Als mijn ouders ruzie hadden en mijn vader mijn moeder verrot sloeg, wat zo ongeveer aan de lopende band gebeurde, verstopte ik me in het zwembad. Ik liet me gewoon naar de bodem zakken en bleef daar uren zitten. Ik deed een of ander iets met mijn metabolisme, zodat mijn hartslag vertraagde en alles, en raakte gewoon in trance.'

'Terwijl er water in het zwemband stond?' vraag ik.

'Ja, natuurlijk.'

'Dat zou een verbazingwekkend talent zijn.'

Mo leunt naar achteren en draait de camera om Natalies profiel te volgen.

'Nee,' zegt Natalie terwijl ze me even aankijkt en vervolgens omlaag naar de tafel, 'dat is gewoon voor een kind.' Ze krabt aan het hout met een vingernagel. 'Het is alleen verbazingwekkend dat het mij is gelukt om het zo lang bij me te houden.'

'Je zegt dus eigenlijk... wat je zegt is dat je de natuurwetten kunt tarten. Ik bedoel, sorry hoor, maar er zijn mensen die jarenlang trainen om vijf minuten onder water te kunnen blijven.' Ik heb al spijt dat ik aan deze opmerking ben begonnen nog voordat ik haar heb beëindigd. Wat kan mij het schelen wat deze mensen geloven?

Tot mijn afgrijzen zie ik dat Natalie tranen in de ogen krijgt. 'Ik heb niet het idee dat je erg veel van kinderen af weet,' zegt ze, 'hoe slim je ook mag zijn. Slimme mensen weten van sommige dingen juist minder af.' Ze legt haar hand tegen de camera en Mo laat hem zakken. 'Ik wil hier helemaal niet meer zitten.' Ze duwt haar stoel omver als ze opstaat. 'Het lijkt wel of er iets gebeurd is met de energie hierbinnen – alsof iemand hier boodschappen doorkrijgt van mijn vader of zoiets...' Ze wringt zich langs Jake, die net terugkomt van de bar.

'Tering, wat heb je tegen haar gezegd dan?'

'Ik kan maar beter achter haar aan gaan,' zegt Mo, 'kijken of het wel goed met haar gaat.'

'Hé, het spijt me,' zeg ik, 'ik bedoelde er niks mee.'

We staan nu allemaal rechtop, behalve Astrid. Jake loopt achter Natalie aan naar de deur. Mo stopt de videocamera in een geborduurde tas. 'Het komt niet door jou hoor, lieverd,' zegt ze tegen mij. 'Nattie is bezig met de verwerking van een paar problemen die heel diep zitten. Het lijkt wel of ze zich op het moment midden in een onweer bevindt, en dan ben jij daar ineens als bliksemafleider. Kom maar met ons mee naar huis, dan zien we wel of we er iets mee kunnen.'

'Maar, weet je, ik ben bang dat ik niet langer kan blijven. Ik moet op huis aan. Dat was mijn vrouw aan de telefoon.'

Mo zet haar tas op de grond en kijkt me aan. 'Je bent nogal opgefokt, hè David – je rent voortdurend van het een naar het ander. Als je hier nu eens gewoon bij bleef? Misschien zou het je een kans geven om te groeien.'

'Een andere keer misschien.'

'Als die er komt, lieve schat. We leven nu, op dit moment.' Ze legt haar hand op mijn arm en speurt mijn gezicht af alsof ze naar iets zoekt. 'Als ik even heel eerlijk mag zijn, dan zie ik dat je heel erg geneigd bent om te oordelen, klopt dat? Jouw grenswachten draaien diensten van vierentwintig uur, lieve schat.' Ze kijkt me een ogenblik strak aan met een zorgelijke uitdrukking en trekt me dan in een omhelzing. 'Niet dat ik het je kwalijk neem, hoor – zo ben je nu eenmaal.'

Heel even verzet ik me tegen deze ongewenste intimiteit. Dan wijkt mijn weerstand en voel ik me onverwacht getroost door haar zwaar beboezemde warmte. 'Maar weet je, mijn vrouw verwacht me thuis.'

Ze laat me los. 'Je moet het zelf weten. Wat je over Natalie moet weten, is dat ze een soort kosmische receptor is. Zo is ze binnengekomen. Ze draagt de duisternis van de wereld in haar psyche. Ik heb haar geholpen om in contact te komen met haar schaduw, maar het kost haar enorme moeite om tegen de duisternis te vechten. Hele naties worden daardoor opgeslokt.'

Ik kijk haar na als ze wegloopt.

Dan pakt Astrid me bij mijn arm. 'Hallo daar.'

'Hebben ze ook taxi's in Malibu?'

'Ik zou je zelf brengen, maar mijn auto is in de reparatie.'

'Volgens mij heb ik iedereen overstuur gemaakt.'

'Lieverd, ze zijn gewoon allemaal bezig met hun eigen ding. Het is niks persoonlijks.'

Ze kijkt me net zo aan als in de tuin van Max en Frankie, maar op een of andere manier is het me, nu ik nuchter ben, te veel. 'Je kunt trouwens nog niet weggaan,' zegt ze. 'Ik moet je eerst nog iets laten zien.' Ze trekt me mee naar de deur.

'Waar gaan we naartoe?'

'Naar huis. Twee minuten hier vandaan. Het is zo ongeveer hiernaast.'

'Hé, Astrid, hoe moet dat nu?' Een lange blonde man staat bij onze verlaten tafel met drie borden sla.

'Doe ze maar in een doos, Jason,' zegt Astrid. 'Ik kom strakjes wel betalen.'

En dus volg ik Astrid over de stoffige strook asfalt langs de snelweg naar het huis waar ze inwoont bij Mo en Jake en Natalie. Ze loopt met grote stappen voor me uit en ziet eruit als een victoriaans zwerfkind met haar enkellaarsjes en haar dunne zwarte jurk. We zijn ingesloten tussen lage gebouwen met gepleisterde gevels en geverfd houtwerk aan de ene kant, en voertuigen die ons met beangstigende snelheid passeren aan de andere.

Astrid duwt een deur open en ik volg haar naar binnen. Ze schopt de deur achter zich dicht en het is weer rustig. We staan in een tamelijk donkere gang met een aantal deuren erin en een trap die naar beneden leidt. De kamer die recht voor ons uit ligt, achter de stenen boog aan het eind van de gang, is behangen met zwierig samengebonden, door de zon verschoten lappen stof, die versierd zijn met allerlei franjes en kwastjes. Er zijn spiegels met lijsten waaraan lange stroken zijde hangen. De vloer is overdekt met mottige Perzische tapijten. Er staan een bronzen boeddha en een paar gongs. Er staan kandelaars met kaarsen. Er hangt een enorm Keltisch kruis van bewerkt hout aan de muur . De kamer komt rechtstreeks uit op een zonneterras waar al het licht vandaan komt.

'De keuken is hier,' zegt Astrid en ze wijst naar een alkoof aan de zijkant. 'Als je iets wilt drinken, ga je gang. Ik ben zo terug.' Ze legt de rug van haar hand tegen mijn gezicht alsof ze mijn temperatuur controleert. 'Laat je maar niet opfokken. Ze zijn allemaal gek – maar ja, wie niet, als je erover nadenkt?' Ze loopt terug naar de gang, waar ze uit het zicht verdwijnt, en laat mij met open mond achter en een *ja, maar* dat zich in mijn hoofd vormt.

Met de voordeur dicht is er niets dat eraan herinnert dat we ook maar in de buurt van een weg zijn, niets dat afleidt van de hypnotiserende golfslag op het strand. Even later hoor ik het gemompel van stemmen van beneden en voetstappen op de trap. Ik loop naar het terras en kijk omlaag over de houten leuning naar een smalle strook zand en rotsen en het kolkende water van de Stille Oceaan. Ik moet nog steeds aan Rebecca denken. Het is niks voor haar om van het werk te bellen.

'Wij zijn toe aan thee.' Het is Mo die in de keuken water opzet.

Ik kom van het terras af en blijf in de keukendeur staan. 'Kan ik ergens mee helpen?'

'Dan laat ik het je weten,' zegt ze.

'Voelt ze zich al beter?'

'Volgens mij was ze van streek om mij. Nattie is ten diepste afgestemd op haar omgeving.'

'Om jóú?'

'Omdat ik Iers ben.' Ze neemt mijn hand vast en knijpt er hard in. 'Je zult het waarschijnlijk niet begrijpen, maar hier, in deze ruimte, bevindt zich tussen ons twee een zee van voorouderlijke pijn.'

'Welk deel van Ierland? Je was vast nog heel jong toen je er wegging.' Ik ben verbaasd dat ik geen accent heb opgemerkt.

'Mijn familie komt uit Donegal.' Ze wijdt zich weer aan het thee zetten. Ze hangt theezakjes in een pot. 'Mijn overgrootouders zijn daar verdreven gedurende de hongersnood.'

'De aardappelhongersnood?'

'Ik neem niet aan dat je er veel van af weet. In de Engelse geschiedenisboeken is er niets meer over te vinden.' Ze schenkt het water in de theepot. Een stoomwolk stijgt op naar het plafond. 'Hongersnood is, hoe dan ook, een romantisch woord voor genocide.'

'Je overgrootouders?'

'Over de Atlantische Oceaan naar Ellis Island.'

'Alle acht?'

'Overgrootouders.'

Ze houdt een dienblad vast met de theepot en twee mokken erop. Ze kijkt me aan met een borende blik. 'Hoezo denk je dat ze het allemaal overleefd hebben?' zegt ze.

Als ze weg is slenter ik terug de zitkamer in. Ik struikel over de rand van het tapijt en val tegen een leunstoel aan. Ik zie waar de rand van het tapijt opgekruld ligt tegen de poot van de bank. Ik kniel om het recht te trekken en kijk recht in een soort totemgezicht. Het is zwart met enorme holle ogen en een uitpuilende brulmond. Ik reik onder de bank om het er onderuit te trekken. Het beweegt een paar centimeter en blijft dan ergens achter hangen. Ik geef er een voorzichtig rukje aan en het glijdt naar me toe. Het is een gasmasker, een lelijk ding. Verstrikt in de riempjes zit een klein pistool. Ik vraag me af of deze voorwerpen van Mo zijn, of ze op deze manier van plan is de periode van kosmische duisternis door te komen. Ik pak het pistool op, alleen maar om het in mijn hand te voelen. Dan schuif ik het terug onder de bank en bekijk vervolgens het gasmasker eens wat beter. In een opwelling trek ik het over mijn gezicht, trek de riempjes strak aan de achterkant van mijn hoofd en kom overeind om mezelf in de spiegel te bekijken. Het ruikt naar canvas en rubber. De spiegel achter me reflecteert een reeks cilindervormige snuiten en rubber riempjes die elkaar tot in de eeuwigheid overschaduwen. Ik draai mijn hoofd naar één kant en dan naar de andere om mijn gezichtsveld uit te testen en vraag me af hoe het zou zijn om met zo'n ding op in paniek te vluchten, te struikelen.

Als ik weer in de spiegel kijk, heeft een donkere vorm het patroon van spiegelbeelden nog ingewikkelder gemaakt. Ik draai me met een ruk om. Tegenover me staat een vrouw in een boerka. Geen enkel deel van haar is zichtbaar. Ze is stilletjes de kamer binnengekomen – vanuit een andere kamer of via de trap van beneden. Ik krijg de zenuwen van hoe roerloos en anoniem ze daar staat. Ik trek aan het gasmasker maar het blijft achter mijn oor haken. Ik glimlach en voel me vervolgens idioot om dat lachje, omdat zij het toch niet kan zien. Ik frummel onhandig aan de riempjes achter mijn hoofd.

'Sorry hoor,' zeg ik. Mijn stem klinkt gedempt. 'Het wil niet erg lukken om dit ding af te krijgen. Ik ben een vriend van Mo. Of eigenlijk een vriend van Astrid. Neem me niet kwalijk, ik wilde u niet laten schrikken.'

Ik geef mijn poging om de riempjes los te krijgen op en hou mijn handen omhoog om duidelijk te maken dat ik geen kwade bedoelingen heb. De vrouw lijkt niet geschrokken, maar het is moeilijk te zeggen. Misschien is ze wel verstijfd van angst onder al die zwarte stof. Of misschien staat ze wel terug te glimlachen. Misschien kan het haar allemaal niet schelen, of staat ze verbijsterd de raadselachtige capriolen van een buitenlander te observeren. Het komt bij me op dat haar Engels misschien beperkt is, dat ze misschien wel helemaal geen Engels spreekt. Maar het zou neerbuigend zijn om daar, zonder iets van haar te weten, zomaar van uit te gaan.

'U woont zeker ook bij Mo. Jake heeft me onderweg hiernaartoe uitgelegd dat het hier een hele commune is.' Boven de schouder van de vrouw uit zie ik mijn gegasmaskerde hoofd heen en weer bewegen in een groteske parodie op een obligaat praatje.

Dan begint er iets raars te gebeuren. De vrouw pakt de rokken van de boerka vast en begint die omhoog te trekken, zodat haar voeten en enkels worden ontbloot. Haar teennagels zijn paars. Haar knieën verschijnen en er is een glimp te zien van een dunnere stof die, als de voering van een jurk, de rijzende boerka als een schaduw volgt. Haar huid ziet er zacht en zonverwarmd uit. Haar dijen zijn onverwacht bruin. Ze kruist haar armen en laat één kant van het kledingstuk tot bijna op de knie omlaag glijden. Dan pakt ze het weer beet en trekt het opnieuw bij elkaar rond haar heupen. Er is een glimp te zien van ondergoed met een luipaardprint, voordat de voering uit de zwaardere stof omlaag glijdt tot over de bovenkant van haar benen. En ik zie dat het Astrids jurk is met de schuine zoom, en Astrids gezicht dat uit al dat zwart tevoorschijn komt en haar rode haar dat eruit bevrijd wordt.

Ze laat de boerka naast zich op de grond vallen. 'Mijn god, wat is dat ding zwaar,' zegt ze.

'Je hebt me de stuipen op het lijf gejaagd.'

'Ja zeg, en jij dan?' Ze lacht terwijl ze door de kamer op me afkomt. 'Waarom zet je in godsnaam dat ding op?' Ze begint aan het gespje te frunniken.

'Is dat van jou?' vraag ik.

'Nee, ben je mal.'

'Je had wel iets mogen zeggen.'

'Maar daar gaat het nou net om, toch?' Ze giechelt van opwinding en ik voel haar adem tegen mijn gezicht als het masker af gaat. 'Ik bedoel, het is een soort ultieme kick in passief-agressieve machtsuitoefening. Ik zou kunnen zijn wie ik maar wil met dat ding aan. Het is een gevangenis, maar het is ook een fort als je erover nadenkt.' Ze woelt door mijn haar onder het praten om de indruk van de riempjes te doen verdwijnen. 'Ik bedoel, je kunt naar honderd foto's kijken, of naar Arabische vrouwen op CNN, je weet wel, of in luchthavens – je kunt er van alles en nog wat van vinden – maar trek zo'n ding zelf aan en je bent in een andere wereld. Je bent als het ware onzichtbaar.'

Ze loopt terug om de boerka op te rapen en laat mij staan met een indruk van haar lichamelijke nabijheid.

'Ik vind het echt zo helemaal te gek. Ik wil ermee naar buiten. Over Rodeo Drive heen en weer lopen of zo.'

'Is hij nieuw?'

'Vanmorgen aangekomen. Ik heb hem op eBay gekocht.'

Het gemompel in de kamer onder ons is luider geworden. Er klinkt gerinkel van brekend glas of porselein, iets dat gegooid wordt of valt, en Natalies stem die opklinkt in een ijle jammerkreet als een fluitketel die begint te koken.

'Het is hier momenteel nogal een hectische bedoening, hè?' zegt Astrid.

Een mannenstem valt in, slaat over van bezorgdheid – Jake is zeker ook daarbeneden – en wordt beantwoord door het gonzende geluid van Mo's stem, zacht en bezwerend. Een ogenblik lang overlappen de twee elkaar en verstrengelen zich als een achtergrondkoortje. Dan verandert het gejammer in een schreeuw, waardoor de andere stemmen stilvallen, en de schreeuw is de eerste van een hele reeks schreeuwen. Een deur wordt dichtgeslagen en er klinken voetstappen op de trap.

Daar is Jake met een verwilderde blik in de ogen. 'Tering, waarom gaat ze niet... ik snap niet waarom ze niet gewoon... waarom moet het altijd zo'n... tering... teringzooi worden?' Even lijkt het alsof hij op een antwoord wacht, dan is hij weg en slaat de voordeur achter zich dicht.

Beneden nemen de vrouwenstemmen in volume toe om vervolgens weer zachter te worden, totdat we ze niet meer kunnen horen boven het geluid van het water en de kiezels uit die aanspoelen op het strand.

'Ik moet wat drinken,' zegt Astrid.

'Ik neem aan dat Natalie Jakes vriendinnetje is.'

'Niet in de eerste plaats. In de eerste plaats is ze Mo's cliënte. Jake is smoorverliefd, maar dat is typisch Jake, dat is zijn gave – om smoorverliefd te zijn, bedoel ik. Hij was ook ooit smoorverliefd op mij, wat nogal griezelig was, eigenlijk. Natalie klopt tenminste wat beter qua leeftijd.'

Ik volg Astrid de keuken in. 'Dus Mo is haar agent, of wat?'

'Mo is haar therapeute, schat.'

'En ze wonen samen?'

'Het kost Mo nogal moeite om grenzen te stellen – wat doe je eraan?' Ze haalt haar schouders op, draait zich om en trekt de koelkast open. 'Rode of witte?'

'Ik niet, dank je. Wat is er dan mis met Natalie? Waarvoor behandelt Mo haar?'

'Ze is manisch-depressief, denk ik, en ze heeft OCD – je weet wel, dwangneurose – handen wassen en de hele reut, wat weer samengaat met dat gedoe dat ze van alles niet mag aanraken. Ze lijdt duidelijk aan boulimie, ik bedoel, je hoeft maar naar haar te kijken.' Ze geeft me een fles rode wijn en een kurkentrekker aan.

'Ik moet echt opstappen.'

'Ja, dat zei je al. Drink een glaasje. Jake is vast zo weer terug. Die zit met een soort elastiek aan dit huis vast.'

'Vanwege Natalie, bedoel je.'

'Als het niet Natalie was, dan was het wel iemand anders.'

Ze reikt langs me heen om twee glazen uit de kast te pakken die ze op het aanrecht zet. Ik ben me bewust van hoe haar jurk verschuift en weer op zijn plaats valt als ze beweegt, van wat die, van het ene moment op het andere, onthult en benadrukt en dan weer verbergt.

'Ze waren een tijd lang min of meer verloofd, toen ze hier al eens eerder was, toen ging het allemaal uit en is ze hier weggegaan. Hij had de ring op een plank op zijn slaapkamer liggen. In een koraalkleurig schaaltje onder haar foto – een soort altaar. Toen kwam Ramona opdagen. Dat was heel andere koek. Jezus, wat was die gek! Een wandelende encyclopedie aan verslavingen en lichtelijk kleptomaan, zo bleek. Mo heeft graag iets onder handen. Maak je die fles nog open, of niet?'

'Ja, sorry.' Ik ben blij dat ik iets te doen heb en heb opeens behoefte aan alcohol.

'Ramona kon ook geen genoeg krijgen van seks. Neukte alles wat een broek aanhad, inclusief Jake. Arme donder, hij wist niet wat hem overkwam. Eerst zit-ie maanden te wachten tot hij eindelijk Natalie d'r handje mag vasthouden, en dan krijgt hij Ramona over zich heen. Geen wonder dat hij dacht dat het liefde was. En dan, op een dag, is ze weg, verdwenen met een willekeurige verzameling van andermans spullen, inclusief zijn ring – Natalies ring.'

De kurk glijdt er met een bevredigende plop uit en als ik de fles schuin houd, klinkt het zachte klokken in de hals, net voordat de wijn het glas in kolkt.

'En zelfs dan nog denkt Jake dat het een soort boodschap is – hoe gestoord kun je worden? – dat ze ermee wil zeggen dat zij ook van hém houdt.'

Ze klinkt met me en we nemen een slok.

'Dus hij zit te wachten op het happy end, het telefoontje, wat dan ook en komt die bink tegen op het strand, zo'n surfer van hier, en die vent loopt met de ring om zijn pink. Natuurlijk gaat Jake over de rooie en die vent geeft hem een klap op zijn bek. Als je erover nadenkt is dat natuurlijk het happy end waar Jake eigenlijk al de hele tijd op zat te wachten. Hij is pas echt gelukkig als een of andere vrouw zijn zelfrespect onder de grond schoffelt.'

'Arme Jake.'

'Ja, arme Jake. Zullen we naar de zonsondergang gaan kijken?'

'Waarom ook niet?' Ik loop achter haar aan het terras op.

'Toch gaat het met mannen altijd zo, denk ik weleens. Als puntje bij paaltje komt willen ze je kwetsen of door jou gekwetst worden. En er zijn er die willen het allebei, als je snapt wat ik bedoel.'

Ik leun naast haar op de balustrade en onze armen raken elkaar net niet. Het is nog steeds warm maar er begint een windje op te steken. Er hangt een grote rode zon met wolkenvegen ervoor, die net zijn onderste rand aan het verliezen is, terwijl hij in de oceaan zakt. En mijn ademhaling is onrustig omdat ik niet weet wat er nu eens zou moeten gebeuren, en ik hoop maar dat het niet veel is.

Onder ons, op het strand, is Natalie verschenen. Ze heeft een witte katoenen jurk aangetrokken – een geval vol ruches, als de jurk van een boerenmeisje in de operette, met wijde mouwen en een uitwaaierende rok. En ze heeft lange witte linten in haar haar. Ze staat met haar gezicht naar de oceaan in de zon te staren.

'Net zoiets als waar ik het daarnet over had,' zegt Astrid, 'toen ik dat ding aanhad. Waar gaat dat nou werkelijk over? Snap jij het, want ik dus absoluut niet. Het heeft iets griezelig SM'igs wat ik niet kan ontrafelen. Iets wordt uitgewist, iemand wordt vernederd – maar wat dan en wie?'

'Jij denkt dat er meer gaande is dan vrouwen eronder houden?'

'Eronder houden, zeker, maar moet je zien wááronder. Ik was eerder dit jaar in Florence. Daar stonden twee vrouwen op de Ponto Vecchio – identiek gesluierd, alleen de ogen zichtbaar. Een van de twee had een camera. Ze namen foto's van elkaar, om de beurt, en ik dacht: waar is die tweede foto goed voor?' Ze giechelt. 'Was dat erg vals van me?'

'Verderfelijk.'

Natalie draait zich om en kijkt over het strand in de richting van het huis. Ik kijk omlaag en zie de videocamera en de bovenkant van Mo's hoofd en haar verkorte lichaam dat zich onvast in de richting van het water beweegt. Natalie keert zich met een sierlijke draai weer om naar het water, waardoor alles in beweging komt – haar jurk en haar haar en de linten in haar haar. Ze loopt op haar tenen over het zand tot aan haar enkels het water in. Mo zigzagt achter haar aan, schuifelt, solide en moederlijk, op blote voeten door het zand.

'Hoe zit dat eigenlijk met die videocamera?'

'Het is een soort therapie. Werken aan Intensievere Nu-beleving noemt ze het. Het is haar eigen uitvinding. Ze vindt het vooral leuk dat de beginletters het woord WIN vormen.'

'Helpt het?'

Astrid haalt haar schouders op. 'Kennelijk. Ze denkt erover om digitaal te gaan.'

Ik lach alsof Astrid een grap heeft gemaakt en Astrid lacht, dus misschien was het een grap. Tenzij we gewoon moeten lachen omdat we hier zijn, terwijl de dag zijn laatste adem inhoudt en de horizon naar ons overhelt.

Natalie houdt haar rechterhand omhoog zoals ze dat in de evangelische kerk doen als ze boodschappen van de Heilige Geest ontvangen. De mouw is omlaag gezakt naar haar elleboog. Het water reikt nu tot haar knieën en de zoom van haar jurk raakt doorweekt. Ze draait nu trager in het rond omdat ze wordt gehinderd door de golven. Na nog een paar stappen golft het water rond haar middel. Haar linkerhand, die tot nu toe langs haar zij omlaag hing, begint opeens in een wijde boog door de lucht te bewegen. Iets wat ze in die hand houdt glinstert even in de zon, terwijl ze hem beweegt, en heel even denk ik aan Jakes ring, maar die is allang verdwenen samen met Ramona en de surfer. De bewegende hand komt bij de opgeheven arm aan als de strijkstok van een violist die naar de snaren wordt gebracht. Haar schouders verkrampen en er spuit bloed uit de geheven pols. Er is bloed op de jurk. Ik sta roerloos te kijken hoe Natalie in het water wegzakt, en ze zakt weg alsof er niets in de jurk zit, alsof het een kostuum is uit de garderobe van een illusionist nadat zijn assistente is weggeglipt. En dan is er alleen nog maar een waaier van haar die ronddrijft op het verkleurde water. Dan alleen nog maar water. Ik hoor een schreeuw en zie Mo rennen en ik hoor de zachte plof van de videocamera die in het zand valt en het breken van Astrids wijnglas.

4

De taxi rijdt weg en de straat is leeg. Ik hoor de windgong in de tuin van de buren. Ik ga het trapje op en voel in mijn broekzak naar de sleutels. Ze zijn er nog, al is de broek de oceaan in en weer uit geweest, en heeft hij te drogen gehangen. De dag is nog niet begonnen, maar de hemel opent zich in het oosten, grijs en koud achter de hoekige vormen van de stad. Ik doe mijn schoenen uit, die stijf zijn na hun onderdompeling, en doe de deur van het appartement open.

Ik tap een glas water uit de koeler en luister naar de bubbels die in de plastic fles borrelen. Ik drink het glas in één keer leeg en vul het opnieuw omdat ik me een beetje misselijk voel. In die taxi zat ik er min of meer verdoofd bij, me bewust van de muffe geur van leer en verwarmde lucht, en wilde alleen maar thuis zijn en in bed. Ik bedenk dat ik een buitengewoon hardvochtig iemand moet zijn. Misschien is het iets mannelijks om zo onberoerd te blijven. Misschien is het iets Engels.

Toen het gebeurde was er natuurlijk geen tijd om toe te geven aan zoiets als een emotie – wij drieën tot aan ons middel, tot aan onze borstkas, tussen de rotsen, Natalie die heen en weer geworpen wordt door de golven – een misstap en er zou makkelijk nog iemand dood hebben kunnen zijn. En onze handen die naar haar grijpen – eerst die van Astrid, toen die van mij en Mo – en die een enkel vinden, een knie, haar naar het strand slepen, terwijl een magere arm achter haar aan sleur, haar hoofd akelig heen en weer zwaait, en we een bloedspoor trekken over het zand. Daarna telefoontjes en een tijdspanne waarin je lijkt te vallen, en weet dat je aan het vallen bent maar nog niet bent geland, voordat de technici hun opwachting maken, het ambulancepersoneel en de politie. Mensen die weten wat je met een dode moet doen, die een eigen taal hebben om de zaken op een rijtje te houden. En een tijd lang beantwoord je vragen en doe je wat zij je zeggen te doen en er is medeleven en achterdocht en nog meer vragen en iemand geeft je op enig moment een foldertje over rouwverwerking, zodat ook de gevoelens zijn afgehandeld. Ware het niet dat Jake gevonden moet worden en ik niets heb bij te dragen aan de zoektocht omdat ik hier niet bekend ben en ik het vervolgens, omdat ik Jake niet ken, aan Mo en Astrid moet overlaten om woorden te vinden voor dit onbenoembare. Dus raap ik de scherven op van Astrids wijnglas en doe de afwas die er staat en ruim de keuken op. En ten slotte is er voor niemand meer iets te doen behalve de gruwel onder ogen te zien. En zelfs dan is er een waakzaam hoekje in mijn hersens dat zich distantieert van de hysterie en het verdriet en het ongelovige hervertellen van wat er zojuist is gebeurd.

Als ik de slaapkamerdeur opendoe, mompelt Rebecca iets. Ze heeft een schorre slaapstem. Ze spreekt mijn naam uit als een vraag en ik zeg dat ze door moet slapen. Ze gaapt met kleine kreungeluidjes en ik hoor haar smakken en met een zucht weer wegdoezelen. Ze schuift een arm omhoog over het kussen, waardoor de mouw van haar nachtpon wordt opgeschort, en haar lichaam beweegt loom onder het dekbed. Ik ben me bewust van mijn eigen uitputting. Ik wil naast haar liggen. Ik bespeur een verlangen naar warmte en lichamelijke troost en vervolgens een seksueel gevoel, als een energiestoot. Achter de jaloezieën is de hemel opgeklaard en bleke lichtstrepen volgen de contouren van haar heupen en haar schouders.

Ze doet slaperig haar ogen open en ze zegt: 'Wat is er met jou gebeurd?'

'Ga maar weer slapen.'

'Ik dacht dat je weg was gegaan.'

'Weg?'

'Ervandoor, weg bij mij.'

Ik ga op het bed zitten en raak zachtjes haar gezicht aan. Ze ziet er op een of andere manier anders uit.

'Of ik heb het gedroomd,' zegt ze. 'Ik denk dat ik het heb gedroomd.'

'Waar zou ik eens naartoe gaan dan?'

'Ga je daarom niet – omdat je nergens naartoe kunt?'

'Ik hou van je. Dat weet je toch?'

'Mmmm?'

'Het is nog geen tijd om op te staan.'

'Tijd om op te staan? Ben ik te laat?' Ze probeert zich los te rukken uit de slaap. 'Hoe laat is het?'

'Het is nog geen zes uur.'

'Godsamme, David.' Ze steunt op een elleboog. 'Ben je net terug?'

'Heb je je voicemail niet afgeluisterd? Ik heb gebeld en een bericht ingesproken.'

'Ik zat in bad. Ik heb je teruggebeld maar ik kon je niet bereiken.'

'Sorry. Waarschijnlijk lag mijn jasje nog op het terras. Het was zo'n gedoe. Luister, ga maar weer lekker slapen. Het spijt me dat ik je wakker heb gemaakt.'

'Wat voor terras? Wat is er met je gebeurd? Heb je een ongeluk gehad?' Ze legt haar hand op mijn wang en draait mijn gezicht alsof ze op zoek is naar tekenen van letsel.'

'Nee, echt niet. Het was niks.' Waarom zeg ik dat? Het is het tegenovergestelde van niks. Het is zo groot dat ik het niet kan bevatten en de woorden om het te beschrijven blijven in mijn keel steken.

'David, je hemd is vochtig. Het regent toch niet?'

'Nee. We praten er wel over als je wakker bent.'

'Ik ben wakker.'

'Maar je kunt nog even in bed blijven.'

'Je ziet er afgepeigerd uit. Waar ben je in godsnaam geweest?' Ze duwt het dekbed van zich af en staat op.

'Er is een ongeluk gebeurd – niet met mij, met iemand anders. Ik heb alleen maar geholpen.'

Ze loopt naar de badkamer met haar handen in de lucht in een gebaar van berusting en nu pas realiseer ik me wat er anders aan haar is.

'Wat heb je met je haar gedaan?'

Ze draait zich om en betast het verlegen.

'O ja, wat vind je ervan?'

'Ik weet niet. Je hebt het altijd lang gehad.' Het is afgeknipt tot een paar centimeter onder de oren en het is plat aan de ene kant en steekt uit aan de andere kant. 'Hoort het zo te zitten?'

Ze bedekt het haar nu met haar handen. 'David, ik kom net uit bed.' Ze loopt de badkamer in en slaat de deur achter zich dicht.

Ik hoor haar plassen en doortrekken. Ik wil geen ruzie maken. Ik dwing mezelf om op te staan. 'Wil je ontbijten?'

Ze roept terug: 'Natuurlijk wil ik ontbijten.' En ik hoor haar de douche aanzetten.

Ik stop brood in de toaster en dek de tafel. Door de geur van de koffie die in de maak is, voel ik me weer misselijk worden. Ik zat naar het menu te kijken daar in de Moonglow, toen Rebecca belde en vervolgens zijn we allemaal vertrokken zonder te eten.

En wat heb ik sindsdien gehad? Een hap van een boterham is het enige dat ik me kan herinneren. Het brood springt omhoog. Het kan niet langer dan zestien of zeventien uur geleden zijn dat ik hier wegging met Jake. Het is lastig om alles wat er gebeurd is op een rijtje te krijgen.

Rebecca is haar haar aan het föhnen. Een paar minuten later komt ze de slaapkamer uit terwijl ze haar blouse dichtknoopt. Het is wel leuk, eigenlijk, haar haar. Het is nogal schrikken dat er nog maar zo weinig is, maar nu ze er wat aandacht aan heeft besteed, zijn de pieken gelijkmatig rond haar gezicht verdeeld.

Haar houding heeft iets opstandigs, alsof ze me uitdaagt om kritiek te leveren. 'Het spijt me – ik werd er nogal door overvallen,' zeg ik. 'Het ziet er eigenlijk wel leuk uit.'

'Ik heb niet gevraagd om je goedkeuring.'

Ik schenk haar een kop koffie in. 'Toen je gister belde, wat was er toen met je?'

Er zit iets ontwijkends in de manier waarop ze lacht. 'Niks bijzonders. Hoezo, wat zei ik dan?'

'Alleen dat je wilde praten.'

'Ja, maar kennelijk had je het druk, dus ben ik maar gewoon mijn gang gegaan, denk ik.'

'Met wat?'

'Met wat het dan ook was.'

'Je klonk overstuur.'

'Ik had niet verwacht dat ik een afspraak moest maken.' Ze knijpt haar ogen tot spleetjes als ze me aankijkt. 'Er is iets raars met je.'

'En dat zie je nu pas?' Het rolt eruit als een zinnetje uit een vaak herhaalde grap, maar ik verpest de timing, of de toon deugt niet – ze snapt de grap niet, ziet alleen nog meer raars.

Ze smeert iets met een laag vetgehalte op haar geroosterde boterham. 'Wat er onder andere aan de hand is, is dat Frankie zich zorgen maakt om Max. Hij krijgt dreigbrieven en telefoontjes over die documentaire die hij aan het maken is.'

'Kan zijn secretaresse dat soort dingen niet afhandelen? Ik mag toch aannemen dat hij een secretaresse heeft.'

'Wat heeft zijn secretaresse ermee te maken?'

'Om die boodschappen te beantwoorden. Ik bedoel, jíj moet voortdurend allerlei administratie afhandelen.'

'Ze zijn anoniem, David. Iemand bedreigt hem.'

'Dat zei je niet. Je zei niet dat ze anoniem waren.'

'Nou , dan zeg ik het nu, oké? Hij krijgt anonieme boodschappen. Hij wordt bedreigd.'

'Waar gaat die documentaire dan over?'

'Hij maakt onderdeel uit van een serie die *Vrouwen spreken vrijuit* heet. Het speelt zich allemaal af in Los Angeles. Deze gaat over moslima's die een conflict hebben met hun familie over het een of ander. Eentje wil stand-upcomedian worden. En eentje is bij haar man weggegaan omdat hij haar slaat.'

'Klinkt als campagnemateriaal.'

'Is dat sarcastisch bedoeld?'

'Nee. Nee, echt niet. Ik heb alleen zo mijn twijfels over de timing.'

Ze heeft de hoek van een halve snee geroosterd brood in haar mond en kijkt me aan alsof ze meer uitleg wenst.

'Je weet wel, het lijkt nogal een voor de hand liggend mikpunt tegenwoordig. Morele verontwaardiging jegens de mannen met baarden is knap trendy.'

'Dus je bedoelt het wél sarcastisch.' Ze begint weer te eten.

'Ik vroeg me alleen af... ik weet niet... wie ernaar gaat kijken. Wat wordt ermee beoogd?'

'Dus we moeten dit soort dingen maar allemaal zolang in de ijskast zetten, vind jij. Alleen omdat Amerika het kennelijk op de islam heeft gemunt, zijn moslimmannen ineens geëxcuseerd. Ze kunnen doen wat ze maar willen.'

'Wacht eens even...'

'Alleen omdat jij verwikkeld bent in een soort machoconflict met de Amerikaanse regering, zijn eerwraak en genitale verminkingen opeens van tafel geveegd, niet meer onze zorg.'

'Dat zeg ik helemaal niet.'

Ze neemt een grote slok koffie. 'Nee, dat zal wel.'

Ik sta op en loop naar het aanrecht en vervolgens naar het raam. Ik ben te erg van slag om te eten.

Rebecca zegt: 'Ik kan maar beter gaan.'

'Je hebt nog uren de tijd.'

'Dan ben ik eindelijk een keer de files voor.' Ze loopt al naar de slaapkamer.

Ik voel paniek opkomen bij de gedachte dat ze weggaat. Ik kijk naar de tuin van de buren – uit hun krachten gegroeide palmen en eucalyptusbomen die zich verdringen in de ruimte tussen de barbecue en het plastic bubbelbad – en volg de lijnen van de platte daken, de gepleisterde muren met aluminium ramen, de sjofele stukjes groen. Het voelt allemaal stoffig en droog en buitenlands. De angst om hier alleen te zijn overvalt me als een opeenvolgende reeks fysieke gewaarwordingen – mijn hart dat sneller gaat kloppen, het gevoel alsof mijn keel wordt dichtgeknepen, een tinteling die in mijn nek begint en zich over mijn hoofdhuid verspreidt. Ik voel een intense verbolgenheid dat ik met haar ben meegekomen naar deze plek, waar ik plotseling niet zonder haar wil zijn.

'Je ziet er echt beroerd uit.' Ze staat weer voor me. Ze heeft haar ogen opgemaakt en draagt een zacht paars linnen jasje dat ik nog nooit heb gezien. Ze biedt me een olijftak aan, dat weet ik. Ze stelt ook een vraag. Maar wat ik haar moet vertellen heeft meer tijd nodig – ik kan het er niet zomaar uit gooien, terwijl zij al naar de deur loopt, iets in de trant van: *Er is me gisteravond op het strand toch zoiets raars overkomen.*

Ik haal mijn schouders op en probeer te glimlachen. 'Komt vast door die genitale verminking.'

'Het gaat niet allemaal over dat soort dingen. Ik zeg toch, het is een serie. Het gaat niet allemaal over moslims.' Ze draait zich om en loopt naar de salontafel. Ik heb haar teleurgesteld.

Ze leunt naar voren om een paar boeken en mappen te pakken en ik zie dat ze ook een nieuwe rok aanheeft – korter dan wat ze gewoonlijk draagt. Haar benen komen er goed in uit, die zacht gespierde massa, zoveel meer dan ik kan omvatten. Natalie is nog geen twaalf uur dood en het enige waar ik aan kan denken is seks – wat is er mis met mij?

'De andere gaan over allerlei andere dingen. Gewoon vrouwen die vrijuit spreken – zo heet het ook.'

'Die rok staat je goed.'

'Dank je.' Ik heb haar weer verlegen gemaakt.

'Drink nog een kop koffie voor je gaat.'

'Nee, drink jij hem maar op.' Ze is dingen in haar tas aan het stoppen.

Ik begin de tafel af te ruimen. 'Waar spreken ze dan verder nog vrijuit over?'

'Van alles.'

'Zoals?'

Ze kijkt op. 'Interesseert het je echt?'

'Natuurlijk interesseert het me.'

'Nou, bijvoorbeeld...' Ze aarzelt en kijkt me aan alsof ze iets zoekt. 'Bijvoorbeeld, eentje gaat over vrouwen die parttime in de seksindustrie werken – prostitutie, strippen, dat soort dingen. Al het gezeik dat ze over zich heen krijgen van hun klanten en pooiers en vriendjes enzovoort, en hoe ze daarmee omgaan.' Ze zwijgt even.

Ik weet dat ze deels praat omdat ik niet praat. Nog even en dan zeg ik het gewoon – iemand is doodgegaan, ik was erbij. Zolang ik het niet zeg is het een druk in mijn hoofd.

'Een andere gaat over cosmetische chirurgie, vrouwen die het laten doen, of die er met iemand een conflict over hebben.

Er is een vrouw met een onbenul van een man die haar dwingt om haar borsten te laten vergroten. En een zeventienjarige – kennelijk nogal een ster – in de documentaire, bedoel ik – die voor haar achttiende verjaardag van haar vader een neuscorrectie cadeau krijgt, maar van hun rabbi te horen krijgt dat dat antisemitisch is. Dat is een van de luchtigere verhalen.'

'Dat is belachelijk.' Ik ben zelf verrast door mijn irritatie.

'Wat? Wat is er precies belachelijk naar jouw mening?' Ze laat een boek op het tafeltje vallen. 'De neuscorrectie? De afkeuring van de neuscorrectie? De benarde positie van een jonge vrouw die vastzit tussen twee mannelijke autoriteiten?'

'Benarde positie? Heb je soms de aanbevelingstekst geschreven voor die serie?'

'Ik wist wel dat je er beledigend over zou doen.' Ze slingert haar tas over haar schouder en loopt naar de deur.

'Kom op nou, Becca, je moet toch toegeven dat het allemaal nogal oppervlakkig klinkt.'

Met haar hand op de deurklink zegt ze kil: 'Je hebt gewoon besloten dat je die mensen niet aardig vindt.'

'Bedoel je de strippers en neuscorrectiemensen, of de mensen uit LA in het algemeen?'

'Ik bedoel Max en Frankie.'

'Wat maakt het nou in godsnaam uit of ik Max en Frankie wel of niet mag?'

'Ik moet met hen werken.'

'Met Frankie. Niet met Max, voor zover ik weet.'

'Ja, met Frankie, die Max van tijd tot tijd helpt omdat hij haar echtgenoot is.'

'Dit geruzie is belachelijk. Ik weet niet eens waar het over gaat.'

'Nou, in ieder geval niet hierover, dat is zeker.'

'Niet waarover?'

'Over wat het dan ook is waar we het over hebben. Waar het

over gaat is dat jij ruzie zoekt omdat je je rot voelt omdat je de hele nacht weg bent geweest en mij kennelijk niet kunt vertellen wat je hebt uitgevreten.'

'Je had het alleen maar hoeven vragen.'

'Je had het alleen maar hoeven vertellen.' Ze wacht, haar wenkbrauwen opgetrokken, haar mond een beetje open en haar schouders nog net niet helemaal opgehaald.

'Een meisje heeft zelfmoord gepleegd.'

Ze is ontzet. 'Welk meisje?'

'Een vrouw, een jonge vrouw. Ze gebruikte een scheermes. Of ze is verdronken, of ze heeft haar hoofd gestoten, of iets.'

'Ze heeft zelfmoord gepleegd maar je weet niet hoe?'

'Ik heb het zien gebeuren – nou goed!'

'Wie was het dan? Je zei dat je een stukje was gaan lopen op het strand.'

'Ik was bij Astrid.'

'Bij wie?'

'De vrouw op het feest, die in het zwembad sprong.'

Ze laat haar tas op de grond zakken. 'O, dus dat is het.'

'Nee, ze wilde me alleen een paar dingen vragen. Het is niet belangrijk...'

'Ik maak wel uit wat belangrijk is.'

'Ik zag hoe dat meisje haar pols doorsneed met een scheermes. Het was niet bepaald leuk. En ik voel me op een of andere manier verantwoordelijk, wat belachelijk is, omdat ik weet dat het puur toeval was dat ik erbij was, maar dat neemt niet weg dat ik het gevoel heb dat het niet had hoeven gebeuren als de dingen anders waren gelopen.'

'De dingen? Welke dingen? Jezus, David, wat heb je met haar gedaan? Wie is dat meisje?'

'Gewoon een meisje dat bij Astrid en Mo woonde.'

'Wie zijn die mensen? Wat deed je daar dan?'

'Dat zei ik al. Astrid heeft ergens het idee vandaan dat ik haar alles over de islam kan vertellen. Ze wilde me haar boerka laten zien.'

'Ja, dat zal wel.'

Rebecca's humorloze lachje maakt iets in me los, een soort verbolgenheid over de onrechtvaardigheid van haar veronderstelling, de wetenschap dat ze er niet ver naast zit, zonder dat ze dat zelf weet, de frustratie over mijn onvermogen om het uit te leggen. Ik zeg dingen hardop zonder zelf te weten wat ik denk ermee te willen zeggen. 'Waarom kun je niet eens een keer...' begin ik te zeggen. 'Waarom ga je ervan uit dat ik...' Maar ik weet niet hoe ik deze zinnen moet beëindigen en blijk trouwens ineens niet meer in staat om te praten, omdat er iets raars gebeurt met mijn ademhaling. Ik staar Rebecca aan alsof mijn intense blik woorden overbodig zal maken en opeens zie ik haar niet meer zo scherp. Ik kijk weg. Het licht dat door het raam valt is een wazige vlek en de tranen zijn nat op mijn gezicht en mijn haperende ademhaling is overgegaan in gesnik, in een krampachtig schudden dat de lucht mijn longen in perst en weer naar buiten. Er komen rare aapgeluiden uit mijn keel. Ik proef het zout van tranen en waterig slijm rond mijn mond.

Mijn lichaam heeft de leiding over zichzelf genomen, waardoor mijn geest de vrijheid heeft om de bedrieglijkheid van mijn gedrag te registreren. Ik heb het gevoel dat ik hiermee zou kunnen ophouden wanneer ik maar wilde, alleen lijkt er geen speciale reden om ermee op te houden nu ik eenmaal ben begonnen. Al dit denken gaat traag en onbewogen, alsof het plaatsvindt in een of andere meditatieve uithoek van mijn brein.

Rebecca heeft me op een stoel geduwd. Ze houdt mijn hoofd vast en trekt het naar haar schouder toe, terwijl ze dingen mompelt als 'Arme David' en 'Het moet afschuwelijk voor je zijn geweest' en 'Ik vind het zo rot voor je' en nog meer dingen, die ik niet goed kan verstaan omdat een van haar handen over mijn linkeroor beweegt en ze mijn rechteroor tegen haar borst drukt. Maar ik merk dat zij ook aan het huilen is en ik weet niet of ze huilt uit medeleven, of omdat ze zelf dingen heeft waar ze om moet huilen, of uit frustratie dat ik me op een of andere manier de slachtofferrol heb toegeëigend door deze onkarakteristieke gevoelsuitbarsting.

Dan maakt mijn telefoon een geluid dat betekent dat iemand een sms'je heeft gestuurd. Een tijd lang gebeurt er niks, behalve dan dat Rebecca me heen en weer wiegt, en mijn moeizame gesnik en haar stille tranen. Dan gaat de andere telefoon over – de vaste lijn – en Rebecca neemt op.

'Hij kan nu even niet aan de telefoon komen.' Ze dept haar ogen met een zakdoek en veegt de paarse strepen van haar gezicht. 'Ja, hij is goed thuisgekomen. Met wie spreek ik?' Ze rolt met haar ogen. 'Nou, dat kun je hem dan maar beter zelf vertellen.' Ze geeft me de telefoon en gaat aan de andere kant van de tafel zitten met haar hoofd in haar handen.

Ik snuit mijn neus en schraap mijn keel.

'Hé, ik hoop dat ik je vrouw niet wakker heb gemaakt.' Het is Astrid. 'Ze klinkt nogal chagrijnig.'

'Nee, we waren al wakker.' Mijn stem voelt beurs, alsof ik geschreeuwd heb.

'Je klinkt schor.'

'Jij ook.'

'Nou ja, we verkeren ook allemaal nog in shock. Verwacht niet te veel van jezelf. Neem de tijd om te herstellen.'

'Ik zal mijn best doen.'

'Dit is enorm, lieverd. Enorm is de enige manier om het te beschrijven.'

'Waarschijnlijk wel ja.'

'Jake is helemaal ingestort.'

'Dat verbaast me niks. Hoe is het met Mo?'

'Moeilijk te zeggen. Ze wil iets doen – een of ander ritueel. Ik heb gezegd dat het daar te vroeg voor is, maar ze lijkt er niet van af te brengen. We moeten Nattie helpen verder te gaan, zegt Mo. Waar ze nu ook is, ze heeft ons nog steeds nodig. Eerst komt Natties trauma, zegt Mo, en dan pas het onze. En ik weet niet of het een goed idee is of alleen maar weer zo'n maffe stunt van Mo, maar hoe dan ook, ik denk niet dat het kwaad kan. We dachten donderdagavond op het strand.'

'Op het strand?'

'Waar ze gestorven is.'

'En wat moet er dan precies gedaan worden?'

'Dat wat nodig is, neem ik aan.'

'Heb je het over een soort exorcisme?'

'Kun jij dat dan?'

Rebecca zit me met open mond aan te staren.

'Absoluut niet,' zeg ik.

'Maar je kunt wel komen.'

'Wil je dat ik kom? Wil Mo dat ik kom?'

Rebecca staat op en begint luidruchtig borden en mokken in de gootsteen te stapelen.

'Volgens mij is het belangrijk – denk je niet?'

'Ze kent me nauwelijks. Ik heb Natalie tien minuten meegemaakt.'

'Je was erbij, David. We hebben deze ervaring samen ondergaan. We hebben het nodig om het te voltooien.'

Rebecca heeft haar tas weer over haar schouder gehangen en loopt de deur uit als ik de telefoon terugzet in zijn houdertje.

Ze komt later thuis dan normaal. Ik sta groenten te wassen in de gootsteen en ben opgelucht als ik haar auto de garage in hoor rijden. Ze ziet er moe uit maar verder oké, als ze binnenkomt met een grote plaat onder haar arm. Terwijl ze hem door de deuropening manoeuvreert, zie ik dat het een op board gelijmde poster is.

'Uit de museumwinkel,' zegt ze. Ze dumpt haar boekentas op tafel en draagt de poster de slaapkamer in.

Ik loop achter haar aan terwijl ik mijn handen droog aan een theedoek.

'Ik dacht voor boven het bureau, of daar bij het raam.' Ze laat de poster op de grond rusten en kijkt om zich heen om te zien of er nog andere alternatieven zijn.

Gewoonlijk vind ik dat juist zo leuk aan haar, dat ze op een emotioneel probleem reageert door verder te gaan alsof er niets is gebeurd. Minder aangenaam is het als het emotionele probleem waarop ze reageert, ikzelf ben. Dat montere gedrag na alles wat er vanmorgen is gebeurd, heeft iets enerverends. Het maakt me alert op tekenen van vijandigheid. En dat haar helpt ook al niet – zo kortgeknipt, zomaar zonder iets te zeggen, alsof ze me eraan wil herinneren dat ze onafhankelijk is.

'Kan ik je nog ergens bij hinderen?' vraag ik.

Ze houdt de poster boven het bureau. 'Ik vond dat we nog iets moesten hebben om de kamer mee op te fleuren.'

'Jij fleurt de kamer op.'

'Erg grappig,' zegt ze, en ze bedoelt dat het niet erg grappig is, maar dat ze het niet erg vindt dat ik het zeg. Ze laat de poster op het bed vallen en ik geef haar een knuffel. Ze klampt zich aan me vast, boort haar vingers in mijn rug, en ik weet niet of ze me wil troosten of gerustgesteld wil worden. We blijven zo even staan, dan maakt ze zich los en kijkt met haar hoofd schuin naar de poster. 'Wat vind je ervan?'

Het is een Turner met een regeltje reclametekst voor een tentoonstelling. Ik knijp mijn ogen tot spleetjes en wrijf zogenaamd diep peinzend over mijn kaken. 'Wat moet het eigenlijk voorstellen dan?' vraag ik.

'Als ik zou moeten raden,' speelt zij het spelletje mee, 'zou ik zeggen dat het een zonsopgang is tussen twee landtongen.'

'Deksels, hoe zie je dat?'

'Nou, vind je niet dat die oranje vlek precies op een landtong lijkt?'

'Voor jouw uiterst geoefende oog misschien.'

'En die donkerdere vlek? Duidelijk nog een landtong, donker omdat hij in de schaduw ligt. En die uitbarsting van oranje in het midden? Kan niets anders zijn dan de zon die opkomt boven de zee.'

'En heeft het een titel?'

'Ja, het heet –' ze tilt hem op om het plakkertje op de achterkant te kunnen lezen – '*Zonsopgang tussen twee landtongen.*'

'Griezelig gewoon.'

'Ik doe mijn best.'

'Nou, het is in ieder geval kleurrijk.'

Ze trekt een wenkbrauw op alsof kleurrijk een gecodeerde belediging zou kunnen zijn.

'Nee, ik vind het echt mooi.'

'Nou, onder mensen die ervoor hebben doorgeleerd...'

'Zoals jij.'

'Zoals ik, wordt Turner inderdaad mooi en kleurrijk gevonden...'

'Nou, wat wil je nog meer?'

'Boven het bureau dan maar? Of waar?' Ze tilt de poster op en draagt hem naar een kaal stuk muur tussen het raam en de badkamer. 'Of hangt hij er hier wat verloren bij?'

'Misschien wel, een beetje.'

Ze laat hem zakken en kijkt om zich heen, terwijl ze op haar lip bijt. Haar gezicht klaart op als ze zich iets herinnert. 'Die jongen die hem me verkocht, je raadt nooit wat hij zei. Eerst zegt hij: "Turner is echt te gek, vindt u niet", dus dacht ik dat hij vast heel intelligent was. Maar toen verpestte hij het door te zeggen: "Nog een bijzonder prettige dag verder."'

'En, lukt het?'

'Lukt wat?'

'Om een bijzonder prettige dag te hebben?'

Ze kijkt me aan terwijl ze haar adem uitblaast. 'Nou, bijzonder is hij wel, maar erg prettig vooralsnog niet.'

'En kan ik daar iets aan veranderen?'

'Ik weet het niet. Kun je er iets aan veranderen?' Ze fronst en er is iets voorzichtigs, bijna angstigs in haar blik als ze me aankijkt. Ze reikt me de poster aan. 'Probeer hem daar eens.'

'Wacht, eerst mijn schoenen uitdoen.'

'Oké.'

Dus ga ik op het bed staan en houd de poster boven het hoofdeinde, terwijl Rebecca haar hoofd heen en weer beweegt alsof een plaats vinden voor deze poster het enige is dat er gebeurt. En ik vraag me af of het werkelijk de slaapkamer is die nodig opgefleurd moet worden. Naar Londense maatstaven is het een ruime, niet aanstootgevend neutrale kamer – witte muren, deuren en raamkozijnen van gebeitst hout en de soort lamellen die je wel in kantoren ziet. Het bureau is theoretisch van mij, al heb ik de laatste tijd de neiging om rond te dwalen, als een hond die rondjes draait om een lekker plaatsje te vinden waar hij kan gaan liggen – een van de tekenen van mijn ongemak. De televisie staat hier ook, omdat we hier een kabelaansluiting hebben gevonden die werkte. Er is een deur naar de badkamer en openslaande deuren naar het zonneterras, waar zich de knoestige takken van een avocadoboom en armzalige, bruin gerande palmbladeren rond scharen. De vegetatie houdt de hitte enigszins buiten, wat prima is, en een groot deel van het licht, wat minder prima is.

'Vijftien centimeter lager,' zegt Rebecca terwijl ze een stap naar achteren doet.

Dus hier wordt voornamelijk gewerkt en geslapen, waardoor het andere vertrek overblijft voor al het andere. Keuken aan de ene kant, woonkamer aan de andere, met ertussenin een eettafel en dat alles in licht hout en glas in de internationale bouwpakketstijl. Bij de voordeur is een klein halletje en het kleinste kamertje, zoals de huisbaas het schilderachtig omschrijft, en dat is ons appartement. Geen reden waarom we hier niet even gelukkig zouden kunnen zijn als waar dan ook, als we daarvoor zouden kiezen, als ik zou kunnen vergeten hoe ver weg het dichtstbijzijnde metrostation is, als Rebecca mijn diverse tekortkomingen en overtredingen door de vingers zou zien. En ervoor kiezen om gelukkig te zijn is de betekenis van haar zonsopgang tussen twee landtongen, neem ik aan – wat prima is, tenzij het ook betekent dat zij van plan is gelukkig te zijn ondanks mij, ondanks mijn somberheid, ondanks mijn nieuwe vrienden.

'Nee,' zegt Rebecca, 'ik denk dat hij toch boven het bureau moet.'

'Dan kunnen we hem van hieruit zien.' Ik laat de poster zakken en op de kussens aan mijn voeten steunen. 'Dan kun je er elke morgen bij wakker worden – Turners zonsopgang.'

'Klopt.' Ze heeft zich omgedraaid om de plek in ogenschouw te nemen.

'Wil je dat ik hem ophang?'

Ze draait zich weer naar me om met een vastbesloten blik die me niet bevalt. 'Wat ik wil, David, is dat je je plannen voor donderdagavond verandert.' Dus dat zit haar dwars.

'Hoe bedoel je, mijn plannen veranderen?'

'Ik begrijp niet waarom je naar dat exorcismegedoe moet.'

'Het is geen exorcisme.'

'Wat het ook is, ik begrijp niet waarom je erbij betrokken moet worden.'

Ik weet niet goed hoe ik moet reageren. Ik voel het als een verplichting. Ik kan nu niet terugkrabbelen. En ik wil niet terugkrabbelen, zelfs als ik het kon.

Maar voordat ik heb bedacht hoe ik dit aan haar moet uitleggen, zegt ze: 'Trouwens, misschien heb ik de auto nodig.'

'Omdat je moet overwerken voor de documentaire van Max?'

Ze werpt me een woedende blik toe. 'Ik haal de hamer wel,' zegt ze.

Dus daar sta ik weer in de keuken, til een pan van het aanrecht, schenk wat olijfolie erin, draai het gas aan. Ik ben boos op Rebecca, boos dat zij ervoor zorgt dat ik me zo kleinzielig voel, boos op mezelf dat ik zo kleinzielig ben. Rebecca zou nu waarschijnlijk willen dat ze een zwaarder karwei had voor de hamer dan een schilderijhaakje in de muur slaan. Ik vind het jammer dat Turner hierbij betrokken is geraakt. Er zijn een paar dingen waar we nooit ruzie over hebben gehad. Seks, bijvoorbeeld – we hebben nog nooit ook maar één keer ruzie gehad over seks. En waar we naartoe gaan en met wie, is ook iets waar we nog nooit ruzie over hebben gehad. En we hebben nooit ruzie gehad over wat we aan de muren hangen. Meestal vinden we dezelfde dingen mooi en als dat niet zo is, ga ik ervan uit dat Rebecca gelijk heeft. Ik heb haar altijd vertrouwd als het op kunst aankomt. Het is haar werk. Het was al haar werk toen ik haar voor het eerst zag.

Toen liep ik door de Tate Galery te slenteren. Er stond een lege bank voor *Ophelia* van Millais, dus ging ik daar zitten en keek naar hoe het water aan de randen van haar opbollende jurk trok en naar hoe vreemd ze haar handen houdt terwijl ze ondergaat, als een priester die bidt. Mensen kwamen en gingen. Toen stond die vrouw in de weg. Na een poosje liep ze achteruit naar de bank en ging naast me zitten. Ik schatte haar rond de dertig – en dat bleek te kloppen –, jonger dan ik, maar niet te veel jonger, met een aantrekkelijk expressief gezicht. Ze rommelde wat in haar linnen schoudertas en viste er een blok en een pen uit. Ze schreef een bladzijde vol aantekeningen in grote, vette letters. Toen boog ze zich voorover om haar schoenen uit te trekken – enkellaarsjes met lage hakken. Met haar knie nog omhoog begon ze haar voet te masseren door de nylon panty heen.

'Zwaar werk,' zei ik, 'al die cultuur.'

Ze draaide zich naar me toe en keek me aan. 'Cultuur?' Ze herhaalde het woord alsof ze het niet kende.

'Kunst kijken. Zwaar voor de voeten.'

'O, ik snap wat je bedoelt. Cultuur.' Ze zat me te plagen, maar ik vond het niet erg. Ze wuifde met haar blok naar *Ophelia*. 'Dus zoiets bevalt je wel?'

Ik haalde mijn schouders op. 'Gaat wel.'

'Ik las in *Time Out* dat het een van Engelands meest geliefde schilderijen is. Vind je dat niet raar?'

'Bedoelen ze dan schilderijen van een Engelse schilder, of gewoon een schilderij dat de meeste Engelsen mooi vinden?'

Ze trok een grimas. 'Hoe moet ik dat nou weten?'

'Meest geliefd – dat is sowieso onzin. Het betekent alleen dat twee mensen het genoemd hebben, in tegenstelling tot al de andere schilderijen die allemaal maar één stem hebben gekregen.'

'Waar heb je het over – wie zegt dat er iemand heeft gestemd?'

'Engelands meest geliefde schilderij, zei je.'

'Een van de meest geliefde. Hoe dan ook, waarschijnlijk is het gewoon de indruk die iemand heeft gekregen, een journalist of zo. Maar misschien heeft hij wel gelijk, kijk maar. Er staan een heleboel mensen omheen.' We keken naar de groep ruggen. 'Maar toch raar, vind je niet? Een vrouw die zich van kant maakt en dat is dan een van onze lievelingsschilderijen.'

'Het zal vast ook wel te maken hebben met de Shakespeareconnectie. Een dubbele portie cultuur.'

'O ja.' Ze keek me weer aan met een opgetrokken wenkbrauw. 'Cultuur.'

'Hoor eens, als je soms iets dwarszit aan dat woord, ik ben er niet aan gehecht, hoor.'

Ondertussen zaten we allebei te lachen omdat het iets ongehoords had hoe ze me aanpakte, alsof ik, door voor dat schilderij te gaan zitten, me ervoor verantwoordelijk had gemaakt, aansprakelijk was voor de iconische status ervan. Later vertelde ze me dat het helemaal niets voor haar was om zo vrijuit met iemand te praten die ze niet kende, maar dat ik het op een of andere manier had uitgelokt – zowel het geplaag als de openheid.

'Nee, maar serieus,' zei ze, 'het is toch raar dat zoveel mensen iets hebben met de *prerafaëlieten*, vind je ook niet? Ik bedoel, waar zit hem dat in? Die broches, al die linten in het haar – mijn god, dat haar!' Ze gebaarde de hele ruimte rond. 'En die dromerige, afwezige blikken. Vind je het ook niet allemaal een beetje... ik weet niet...'

'Koekblikkerig?'

'Fetisjistisch?'

'Daar heb ik eigenlijk nog nooit over nagedacht.'

'Nou ja, je weet wel, die luiten, of wat het dan ook zijn, die handen in die manipulatieve houdingen alsof ze met zichzelf spelen, meters stof, alles in zo'n prachtig uitgekiende wanorde...'

'Vertel eens –'

'En die ogen, zo in gedachten verzonken, maar zich er zo onophoudelijk van bewust dat ze bekeken worden.'

'Het klinkt alsof –'

'Zoveel plaatsvervangende voorwerpen, geërotiseerde ledematen, vingers en enkels en halzen.'

'– je ze eigenlijk helemaal niet mooi vindt.'

'Mooi?' Dat idee leek haar te verrassen.

'Nou, wel dan?'

'Niet echt. Ik vind het allemaal nogal nikserig, om eerlijk te zijn.'

'En je bent hier omdat...?'

Ze haalde verontschuldigend haar schouders op. 'Ik vermeld ze in mijn dissertatie.'

'Dus nikserig is een technische term?'

Zij lachte en ik lachte. En ze bood aan om me echte kunst te laten zien, zoals zij het noemde. Na de les in vrouwenstudie dacht ik natuurlijk dat we naar Gwen John zouden gaan, maar ze ging me voor naar een zaal vol Turners. 'Vind je ze niet verbijsterend?' zei ze. 'Stel je voor dat je ze voor het eerst ziet. Vóór die tijd had verf er nog nooit zo uitgezien.' En toen wist ik dat ik haar ontzettend aardig vond, toen ik zag dat ze meer belangstelling had voor de kunst dan voor de discussie erover.

5

De zon is ondergegaan. Er staat een halvemaan en een handjevol sterren. We zijn op het strand, dicht bij de plek waar Natalie haar laatste dans deed. We zitten om een lap stof heen die een omslagdoek zou kunnen zijn. Er liggen dingen op, dingen die bij Natalie horen, die ooit van Natalie waren – boeken, sieraden, kledingstukken. In het midden staat een groepje dikke kaarsen waarvan de vlammetjes flakkeren en dimmen en zich weer oprichten naargelang de wind waait. Het is eb, maar het is een steil strand, zodat het water niet ver weg is. In de verte komt een late golfsurfer in zicht die langs de muur van een golf omlaag stuitert. Het ziet er makkelijk uit totdat het board omhoogschiet en hij omslaat en uit het zicht verdwijnt. Dichter bij het strand helt een golf naar ons over, zwelt op en valt uit elkaar. Ik kijk naar de brokstukken die zich tussen de kiezels reppen om zich weer bijeen te voegen en teruggezogen worden in de watermassa, en word getroffen door de illusie van coherentie, de illusie dat de oceaan, die niet meer is dan toevallig ronddrijvende moleculen waarin van alles en nog wat is opgelost of ronddobbert, lijkt te handelen als één ding, als een dier dat ademt of zich uitrekt in zijn slaap.

Voor Mo is de oceaan iets waarmee je kunt praten, iets als een godin, die wellicht luistert en antwoord geeft. Ze praat er nu mee – kijkt naar de horizon en heeft het over Natalies liefde voor water, haar intuïtieve terugkeer naar zijn omhelzing, en vraagt het water om Natalie te kalmeren met het ritme van zijn getijden. Mo's stem klinkt ijl. Ze ziet er tien jaar ouder uit dan toen ik haar voor het eerst zag in de Moonglow.

Achter haar staan de krakkemikkige geraamtes die de achterkant van de huizen overeind houden, bonkige balken die vijf, zes meter oprijzen in de schemer, met daartussen omhoog kronkelende, ruwe houten trappen.

Mo richt haar aandacht nu op moeder aarde. Ze heeft het over de ontbinding van Natalies lichaam. En ik denk: Heer, laat mij mijn einde zien, laat mij de maat van mijn dagen zien, zodat ik besef hoe kortstondig ik ben, en ik voel me ver verwijderd van de anglicaanse kerk. Astrid zit tegenover me met haar handen in haar schoot heen en weer te schommelen. Haar gezicht is nat van de tranen. Jakes gezicht is moeilijk te zien omdat hij zijn baseballpet op heeft en de klep een lange schaduw werpt, maar hij zit met opgetrokken schouders en zijn armen strak om zich heen geslagen. Mo praat tegen de maan en de sterren. Ze praat tegen Natalie, roept haar geest op, en vraagt ons, die hier op het strand zitten, dat tevens de grens is van het aardrijk, ons open te stellen voor Natalies pijn, spoort de voorwerpen in de kring aan zich in gedachten open te stellen voor Natalie, voor wat het ook is dat Natalie ons wil vragen, ons het liefst wil vertellen.

Sommige van de boeken zien eruit als dagboeken. Bij eentje zitten gedroogde bloemen op de omslag en de bladzijden hebben rafelige randen als van zelfgemaakt papier. Er ligt een boek met de titel *Het pad van de mysticus* en een ander heet *Hoe word ik bijzonder* en eentje *Je rol dat ben jij*. Er ligt een paperback van *Jane Eyre* en een exemplaar met een gebonden uitgave van *Dag dag,*

dag nacht. Ze hebben allemaal het gehavende uiterlijk van boeken die steeds weer herlezen zijn en die van de ene plek naar de andere zijn meegesjouwd. Er ligt een grote, grof geweven schoudertas met klaprozen erop geborduurd. Er liggen sjaaltjes en linten en een stuk of zes slappe hoeden. Er ligt een lappenpop. Er liggen een paar kiezels en een brok kwarts en een schaakstuk en een handjevol foto's met verbogen hoekjes en gaatjes waar punaises hebben gezeten – Natalie in een boot, op een berg, met Mo, met een paar vrienden, met een man die haar vader zou kunnen zijn. Er zijn foto's van andere mensen, maar de meeste zijn van Natalie alleen, of Natalie die er alleen uitziet, zelfs als er andere mensen bij zijn – of misschien ziet dat er alleen nu zo uit. Maar als ze vrienden had, waarom zitten we hier dan maar met ons vieren rond deze omslagdoek – haar therapeute, haar huisgenoot, haar would-be minnaar en ik?

Astrid schraapt haar keel. Voor haar ligt een boek opengeslagen. Ze begint op gedempte toon voor te lezen, stopt even om haar ademhaling onder controle te krijgen, en gaat weer door. Ze leest voor uit *Het Tibetaanse dodenboek* over het lijden dat voortkomt uit hechting en spijt, en ik vraag me af of ik Natalies eerste indruk van mij had kunnen corrigeren als er meer tijd was geweest. Ik denk aan de gesprekken die we hadden kunnen voeren over *Jane Eyre*, dat ik gelezen heb, over wat het pad van de mysticus zou kunnen zijn, wat in hoofdstuk zeven van mijn boek aan de orde zou moeten komen als ik ooit zover kom, over schaken, wat ik kan, maar niet erg goed. Zou zij hebben geschaakt? Was ze geïnteresseerd in schaken? In mijn verbeelding raak ik op een vaderlijke manier bevriend met haar. Ik ben haar leven aan het redden. Maar ik weet niets van haar, behalve dat ze ongelukkig was, en haar bizarre verhaal over ademen onder water, en de manier waarop ze is gestorven, en deze verzameling dingen die op het strand uitgespreid ligt.

Mo draait met een schaal rondjes boven de kaarsen. Er zit iets in wat ze aansteekt, en ik zie dat het houtskool is. Ze laat een handjevol wierook in de schaal vallen en de rook stijgt tussen ons op in een grijze wolk.

Astrid leest iets voor van een soefidichter over het leven dat naar de dood toe stroomt, als een rivier die naar de oceaan stroomt, en ik vraag me af of het makkelijker zal worden met Rebecca als dit eenmaal voorbij is, en waar ze zich verder nog zorgen over maakt, afgezien van de dreigbrieven die Max heeft gekregen, en of ik vooringenomen ben over de documentaireserie van Max, en wat het precies is aan Max dat me gewoon niet aanstaat. En dan is het stil en Astrid en Mo zitten naar mij te kijken. De andere drie houden elkaar bij de hand – Jake stijfjes, nors misschien wel, maar dat is moeilijk te zeggen, omdat hij zijn hoofd omlaag houdt. Mo houdt haar andere hand met een vragende blik naar mij uitgestoken. Ik pak hem beet, terwijl ik mijn andere hand wat ongemakkelijk in de richting van die van Jake schuif, die tussen ons in op de rand van de omslagdoek ligt.

'David?' zegt Mo. Ze heeft mijn hand in een ijzeren greep.

'Mo wilde weten of je nog iets toe te voegen hebt,' zegt Astrid.

'Of te vragen, David. Maakt niet uit wat je naar het geestenrijk wilt sturen.'

'Ja, sorry.' Ik hoest een paar keer en voel het slijm in mijn keel. 'Vragen.' Een paar kaarsen zijn uitgegaan. De andere staan schuin afgebrand hun kaarsvet te morsen. Het gele licht flakkert over Natalies spullen. Ik kijk naar *Jane Eyre* en de strooien hoed met de blauwe strik en het ebbenhouten schaakstuk. Het is een pion, al zou hij niet onderdoen voor de koninginnen uit elk spel waar ik ooit mee gespeeld heb. Het maakt me verdrietig om hem zo te zien liggen, zonder ledematen in zijn gekartelde rok, schuin achterover op het hellende strand, een vreemde eend in de bijt tussen die meisjesachtige spulletjes. Het verdriet drukt op me als een gewicht.

Mo houdt haar hoofd gebogen, maar haar oor is naar mij toe

gewend. Ze geeft een kneepje in mijn hand in afwachting van wat ik ga zeggen. Astrids ogen bewegen tussen ons heen en weer.

'Was ze een schaker?' vraag ik.

Nu kijken ze me allemaal aan.

'Een schaker?' zegt Mo.

'Ja, schaakte ze?' Ik laat Mo's hand vallen en reik naar de pion. Mijn vingers passen tussen zijn gladde kartels. Ik vraag me af wat hij voor Natalie betekende. 'Hoort deze bij een spel?' vraag ik. 'Of is het gewoon iets wat ze had, als souvenir of als versiering? Hij is groot voor een pion.'

Astrid kijkt verwonderd. Mo's gezicht is een en al compassie, alsof ik iets intens verdrietigs heb gezegd. Jakes blik is fel, feller dan gewoonlijk en hij kijkt niet meer naar mij, maar naar de pion of naar niets.

6

Ik begin stilaan greep te krijgen op het stratenplan – op de haast betrouwbare logica ervan. Dat wil zeggen, ik krijg stilaan greep op de obstakels – de winkelcentra en snelwegen en filmstudio-complexen die er steeds weer voor zorgen dat je doodloopt of U-bochten moet nemen, de dissidente boulevards die over de kaart kronkelen en je van de rechte lijn aflokken, de plotse steile hellingen die de aangrenzende straten kromtrekken. Er is een rivier die geen naam heeft en waarvan de betonnen oevers oprijzen uit een veeg water. Ze zeggen dat het de LA-rivier heet, maar dat vind ik geen naam. Er zijn geen bruggen – niets dat de naam brug verdient –, alleen plekken waar de gebouwen ophouden en naast de weg de grond omlaag gaat en weer omhoogkomt en waar dan weer gebouwen staan. Wat verder landinwaarts is de woestijn die ik nog nooit heb gezien, en waarvan de leegte, las ik ergens, al is uitgemeten in virtuele percelen, klaar voor grenzeloze toekomstige ontwikkeling. Van tijd tot tijd, zeggen ze, als de Santa Anas vanuit het oosten waaien – de hete winden die de smog naar de oceaan drijven en de huid uitdrogen tot je het gevoel hebt dat je gaat vervellen als een slang –, duiken er opeens heuvels op achter de gebouwen in het noorden, verbijsterend dichtbij.

En altijd is er de oceaan, of de wetenschap dat die er is. Hij ligt ergens, voor je, achter je, langszij – aan de rand van je mentale landkaart. Je ziet de schuine stand van de palmen, die altijd in rijen staan en die altijd de richting van de vochtigheid zoeken. Dan maak je een bocht in westelijke richting en de weg duikt omlaag en opeens is hij er. Hij heeft er een handje van je te overrompelen. En als je hem zo ziet, als hij daar ineens voor je ligt, word je je bewust van zijn impact. Dit is waar de ontdekkingsreis die de geschiedenis vormt van Amerika, stuit op het obstakel water, en waar de aandrang om vooruit te blijven gaan in zichzelf keert. Ik begin dit te begrijpen zoals ik het voordien nooit begrepen heb. Dit is de plek waar de elementen botsen, waar mensen komen om gekoesterd te worden, of getransformeerd, waar lichamen vereerd of gestraft moeten worden tot ze een nieuwe vorm hebben aangenomen. Ik begin het patroon te zien dat ten grondslag ligt aan deze hutspot van lichamelijke bevrediging en psychische verkenning en vage kosmische hunkering.

Ik heb een e-mail van Jake gekregen waarin hij me vraagt of we elkaar kunnen ontmoeten. Ik rijd rond in Natalies auto. Dat was een idee van Mo. Ik moest thuis zien te komen toen we klaar waren met wat het ook was wat we daar op het strand aan het doen waren, en de auto stond alleen maar plaats in te nemen in de nauwe ruimte tussen Mo's huis en de snelweg. Ik vond het een raar idee, maar Mo stond erop en Astrid begreep niet waarom ik zo moeilijk deed.

'Aan wie komt hij eigenlijk toe?' wilde ik weten. 'Hoe zit het met haar naaste familie?'

'Als je het soms over haar ouders hebt, kun je het vergeten,' zei Astrid. 'Haar vader zou ons met zijn allen kunnen uitkopen. Die klootzak kon zich nauwelijks herinneren waar ze woonde, laat staan in welke auto ze reed.'

'Maar wettelijk, bedoel ik. Zou het niet... ik weet niet... testamentair vastgelegd moeten zijn, of zoiets.'

'Kijk dan,' zei Astrid, 'het is een roestbak.'

We keken ernaar – een oude Volkswagen kever met roestschilfers langs de sierstrippen. De bobbelige lak was een soort grijs lila in het licht van de straatlantaarns.

'Maar Nattie was er dol op,' zei Mo, terwijl ze hem met één hand aanraakte en de andere naar haar mond bracht. 'Ze noemde hem haar vliegmachine.'

Astrid nam Mo in haar armen en zei zachtjes over haar hoofd heen: 'Natuurlijk was ze er dol op, Mo, ik weet dat ze er dol op was. Maar ze was er dol op om wat het was, een roestbak.' Dat maakte Mo aan het lachen en vervolgens aan het huilen.

Rebecca was er niet zo blij mee. Ze zei niet veel, maar ik kon het merken. Bij daglicht is de auto onmiskenbaar roze met paarse gesjabloneerde bloemetjes op de deuren. Er is niets neutraals aan. Hij is verre van anoniem. Het is moeilijk om het niet als een statement te zien dat ik erin rondrijd – een statement waarvan zou ik niet met zekerheid kunnen zeggen. Maar wat mij betreft is het een auto en ik heb een auto nodig.

Het zit niet lekker tussen Rebecca en mij. Zij werkt lange dagen. Ik zit achter mijn laptop in de slaapkamer of buiten op het zonneterras of aan de eettafel en probeer te werken, maar werk niet. Mijn humeur is wisselend, maar ik ben hoe dan ook voortdurend op een of andere manier gespannen. Wat we voor elkaar waren, niet zo lang geleden voordat we hierheen kwamen, was een deuropening waar we doorheen konden lopen wanneer we maar wilden – de ene kant op of de andere, zo gedachteloos alsof een deur een toevallig natuurproduct was, niet iets wat gemaakt moet worden – alsof de wereld vol was van zware obstakels die gewichtloos waren geworden. Opeens is het een en al moeizaamheid en weerstand. Onze deur wil niet meer goed scharnieren.

Ik moet keihard remmen omdat het verkeer ineens stilstaat.

Er staan een paar politieauto's aan de kant van de weg en een hele massa mensen op de stoep. De straat wordt verderop door iets versperd, een ongeluk misschien. Ik kan niet verder dan een paar honderd meter verwijderd zijn van de plek waarnaar ik op zoek ben. Er staat een bord dat wijst naar het Venice Community College, wat vast het instituut is waar Jake de verstorende effecten van het kapitalisme op persoonlijke relaties bestudeert. De bestuurder vóór me maakt een U-bocht en wurmt zich tussen het tegemoetkomende verkeer. Ik volg hem, rijd een paar straten terug en zet de auto op de parkeerplaats van een winkelcentrum. De motor van Natalies vliegmachine sputtert, siddert en valt stil. De uitgeprinte e-mail van Jake ligt op de stoel naast me. Ik pak hem op en lees hem nog eens.

> dave, je bent vast nog steeds boos op me en mischien verdien ik het wel maar iemand moet weten wat ik heb gevonden en ik kan niemand anders bedenken en mischien ben je het me ook wel een soort van schuldig? ik ga naar 2 lips op vnc en 20ste bij het college, ben daar een uur of zo vanaf 11 uur. heb zitten googelen naar die teringlijer, probeer geen haatgevoelens voor hem te hebben, maar hij moet weten wat hij nat heeft aangedaan. sorry, kan niet helder denken, kom alsjeblieft.

Ik schatte zo in dat vnc Venice Boulevard moest zijn en kennelijk klopt dat. Maar ik vraag me af wat 2 lips mag wezen. Ik heb reclameborden gezien waarop etablissementen met namen als all4you en Xposé worden aangeprezen, maar ik neem niet aan dat Jake me wil ontmoeten in een stripclub.

Ik loop langs een bloemenwinkel, die De Bloemenschat heet, en Mike's slijterij en Starbucks en Sushirestaurant Droomboot weer terug naar waar het verkeer stilstaat.

De gipsen pilaren bij de ingang van het college rijzen omhoog achter de mensenmassa en de rijen auto's. Vóór het gebouw wordt de halve straat geblokkeerd door een brandweer-auto en een heel stel ambulances. Verspreid over de stoep staan nog meer politieauto's. Het gebouw staat een eindje terug van de straat. Als ik dichterbij kom zie ik hier en daar tussen de mensen door gras, waar een afzetting omheen staat in de vorm van paaltjes met plastic stangen ertussen. Mijn aandacht wordt getrokken door de gedaanten in het wit, naar hun logge plastic overalls en hun imkerachtige hoofdtooi – bescherming tegen gevaarlijke stoffen. Een van die witte pakken komt door de dubbele deuren naar buiten en een ander erachteraan. Tussen hen in dragen ze een stretcher. Daar wordt een jonge vrouw op heen en weer geslingerd die zich aan de randen vasthoudt. Ze schuifelen de trappen af en manoeuvreren hun vrachtje tussen de kluitjes mensen door.

Er liggen mensen op de trappen en op het gras en anderen buigen zich over hen heen. Sommigen van de medici, als ze dat zijn, dragen gasmaskers en beschermende kleding. Iemand roept bevelen door een megafoon. Mijn zicht wordt belemmerd door hoofden. De massa bestaat uit studenten die lawaaierig en nieuwsgierig toekijken. Ik loop verder totdat mijn doorgang wordt belemmerd door een ambulance. Ik sta naast een jonge zwarte vrouw. Ik vraag haar wat er aan de hand is. Ze doet haar mond open om te antwoorden als ik tegen haar aan word geduwd. Ik draai me om en zie een stretcher langs schommelen. Er ligt een tienerjongen op, een Koreaan of een Vietnamees. Heel even kijk ik recht in zijn gezicht. Hij ligt te fluiten en kijkt onverschillig terug. Hij knipoogt naar me. Zag ik hem knippogen? Hij draagt een groene band om zijn arm. De gewonden dragen armbanden in verschillende kleuren, als leden van rivaliserende militaristische partijen. Ik draai me terug naar de vrouw om me te verontschuldigen.

Ze haalt haar schouders op. 'Maakt niet uit, joh,' zegt ze. 'Het is een oefening. Ze testen de hulpdiensten, zeggen ze, voor als er een aanslag wordt gepleegd.'

'Ben jij hier student?'

'Docent.' Ze schenkt me een prachtige glimlach. 'Ik werd geacht vandaag vrij te nemen. Kennelijk is er een e-mail gestuurd, maar niet iedereen heeft die gekregen.'

'Dus je bent helemaal voor niks gekomen.'

'Helemaal van Eagle Rock. Ik heb net mijn ongenoegen geuit tegen het hoofd. En weet je wat die zei? Hij zei: Doris, als de dag des oordeels aanbreekt, krijg je ook geen e-mail. Hoe vind je dat? Ik zei: Harold, je kunt het altijd zo mooi zeggen. Vind je trouwens ook niet dat dat een mooie eerste zin voor een liedje zou kunnen zijn?'

'Dat zou het móéten zijn. Zou nog wel eens een gigantische hit kunnen worden.'

'Zeg, je zou eens naar mijn Engelse les moeten komen, dan kunnen mijn studenten horen hoe Wordsworth hoort te klinken.'

Ik haal Jakes e-mail uit de zak van mijn jasje. 'Ken je toevallig een tent die 2 lips heet?'

'Ja hoor, het two lip-café, het maakt zo ongeveer onderdeel uit van het college.' Ik hoor de 'tulip' als ze het uitspreekt en haar lippen zich rond het woord openen en sluiten. Ze maakt een hoofdbeweging naar verderop in de straat. 'Maar ik denk wel dat het ook is gevorderd, net als de rest.'

Ik baan me een weg achter de ambulance langs en loop langs een stuk of zes auto's.

Ik hoor Jakes stem voordat ik hem zie. 'Wat een gezeik. Tering, wat moet dit voorstellen? Jezus!' De vettige klep van zijn rode baseballpet deint mijn gezichtsveld in en weer uit als de bek van een exotische vogel.

Ik ga van de straat af en wring me door de massa naar hem toe. Aan de andere kant van de afzetting komt een agent in een hemd met korte mouwen op ons af. Zijn borstkas en billen kunnen ieder moment uit zijn uniform barsten. Aan zijn heupen hangt zijn gereedschap – knuppel, portofoon en een verrassend log pistool in een glimmende holster. Zijn gezicht is van een soort brute knapheid. Ik vind het net een wandelende parodie – een tekenfilmagent, een homopin-up – maar hij is wel degelijk echt. De gewonden zijn studentenvrijwilligers, de gevaarlijke stoffen zijn denkbeeldig, maar de agenten zijn echt. Achter hem, binnen de afzetting, ligt het Tulip Café. De tafels buiten zitten vol met mensen in uniform die koffie drinken en muffins eten. Het café is gerekwireerd.

'Jij daar,' zegt de agent, 'ga bij die afzetting vandaan.' Hij heeft het tegen Jake, een schriele gedaante met zijn rugzak als een bult op zijn rug.

'Tering, dit is totaal surrealistisch.'

'Wat zei je daar tegen mij?'

'Ik zei surrealistisch.'

'Ik heb liever niet dat je tegen mijn agenten vloekt, jongeman.' Een zwarte agente maakt haar opwachting. Haar bouw komt aardig overeen met die van haar mannelijke collega, alleen is ze zo'n twintig centimeter kleiner en zijn haar uitstulpingen ronder.

Jake heeft een moordzuchtige blik in de ogen. 'Teer toch op.'

De agent plaatst zich voor Jake alsof hij van plan is hem tegen de grond te werken. 'Heb je ergens een probleem mee?'

'En of ik een probleem heb, teringzooi.'

'Nou, rot dan maar eens heel gauw op met je probleem.'

Ik leg een hand op Jakes schouder. 'Rustig maar, Jake.' Mensen om ons heen staan te kijken wat er nu gaat gebeuren. We zijn opeens straattheater, reality-tv. Een eindje verderop kruipt het verkeer voorbij. Bestuurders met hun elleboog uit het raampje slaan het tafereel gade en bewegen hun hoofd op onverenigbare ritmes.

'Jij bent het probleem, man,' zegt Jake tegen de agent, 'jij bent hier het teringprobleem.'

'Wat zei je daar tegen mij?'

'Je hebt me best gehoord.'

'Jake, kom, we gaan. Je moest me iets laten zien.'

Hij draait zich naar me om, te geagiteerd om zijn lichaam te laten stoppen met bewegen. 'Dit is een teringzooi, weet je?'

'Joh, het geeft niks. Het is niet het enige café in de stad.'

'Ik waarschuw je, jongeman.'

'Hij is overstuur,' zeg ik tegen de agente. 'Een vriendin van hem is pas overleden. Bijna een familielid.'

'Wie ben jij om te zeggen waarom ik overstuur ben? Je kende haar niet eens. Tering, ze wist niet eens wie jij was.'

'Kom op, Jake, laten we ergens naartoe gaan en erover praten.'

Het lukt me niet om zijn aandacht te trekken. Hij houdt zijn hoofd gebogen en beweegt het heen en weer, zijn ogen gericht op een of ander innerlijk beeld.

'Kijk, ik heb je mail.' Ik steek mijn hand in mijn binnenzak om het opgevouwen blaadje te pakken als ik een duw in mijn rug krijg. Ik struikel tegen de omheining aan en bots tegen Jake op. Er is opeens heel veel beweging en er klinkt een geluid als van een pal en opeens is het doodstil. Op een afstand van twintig centimeter is een pistool tussen mijn ogen gericht en het knappe, brute gezicht van de agent kijkt me eroverheen strak aan. Aan de rand van mijn gezichtsveld zie ik mensen ineenduiken, voorzichtig wegsluipen.

'Hou die hand stil,' zegt hij. Zijn stem kraakt gevaarlijk. 'Die hand blijft mooi waar hij is.'

'Rustig, Dougy, rustig,' zegt de agente. De geluiden van de megafoon, van de onwetende omstanders, van de auto's zijn er nog steeds, maar gedempt. Wat ik voornamelijk hoor is het kloppen van mijn eigen bloed. Ze steekt haar hand onder de revers van mijn jasje, bevoelt mijn pols, mijn knokkels, met de vlezige kussentjes van haar vingers, en gaat de zak in. Ze houdt haar hoofd afgewend, alsof ze in een kluis inbreekt. Ik krijg een close-up van de sproeten op haar wang, het onverstoorbare, waakzame oog. Langzaam trekt ze Jakes mail eruit. Ik voel de spanning om me heen afnemen. Ik hoor mensen opgelucht uitademen. Maar het pistool is nog steeds op mijn gezicht gericht.

'Rustig, Dougy,' zegt de agente bijna op fluistertoon.

Hij richt het pistool omhoog, zodat het naar de lucht wijst en stelt er, zonder zijn ogen van me af te nemen, met beide handen iets aan bij waardoor dat geluid van daarnet weer klinkt. Hij doet de veiligheidspal er weer op, of ontspant de haan, of wat het ook is dat je doet met een pistool om te voorkomen dat je er iemand mee doodschiet. Ik zie hoe het ding in zijn holster glijdt en voel mijn adem naar buiten komen.

'Hé, Dougy,' roept een of andere grapjas, 'relax, man.'

'Hé, Dougy, wat doe je met dat pistool in je hand?'

Opeens wordt hij door iedereen bij zijn voornaam genoemd en overstelpt met goede raad.

'Je moet er eens tussenuit, Dougy.'

'Altijd doen wat de baas zegt, Dougy.'

'Hé, Dougy, hoog tijd om aan de prozac te gaan.'

En de naam golft naar de buitenste rand van de massa. Dougy staat naar mij te kijken alsof hij er spijt van heeft dat hij de trekker niet heeft overgehaald toen het nog kon, en laat al zijn woede, al zijn vernedering in die blik samenkomen.

Ik ontdek dat ik nog steeds mijn linkerhand opgeheven vóór me houd, in een instinctief afwerend gebaar, of een aangeleerde houding van onderwerping die ik zo vanzelf heb aangenomen, dat ik hem nu pas opmerk. De hand van de agente ligt op Dougy's schouder. Ze loodst hem bij de omheining vandaan, in de richting van het Tulip Café, en eindelijk kijkt hij ergens anders naar.

Ze draait zich naar me om. 'Ik stel voor dat u uw jonge vriend hier weghaalt voordat er ongelukken gebeuren.'

Ik heb de neiging haar te knuffelen, haar op allebei haar

sproetige wangen te zoenen, die vrouw die mijn leven heeft gered, met wie ik een intiem moment heb gedeeld. Ik weet me tegen die opwelling te verzetten. 'Kom Jake, we gaan.'

Om ons heen is een open ruimte ontstaan. Jake lijkt zich in drie richtingen tegelijk te willen begeven. Hij kan niet tot een besluit komen, maar wordt haast gek van de inactiviteit van die besluiteloosheid. Ik pak hem bij zijn arm en trek hem weg door de massa. 'Waar ik de auto heb neergezet,' zeg ik tegen hem, 'is een Starbucks.'

'De tering,' zegt hij, 'vergeet het maar.'

'Je hebt gelijk, op het moment kun je waarschijnlijk beter geen koffie drinken. Besef je wel, heb je er enig idee van hoe dicht ik daarnet bij de dood was?'

'Een Starbucks op elke straathoek – wat een toekomstvisioen. Een rechtstreekse pijpleiding naar je auto, dat is wat die teringlijers eigenlijk willen. Een tapkraantje in je bloedbaan en bij elke hartslag wordt er wat van je creditcard afgeschreven. De tering, vergeet het maar.'

'Niet naar Starbucks, dus. Een kroeg, misschien. Je hebt een stevige borrel nodig, iets waar je kalm van wordt. Ik in ieder geval wel.'

Hij blijft stilstaan en kijkt me aan. 'Jezus, Dave, ik ben negentien, we zijn omsingeld door alle teringwouten van LA. Op welke planeet leef jij eigenlijk?'

We passeren een Mexicaanse snackbar met tafels op de stoep. Ik loods Jake naar een plastic stoel. Hij doet zijn rugzak af en laat hem op de grond vallen. Ik ga tegenover hem zitten. 'Nou, vertel, wat is er aan de hand? Waarom wilde je me zien?'

'Ik zou je moeten haten, weet je dat?' Hij is niet in staat om oogcontact te maken. 'Volgens mij haat ik je trouwens ook. Natalie werd altijd genaaid door oude mannen.'

'Nou, ik vind alles best, zolang je maar geen pistool op me richt. Er is nog nooit een pistool op me gericht. Misschien vind je dat vreemd voor een man van mijn gevorderde leeftijd, maar het komt gewoon niet zo vaak voor waar ik vandaan kom.' Ik kan het zelf niet verklaren, maar ik voel me prima op mijn gemak met die niet-ingehouden boosheid van hem.

Er verschijnt een kelner met een mandje chips en een kommetje salsa. Hij draait onze waterglazen om en vult ze met water uit een kan. Hij trekt twee menukaarten onder zijn arm vandaan en legt ze op tafel. Hij zegt: 'Buenos días, señores,' en loopt weg.

Jake kijkt nog steeds strak naar de grond. Hij zit met zijn benen wijd uiteen en laat eentje op en neer wippen. Als ik mijn glas water optil rammelen de ijsblokjes en ik zie dat mijn hand trilt.

'Vertel eens,' zegt Jake en zijn ogen flitsen even in mijn richting en weer weg en weer terug, 'waarom ben je eigenlijk gekomen?'

'O, ik weet niet, ik heb, denk ik, altijd al een zwak gehad voor exotische reizen.'

'Ik bedoel vandaag. Waarom ben je vandaag gekomen?'

'Omdat je het me gevraagd hebt.'

'Doe jij altijd wat mensen je vragen? Denk je dat dat je op een of andere manier een beter mens maakt of zo?'

'Nee.'

'Nee, wat?'

'Nee, ik doe niet altijd wat mensen me vragen.'

'Dus?'

Ik drink wat water. Ik begin me kalmer te voelen. 'Luister,' zeg ik, 'we voelen ons allemaal rot –' Ik wil over Natalie beginnen, maar hij onderbreekt me, maakt een stopteken met zijn hand en schudt het hoofd. 'Je hebt het recht niet om "we" te zeggen. Tering, wat bedoel je eigenlijk met "we"? Wat mij betreft heb je nooit deel uitgemaakt van een "we". Je bent gewoon op een middag komen opdagen.'

'Ik – zo goed? – vind het verschrikkelijk van Natalie – verdrietig, spijtig, naar – om alle voor de hand liggende redenen en om diverse andere ingewikkelde, persoonlijke redenen. En ik neem nu maar eens even aan – en ik weet zeker dat je me terechtwijst als ik het mis heb – dat jij je, om al je eigen ingewikkelde redenen, waarschijnlijk nog honderd keer rotter voelt.'

'Je kunt je absoluut niet voorstellen...'

'Nee, dat kan ik ook niet. Ik kan me niet voorstellen hoe het voelt om zo boos te zijn op Natalie, op Mo, op mij, op jezelf, op de wereld, op al die oude kerels die haar voortdurend naaiden. Wat moet je aan met al die boosheid? Wie moet je nou slaan?'

Hij kijkt me aan en dan valt zijn blik weer op de tafel en zijn z'n ogen weer onder zijn pet verborgen. De woorden komen er langzaam uit en maar net hoorbaar boven het lawaai van het verkeer. 'Maar we hadden wel een... band met z'n tweeën, die... echt heel diep zat. Dat kun je niet begrijpen, niemand kan dat begrijpen.' Hij wringt zijn handen. 'En het laatste wat ik tegen haar zei was: "Je bent zo verschrikkelijk met jezelf bezig dat je het teringbos niet eens meer kunt zien." Wat niet eens ergens op slaat.'

'Denk je dat haar dat iets kan schelen, waar ze nu ook mag zijn? Denk je dat ze zich druk maakt over een moment van boosheid, of over het feit dat je je metaforen door elkaar haalt?'

'Geloof jij dat dan allemaal, net als Mo en Astrid, dat ze ergens anders aan een nieuw avontuur is begonnen? Dat ze als een lichtschijnseltje een heel nieuwe horizon opzoekt, zoals Astrid het zegt?' Er klinkt spot in zijn stem als hij hun woorden aanhaalt, maar ik realiseer me dat dat nog niet wil zeggen dat hij hun geloof niet deelt, of het niet zou willen delen.

Dus denk ik goed na voordat ik antwoord. 'Ik geloof het niet niet.'

'Wat betekent dat?'

'Het betekent, denk ik, dat ik nog nooit een verklaring ben

tegengekomen waarom we hier zijn en wat er na de dood met ons gebeurt die me niet met ongeloof vervult.'

Hij reageert ongeduldig, alsof ik probeer hem met woorden te beduvelen. 'Je gelooft er dus niets van. Je bent een atheïst.'

'Ja, nou, ik neem aan van wel, als de verklaring van de atheisten niet net zo onmogelijk zou zijn als alle andere. Dat drijvende scheikundelaboratorium, dat puur toevallig opduikt in wat naar ik aanneem nog niet de ruimte was en een volslagen willekeurige reeks experimenten veroorzaakt, die door niemand worden geleid en die toevallig resulteerden in, onder andere, het menselijk bewustzijn en een besef van goed en kwaad en, weet ik veel, Mozart. Gaat het je niet duizelen als je daarover nadenkt?'

'Ja, misschien.' Ik zie dat hij geen belangstelling meer heeft.

'Heb je al gegeten?'

'Waarom?'

'Heb je ontbeten? Zorg je wel voor jezelf?'

'Je had trouwens gelijk met wat je zei. Ik wilde je vermoorden. Of iemand anders. Of ik wilde hetzelfde doen als zij om het gelijk te trekken. Toen begon ik haar dagboeken te lezen. Blijkt dat ze die vent kende.' Met een abrupte beweging tilt hij zijn rugzak op zijn knie en trekt een van Natalies dagboeken eruit.

Ik herken het van de avond op het strand, alleen steken er nu langs de randen gele Post-it-blaadjes uit.

'Ik ben erachter gekomen dat je het achterstevoren moet lezen. Als je dat niet doet, zie je niet wat belangrijk is. Niet dat je van het eind ook maar iets snapt, niet helemaal aan het eind. Interesseert je dit?'

'Daarom ben ik hier.'

'Luister, er zijn stukjes die je kunt lezen, maar waar je van de helft niet weet waar ze het over heeft. Het is net of ze in haar hoofd tegen iemand aan het schreeuwen is, maar de meeste tijd weet je niet tegen wie.'

De kelner staat te wachten tot we iets bestellen. Ik wuif hem weg.

'Ze schrijft ook dingen over haar vader.' Hij draait het dagboek naar me toe, zodat ik kan zien wat hij aan het lezen is. '*Papa, kan het je niet eens schelen dat ik je haat en dat ik er zelf voor heb gezorgd dat ik een ongelooflijk leven heb* ZONDER ENIGE HULP VAN JOU. Die laatste vijf woorden staan in hoofdletters, zie je. En dit zou ook over haar vader kunnen gaan, maar net zo goed over iemand anders. *Ik weet dat ik een ongelooflijk bijzonder iemand ben en erg jammer voor jou dat je dat niet weet.* Dan begint die vent op de proppen te komen.' Hij bladert achteruit door het dagboek op zoek naar iets. 'Ik wist dat er andere mannen in haar leven waren. Ik ben niet achterlijk. Ik had alleen nooit gedacht...' Hij houdt op met zoeken. 'Ik dacht gewoon altijd dat ze er uiteindelijk achter zou komen dat er iemand is die voor haar stáát, iemand die bijzonder is, even bijzonder als zijzelf, dat menselijk wezen waarvan ik weet dat ik dat ben, die zo enorm groot is vanbinnen en zo authentiek, dat hij mensen kan overdonderen, ook al is hij geen spierbundel met een vette bankrekening. Ik dacht dat ze dat op een dag zou zien. En ze zou het ook hebben gezien, daar ben ik absoluut van overtuigd.' Even ziet hij er verloren uit.

De kelner blijft maar om ons heen hangen, dus wijs ik iets aan op de menukaart. 'Doe dat maar,' zeg ik.

'Enchilada?'

'Ja, enchilada.'

'Twee?'

'Nee, eentje alstublieft.'

'Allebei een?'

'We delen hem.'

'Kip of rundvlees?'

'Maakt niet uit. Wat dan ook. Kip.'

'Sí, señor.'

Ik draai me weer naar Jake toe. 'Maar die andere man.'

'Ja, die man.' Hij vindt de bladzijde. 'Kijk, hier. *Weten we ook weer wat dat helemaal voorstelt, dat je me beroemd zou maken, dat je ging zorgen dat ik carrière ging maken, wat een portfolio zeg, jij akelige tering teringlijer.* Kijk, ze is zo kwaad dat ze een gat in de bladzijde krast, en in de bladzijde erachter. Hier zit nog allerlei andere zooi doorheen waar ik niks van snap. Maar dan ga je een week terug en dan is er dit verhaal. Het is niet duidelijk, omdat ze niet de moeite neemt om alles uit te leggen. Er is iets met een sleutel, en ik had er eerst geen aandacht aan geschonken omdat dat een van haar woorden was. Er was altijd wel iets wat een sleutel was voor haar. De sleutel om het in deze stad te maken zit hem in de mensen die je kent, of zoiets. Hoorndol werd ik ervan als ze zulke dingen zei, als ze probeerde te klinken alsof ze erg volwassen was en in de showbusiness zat. Maar soms was het goed – echt spiritueel, weet je, als ze bijvoorbeeld praatte over acteren. Ze zei ooit tegen me: Stanislavsky is nog steeds de sleutel. Blijkt dat die overal achter zit. En ik wist niet eens wie Stanislavsky was, dus dat heeft ze me verteld en ik was er helemaal ondersteboven van, het was net of er iets echt dieps gebeurde, alsof er energie tussen ons stroomde. Ze zei een keer: erachter komen wat er in je zit, daar gaat het om bij acteren, en daar gaat het om in het leven. En ze lachte alsof het een goocheltruc was of zoiets, alsof ze een bloem uit haar mond had getrokken. Dat kon ze soms doen, zo kijken, met haar handen open op deze manier, alsof ze je liet zien dat ze leeg waren, en hoe ze haar schouders ophaalde met van die wijd open ogen. Ze was zo ongelooflijk mooi als ze dat deed. En we praatten over authentiek zijn en hoe oppervlakkig en nep de meeste mensen zijn en bang voor wat ze zouden aantreffen als ze in zichzelf keken, of bang dat ze helemaal niks zouden aantreffen. We trokken altijd de heuvels in, weet je? En hoe hoger je komt, hoe groter de oceaan wordt en hoe kleiner de auto's, en de gebouwen en die hele teringfilmindustrie die zich gedraagt alsof hij God is of zoiets. En dan rookten we een joint of iets, en dan hadden we echt een band, weet je, die ik nog nooit met iemand anders heb gehad. En dat gold ook voor haar. Dat weet ik. Het was of je hem kon aanraken.'

'Maar wat was er dan met die sleutel?'

'O ja, die sleutel blijkt de sleutel van het kantoor van die engerd te zijn. En daar is iets waar ze helemaal van uitfreakt. Dit schreef ze, zie je, een paar dagen voordat ze zelfmoord pleegde. *Waarom ben ik gaan kijken? Het was allemaal in orde totdat ik ging kijken. En nu heb ik alles verpest. Waarom verpest ik altijd alles.* Zie je, ze voelt zich schuldig dat ze is gaan kijken, maar waar heeft ze dan naar gekeken?' Hij bladert terug door de bladzijden. 'En dit was meer dan een week geleden. *Ik had hem moeten slaan. Er was een golfclub en ik had hem ermee moeten slaan en dan zou hij dood zijn geweest. Hoe hij daar in zijn kamerjas zijn harige borst stond te krabben en maar net doen of het allemaal niks te betekenen had.*' Hij stopt. Hij ademt moeizaam. 'Hier, lees zelf maar,' zegt hij en hij schuift het dagboek over de tafel naar me toe.

Ik pak mijn leesbril. Het handschrift kronkelt over de bladzijde. Je voelt de intensiteit in de veranderende schuinte van de letters.

Toch niet net een knuffelbeer, gewoon een oude grijze baviaan, dik en harig. Hoe komt hij er eigenlijk bij dat hij over mij kan oordelen? Ik ben een bijzonder iemand. Ik ben mooi vanbinnen waar hij niet kan kijken. Wie is hij trouwens met zijn plank vol meisjesnamen? Een zielige ouwe man die zich aftrekt voor een televisiescherm, wat hij waarschijnlijk doet. Ik zou zijn camera op hem moeten richten. Hem filmen terwijl hij zich aftrekt en het dan op het internet zetten en hij zou dood zijn. Hij zou vanbinnen dood zijn.

Ik kijk op en Jakes blik is op mij gericht.

'Zie je? Zie je?' zegt hij. 'Ik las dat en ik dacht: Jezus! Wat heeft die teringlijer met haar uitgespookt?'

Een vrouw die voorbijloopt, kijkt naar hem om en vervolgens over haar schouder naar mij.

Jake ziet haar niet. 'Dus toen vond ik dit, van een paar dagen eerder.' Hij reikt over de tafel en slaat de bladzijde om naar een ander plakpapiertje. 'Daar, zie je?'

Het is afschuwelijk wat hij heeft gedaan en het afschuwelijkste is dat ik het aan niemand kan vertellen omdat het zo afschuwelijk is. Toen ik het mezelf zag doen, moest ik bijna overgeven.

De kelner is langsgekomen en weer weggegaan en heeft een enchilada achtergelaten die eruitziet als een zinkende boot in een grijze bonenzee.

Jake duwt het bord opzij en leunt over de tafel naar me toe. 'Hij heeft haar gefilmd, zie je. Hij heeft gefilmd hoe ze seks met hem had. Oké, nu moet je dit lezen.' Hij pakt het dagboek en bladert naar een ander plakpapiertje. 'Dit is twee weken geleden, ja?' De tafel begint te resoneren onder het nerveuze ritme van zijn vingernagels.

Hem weer gevraagd naar de audities – of hij iets voor me geregeld heeft. En hij begint over telefoongesprekken en e-mails en foto's en ik zou de portfolio eens moeten zien die hij van me heeft aangelegd, want daar heeft hij het altijd over, over die portfolio, alsof het mij wat kan schelen hoe dik zijn portfolio is! Dus ik vraag hem wanneer we bij elkaar zullen zijn en hij lacht en zegt: We ZIJN bij elkaar, want dat is wat hij altijd zegt. Maar dan is hij weer van: je bent bijzonder, weet je, je bent echt uniek. Wat ik niet eens wil horen, omdat het ONECHT klinkt, en dat is hij niet, dat weet ik – hij is echt mooi en liefdevol als hij niet zijn best doet om het te verbergen. En hij moet het zo vaak verbergen omdat het allemaal oplichters zijn in die business – ik word er ziek van, als ik eerlijk ben. En ik weer van: ik weet dat ik bijzonder ben, want ik kan zo in je verdrietige hart kijken en soort van zien dat je alleen maar toneel speelt. En dan lacht-ie. Maar ik kan het ECHT! Niemand snapt echt hoe verdrietig hij is, alleen ik. En hij snapt zo goed dat ik het snap, maar hij doet net of hij het niet snapt. Dus als hij onder de douche staat – dit is ECHT slecht!!! – kijk ik achter in zijn kast, achter al zijn keurige pakken en dan pak ik de reservesleutels van zijn kantoor – 2 sleutels aan een zilveren ring. Ik weet dat die daar zijn omdat ik een keer heb gezien dat hij ze daar pakte toen hij niet wist dat ik wakker was. Ik zal ze waarschijnlijk nooit gebruiken. Maar ik vind het wel lollig om te weten dat ik het zou kunnen doen als ik zou willen. En romantisch ook, zo dicht bij hem zijn, dichter bij hem dan hij weet. Hij is zo lief, mijn Rochester, en hij heeft er zo echt geen idee van hoe lief hij is!

'Snap je? Zie je, dat is voor het eerst dat ik de naam zag. Rochester.'

'Heet hij Rochester?'

'Zo noemt ze hem – mijn Rochester. Dus toen kon ik teruggaan en die naam weer zoeken en het gaat terug tot juni. Kijk, hier, hier is een van de eerste.' Hij haalt een ander dagboek uit zijn tas, legt het op tafel en slaat het open waar hij een papiertje heeft geplakt.

Lunch met Rochester! Bij Chinoise op Main in Santa Monica!!! Hoe te gek is dat! Volgens mij is Rochester misschien wel verliefd op me. Het was nogal smerig toen ze de vis brachten met het hoofd er nog aan, ik vind het altijd afschuwelijk als de ogen je zo aanstaren. Maar Chinees is absoluut het beste wat er is, omdat je het kunt delen en niemand kan zien hoeveel je eet. Zo heb ik hem bijvoorbeeld alle vis laten opeten. En het grootste deel van de garnalen en het grootste deel van al het andere, behalve wat van de Chinese kipsalade, daar word je niet dik van, een half bord Chinese kipsalade eten met de dressing als bijgerecht!

Jake zit door een blok te bladeren dat is volgeschreven in zijn eigen handschrift. 'Ik ga ervan uit dat hij in de showbusiness zit, toch, omdat ze denkt dat hij haar zal helpen. Heb je er enig idee van hoeveel filmproducenten er in deze stad rondlopen? Iedereen is een teringfilmproducent, of een wannabe filmproducent. Producenten, acteurs en scriptschrijvers, dan heb je zo ongeveer iedereen gehad die je om je heen ziet. Wat er dan nog overblijft zijn gewoon mensen die dingen doen om de tijd te vullen en aan geld te komen door net te doen of ze advocaat zijn en limo-chauffeurs en managers van schoenwinkels en kelners, totdat ze het maken in de showbusiness.'

De kelner staat naar me te kijken. 'Eten goed?'

'Ja, hoor, dank je,' zeg ik. Ik heb nog geen hap genomen. Zelfs al zou ik honger hebben, ik zou zeker darmklachten krijgen van Jakes energie. 'Stiekeme scriptschrijver?' vraag ik aan Jake met een knikje naar de zich terugtrekkende kelner.

'Niet van toepassing op Mexicanen. Mexicanen zijn de enige mensen die echte banen hebben in deze stad. Het zijn de enige echte mensen, als je de waarheid wilt weten. Van deze mensen is er geen eentje echt.' Hij schuift het blok naar me toe. 'Er is een John Rochester, zie je, die voor de televisie werkt, en Rochester Brampton Junior – Jezus, wat een naam! –, een of andere hotemetoot bij Miramax. Er is ook een Stevie Rochester, maar dat blijkt een vrouw te zijn. Hier is een vent die Roy Chester heet en een hele bende Roachesters – rare naam. Allemaal familie waarschijnlijk, onderdeel van de filmmaffia.'

'Maar Jake, wat denk je dan te gaan doen? Als je die Rochester vindt, bedoel ik.'

Hij valt een ogenblik stil. Hij beweegt zijn gezicht alsof hij probeert het goede antwoord te geven. 'Soms wil ik hem gewoon op zijn bek slaan, en soms wil ik een absoluut authentiek gesprek met hem hebben. En soms wil ik het allebei. En als ik hem op zijn bek zou slaan, zou ik misschien dood zijn, maar misschien zou ik dan zoiets tegen hem kunnen zeggen van dit is wat jij hebt gedaan, snap je? En ik zou een spirituele ruimte creëren waar iets in kan gebeuren, dat er iets kan veranderen in de wereld.'

'Dus je gaat ervan uit dat Rochester zijn echte naam is?'

Hij weet duidelijk niet wat hij met die vraag aan moet. 'Wat bedoel je? Denk je dat hij haar een verzonnen naam geeft? Waarom zou hij dat eens doen dan? Ze is bij hem thuis geweest. Ze moet van alles over hem geweten hebben.' Hij reikt over de tafel om iets op te zoeken in het dagboek.

'Ik dacht alleen dat het misschien een naam is die zij gebruikt, iets persoonlijks tussen hen twee, of gewoon iets persoonlijks van haarzelf.'

Hij kijkt verbaasd. 'Hoe kom je daar nou bij? Ik probeer hier iets te doen. Ik heb de hele nacht zitten googelen naar die teringlijers. Wat heb jij godverdomme gedaan?'

'Ik dacht alleen maar...'

'Ja, jij dacht alleen maar dat je dit allemaal door de stront moet halen omdat je geen beter idee hebt. Ze noemt hem Rochester, dus wat mij betreft heet die vent Rochester.'

'Oké, ik stelde alleen maar een vraag.'

'Jij moet mensen altijd maar kleineren, weet je dat? Je kunt het niet uitstaan als je niet de slimste van allemaal bent.' Hij is begonnen Natalies dagboeken en zijn blok in zijn rugzak te stoppen.

'Luister, Jake...'

'Nee, luister jij maar eens, Dave.' Hij houdt zijn wijsvinger voor mijn gezicht. Zijn hand trilt. Zijn gezicht is vertrokken alsof hij op het punt staat in huilen uit te barsten. 'Krijg de tering, Dave.' En weg is hij, over de stoep, met zijn rugzak zwaaiend op zijn rug.

Mensen kijken naar hem om, kijken naar mij om. In deze stad schreeuwen mensen niet tegen elkaar op straat, tenzij ze veilig in hun auto zitten.

'Eten niet goed?'

'Het eten is prima,' zeg ik tegen de kelner en ik haal mijn portemonnee tevoorschijn om te betalen.

7

Als ik een beetje gekalmeerd ben, bel ik Astrid op. Ze zegt dat ze op haar kantoor is. Ik vraag me af wat voor soort kantoor haar zou kunnen indammen – ik kan me haar niet voorstellen in een werkcel. Maar ze legt uit dat het kantoor gewoon haar naampje is voor het Bluegrass Café op de hoek van Joshua en Second Street, een van de plekken waar haar vrienden haar kunnen aantreffen gedurende haar werkdag. Tot mijn verbazing voel ik me ontstemd over die vrienden, wat belachelijk is omdat ze natuurlijk vrienden heeft, honderden waarschijnlijk. Ik heb ook vrienden, al is er daarvan momenteel niet één beschikbaar, zelfs niet telefonisch – waar zij wonen is het elf uur in de avond.

Het is fijn om Astrid weer te zien. Wat ik het eerst zie is haar haar dat aan de randen opvlamt in de middagzon. Ze zit aan een tafeltje op de stoep met haar vingers op het toetsenbord van haar laptop. Haar leesbril, die op het puntje van haar neus staat, ziet eruit als een rekwisiet voor een fotoreportage. Ze neemt de bril af als ze me ziet komen en zwaait ermee. Het montuur en de vingernagels zijn blauw in op elkaar afgestemde tinten.

Het Bluegrass Café heeft bohemienachtig publiek. Ze staan tot op de stoep, waar ze aan tafels hangen en tegen parkeermeters leunen. Aan de tafel naast die van Astrid zit een harige vent met een gitaar. Iets aan de manier waarop hij die vasthoudt, wekt de indruk dat hij geen musicus is. Als ik dichterbij kom bedenk ik ineens dat de kale vent die hem schildert in acryl wellicht ook geen schilder is. Veel van deze mensen zien eruit als studenten, maar ik schat zo in dat er ook types uit de filmwereld zijn die er proberen uit te zien als zwervers en zwervers die er proberen uit te zien als van die excentrieke miljonairs die het niet kan schelen hoe ze eruitzien. Ik voel me niet misplaatst in mijn versleten tweedjasje.

'Hallo schoonheid,' zegt Astrid met een redelijk Engels accent. 'Ik heb thee voor je. Je klonk alsof je thee nodig had.'

'Wat attent van je.'

Ze vervalt in haar eigen accent. 'Joh! Je bent erg ver van huis. Er moet toch iemand voor je zorgen?' En ik zie niet alleen genegenheid in haar gezicht, maar haar eigen droefheid.

Ik ga zitten met mijn ellebogen op tafel en ze legt op die typische terloopse manier van haar een hand op mijn arm. 'Ik vind het hier echt te gek, weet je,' zegt ze. 'Echt waar...'

'Dit café?'

'Deze plaats, deze stad van eerzuchtige engelen. Ik woon hier zes maanden per jaar en dat is niet omdat ik geen andere keus heb. Maar, goeie god, er zijn dagen dat ik me afvraag of het niet de eenzaamste plek op aarde is – de meest getalenteerde wellicht, de meest verwende, zeker weten, maar geestelijk fundamenteel in de war. Ik heb de statistieken erop nagekeken...'

'Op eenzaamheid in het bijzonder, of op geestelijke gestoordheid in het algemeen?'

'Op alles, lieverd, te beginnen met waar je niet wilt wonen. Moet je zien. Iemand heeft daar onderzoek naar gedaan, geloof het of niet.' Ze draait de laptop naar me toe en schuift haar stoel dichter naar de mijne. Ik ben me bewust van hoe haar haar tegen mijn schouder zwaait. 'Los Angeles staat in de top vijftien van ongelukkige plaatsen. We worden verslagen door Detroit, zie je.' Haar gemanicuurde nagel zweeft boven de lijst. 'En Salt Lake City en Phoenix en nog een stuk of tien andere, maar we staan wel bovenin. Maar nou moet je even zien wat er onder aan de lijst staat. Ik bedoel, Jezus, wie verhuist er nou naar Anchorage of Des Moines, alleen omdat je daar een miniem kansje maakt dat je buren je komen opvrolijken? Want het probleem is, zoals een statisticus me ooit heeft uitgelegd...'

'Met wie je uit was?'

'Ik was aan het raften en hij zat in hetzelfde bootje, wat maar goed was ook, anders zou ik dood zijn geweest.'

'Ga je me nu vertellen dat je je leven te danken hebt aan een statisticus?'

'Ja, kun je het idioter bedenken? Hoe groot is de kans dat dat gebeurt?' Ze lacht alsof het grapje een onverwacht cadeautje is. 'Maar waar het om gaat is dat je onderscheid moet maken tussen oorzaak en gevolg. Het zou best kunnen dat Des Moines alleen maar gelukkige mensen aantrekt. De toevallige depressieveling die daar opduikt zal dubbel zo ongelukkig zijn omdat hij niemand heeft om mee te praten. De zelfmoordcijfers daarentegen...' Ze zit te scrollen en te klikken.

Ik wijd me aan mijn thee. 'Astrid, jouw zoektocht naar kennis is waarlijk indrukwekkend.'

Ze kijkt me weifelend aan alsof ze denkt dat ik haar misschien voor de gek zit te houden.

'Nee, echt. Het heeft iets opbeurends.' Ik zie ook dat het haar manier is om te verwerken wat er is gebeurd.

'Nou, ik vind dat we maar beter zoveel mogelijk kunnen weten.' Ze is nog steeds op zoek naar zelfmoordcijfers.

'Jake heeft Natalies dagboeken zitten lezen.'

'Ja, dat heeft hij me verteld.'

'Heeft hij je ook verteld over Rochester?'

'De plaats boven in de staat New York?'

'Nee, een of ander vriendje van Natalie. Jake probeert iemand te vinden die hij de schuld kan geven.'

'Dan is hij al verder dan Mo.'

'Hoezo?'

'Die heeft zich opgesloten in haar huis en doet alleen nog maar aan zelfkastijding.'

Ik sta op het punt Astrid te vragen welke vorm die zelfkastijding van Mo dan aanneemt, maar dan zie ik dat ze huilt – niet opvallend, er lopen alleen tranen over haar wangen.

'Gaat het een beetje?' Ik leg een hand op haar onderarm die op de tafel ligt. Er volgt wat onhandig gedoe voordat onze handen elkaar gevonden hebben en ze leunt tegen me aan met haar voorhoofd tegen de zijkant van mijn hoofd. De zucht, als ze weer wat ontspant, gonst in mijn oor. Ik voel de warmte en de vochtigheid ervan.

Haar stem is niet meer dan gefluister. 'We hebben het autopsierapport. Heeft Jake dat verteld?'

'Nee, hij had het waarschijnlijk te druk met andere dingen.'

'Niks onverwachts. Het was wat de ambulancemensen dachten. Haar nek was gebroken – daar is ze aan gestorven. Ze was niet lang genoeg onder water om te verdrinken. We hadden haar kunnen redden als ze niet zo heen en weer gesmeten was door de golven, als er niet zoveel rotsen waren geweest.' Ze ademt een paar keer scherp in. Dan schudt ze het hoofd en haalt een papieren zakdoekje tevoorschijn om haar ogen te betten. Ze gaat rechtop zitten en het straattafereel voegt zich weer bijeen – de kale schilder die niet kan schilderen en die grapjes maakt met een meisje met een hond die zijn riem om de tafel van de schilder heeft gewikkeld, de gitarist die niet kan spelen en die met zijn stoel achteruitleunt om een vuurtje te vragen.

Astrids zakdoekje heeft donkere vlekken onder haar wimpers achtergelaten. 'Oké, dit is wat ik zocht.' Ze is weer met de muis in de weer en tovert lijsten met plaatsnamen en cijfers op het scherm. 'Er zijn bijna vierhonderd zelfmoorden per jaar in LA, door de bank genomen – het ziet ernaar uit dat de cijfers omlaag gaan na aardbevingen. Wat een ellende allemaal.'

'Dat kun je wel zeggen ja.'

'Maar het blijkt zo ongeveer het gemiddelde te zijn...'

'Voor Amerika?'

'Kennelijk. Maar, mijn god, niet te geloven, toch – vierhonderd per jaar. Dat geldt vast alleen voor Amerika, want moet je zien – er zijn er zoveel waar vuurwapens aan te pas komen, Jezus! Dat is iets waar de Nationale Vuurwapenassociatie zijn voordeel mee zou kunnen doen – je onvervreemdbare recht als burger om je van het leven te benemen.' Ze praat tegen het scherm, scrolt door grafieken en tabellen. 'Het geldt écht alleen voor de Verenigde Staten, want moet je deze nationale cijfers zien. Amerika doet het niet eens zo slecht. Moet je Zwitserland zien. Mijn god, kijk eens naar Slovenië.' Ze tovert zoveel kadertjes tevoorschijn en minimaliseert ze zo snel, dat ik het niet kan volgen. 'Als je het per staat bekijkt, staat Arizona erg hoog, kijk, hoger dan Californië – logisch ook, met Phoenix zo hoog op de ranglijst voor ongelukkig zijn – en dan heb ik het nog niet eens over het klimaat en de algemene afwezigheid van wat voor positieve kenmerken dan ook. Moet je trouwens zien wie het doen – drie keer zoveel vrouwen doen zelfmoordpógingen – maar drie keer zoveel mannen slagen erin. Ik denk dat ik dat eigenlijk wel al wist. Maar wauw! – dit wist ik niet – kijk eens naar die leeftijdskloof. We lijken er beter in te worden naarmate we ouder worden. Mensen onder de vijfenzestig slagen er maar één op de zeven keer in – bij bejaarden loopt het op tot één op de twee keer. Je moet het begrip slagingspercentage wel totaal anders invullen om hieruit wijs te worden.'

'Het is geen eerlijke vergelijking,' zeg ik. 'Die oudjes hebben veel meer kunnen oefenen.'

'En ze zijn het alternatief echt spuug- en spuugzat.' Ze lacht en dan is ze weer verdrietig.

'Dus als je het zo bekijkt heeft Natalie gewoon pech gehad.'

'O, David, als je dat maar weet. Eén op de drie, één op de zeven, wat dan ook – reken zelf maar uit.' Ze pakt nog een zakdoekje en houdt het eerst onder het ene oog en dan onder het andere. Ze snuit haar neus. 'In demografisch etnisch opzicht zit ze trouwens wel goed. Moet je zien. Meer blanken dan zwarten of Latijns-Amerikanen. Meer protestanten dan katholieken of joden. Waarom zou dat zijn, denk je?'

'Geen idee. Hoe zit het met moslims?'

'Goeie vraag. Ze zullen die negentien vliegtuigkapers er toch niet bij hebben geteld...?'

'Dat waag ik te betwijfelen. Dat zou trouwens toch maar een onbeduidend piekje hebben opgeleverd.'

'Maar theoretisch gezien – is iemand die zichzelf opblaast een zelfmoordenaar of een moordenaar – of iets totaal anders? En blazen niet alle zelfmoordenaars in zekere zin hun omgeving op? Misschien is het hun bedoeling om een schok te veroorzaken, misschien zijn ze te erg van slag om na te denken over de schok die ze gaan veroorzaken. Maar hoe dan ook, kijk naar de nevenschade die ze aanrichten. Kijk naar Mo.' Ze ademt in. Als ze weer uitademt klinkt het alsof ze leegloopt. Even houdt ze op met praten en met klikken en scrollen en kijkt ze naar het scherm zonder het te zien, alsof ze geen energie meer heeft.

'Je maakt je echt zorgen om haar.'

'Het is al lang geleden dat ze er zo slecht aan toe was. En er is niet veel aan te doen, alleen wachten tot het overgaat.'

'Kan ik iets doen om te helpen? Ik neem aan van niet, maar mocht het zo zijn, laat het me dan maar weten.'

Ze kijkt naar me op. Er wellen weer tranen op in haar ogen. 'Misschien zou je op bezoek kunnen komen.' Ze dept haar ogen nog maar eens. 'Ze heeft eigenlijk geen vrienden. Zelfs als het goed met haar gaat, is ze nogal een kluizenaar...'

Als ik al aarzel, dan zal dat wel komen omdat ik niet gedacht had nog een tochtje naar Malibu te zullen ondernemen. Waarmee ik, denk ik, bedoel dat ik er wél aan gedacht heb en dat ik ook alle redenen heb bedacht waarom het niet zo'n erg goed idee zou zijn.

'Het is veel gevraagd en je moet je boek schrijven.'

Het is de gedachte aan het boek die de zaak beklinkt. 'Natuurlijk kom ik.'

'Is het goed als ik je erover mail?'

'Ja, laat me maar weten wat je het beste uitkomt.' Want waarom zou ze me niet mailen? En waarom zou ik niet een paar uur van mijn niet-werkdag uittrekken om Mo te bezoeken, ook al betekent dat voornamelijk Astrid bezoeken, aangezien Mo, zelfs als het goed met haar gaat, nogal een kluizenaar is en het op dit moment niet erg goed met haar gaat – helemaal niet goed, zelfs.

'Dank je wel,' zegt Astrid en het is het gemak waarmee ze mijn gezicht aanraakt met haar vingertoppen dat me duidelijk maakt dat het tijd is om op te stappen. Ik schuif mijn stoel naar achteren en sta op. En zij gaat staan om me een knuffel te geven.

'Je bent echt een goed mens,' zegt ze.

'Hoe bedoel je?'

'Dat je Jake in de gaten houdt, en mij helpt met Mo, gewoon dat je bent wie je bent.' De woorden trillen in haar keel, een gemompel dat ik lijk in te ademen met de geur van haar huid. Over haar schouder zie ik, niet helemaal scherp, de bohemiens van het Bluegrass Café op de stoep poseren. Ze houdt me vast omdat ze troost put uit de vriendschap, omdat ik een goed mens ben. Ik reageer met een waas aan wanordelijke gevoelens, een gejaagde hartslag, een herverdeling van energie die mijn ledematen doet verslappen en mijn hoofd doet zwijmelen. Ik ben me scherp bewust van de wisselende druk van haar lichaam als ze ademt, en van het mijne als het zich onwelvoeglijk gereedmaakt voor seks.

We laten elkaar los, beloven contact te houden en ik draai me om en draag de tintelende herinnering aan de aanraking mee.

De auto staat verderop in de straat geparkeerd, met de voorkant naar de stoeprand, voor de reformwinkel. Ik ben net achteruit van mijn plaatsje gereden en begin op te trekken, als mijn mobiel begint te rinkelen. Het is Rebecca. Ze lijkt een instinct aan het ontwikkelen te zijn voor mijn Astridmomenten. Ik neem het telefoontje aan terwijl ik rustig naar het stoplicht rij bij het volgende kruispunt.

We zijn vanavond op het eten uitgenodigd bij Max en Frankie, zegt Rebecca, en zij gaat er rechtstreeks vanuit haar werk naartoe. Gewoon een rustig avondje, zegt ze, geen stress, maar misschien kan ik me ditmaal beschaafd gedragen. Ze zegt dit alsof het een grapje is, maar ik sta mezelf toe mijn stekels op te zetten. En ik wil eigenlijk ook helemaal niet weten dat Max en Frankie hun best doen om de zaken te normaliseren na het zwembadincident. Ik onderdruk de neiging om *normaliseren* te identificeren als een Maxwoord, en het gesprek wordt zonder onenigheden afgesloten.

Terwijl ik een hoek omga, wil ik mijn mobieltje terug in mijn zak stoppen, maar slaag er op een of andere manier in het ernaast te doen belanden. Boven het geluid van de motor uit hoor ik het op de vloer van de auto kletteren. Vóór me springen de verkeerslichten op rood. Als ik de auto heb stilgezet, leun ik naar voren en tast onder de stoel. Dan buig ik mijn hoofd langs het stuur omlaag. De telefoon zie ik niet, maar er ligt iets glimmends onder het gaspedaal, waar ik nét bij kan. Ik kom overeind en kijk wat ik in mijn hand heb – twee sleutels aan een ring. Ik ben duizelig van de plotse beweging en het duurt even voor ik het labeltje dat eraan hangt scherp in beeld heb. *Reservesleutels Kantoor* staat erop. Achter me wordt luid getoeterd en het licht staat op groen.

8

Ik geef gas om de vuilniswagen te passeren en zwenk terug naar rechts. Ik rij langs een jeep en een sportauto en een gehavende pick-up vol tuingereedschap en daar staat Max aan de rand van de weg, koel in zwart linnen, met zijn hand in zijn brievenbus. Hij draait zich naar me toe terwijl ik de oprit in rijd. Hij houdt een bundel post in zijn hand en heeft een uitdrukking op zijn gezicht, zo gespannen, dat ik hem, ook al vang ik er maar een glimp van op in het voorbijgaan, nog steeds voor me zie als ik langs het huis rijd tot aan de carport. Als ik het een naam zou moeten geven, zou ik het angst noemen. Ik herinner me dat Rebecca het had over doodsbedreigingen en anonieme boodschappen. Maar de post in zijn hand, stel ik me zo voor, is niet geopend, een bundel enveloppen die hij net uit de brievenbus heeft gehaald.

Hij komt achter me aan gerend, een beweging in de spiegel. Als ik het portier openduw, verandert opeens alles aan hem. Zijn pas vertraagt, de uitdrukking op zijn gezicht wordt zachter en verandert van angst – of woede, wat het ook had kunnen zijn, bedenk ik nu – in verbazing. Vrijwel onmiddellijk heeft hij zijn zelfverzekerdheid hervonden. Weer helemaal op zijn gemak met zijn instappers en zijn stijlvolle pak, laat hij zijn gezicht ontspannen tot een grijns. Hij komt met grote passen op me af, het hoofd schuin, de armen wijd, in zijn linkerhand een pakketje post.

'Dave,' zegt hij. Hij maakt een lang, traag geluid van mijn naam, van die ene lettergreep van mijn naam, alsof hij me plaagt, of reageert op een plagerij.

Ik bereid me voor op de omhelzing, maar de schuine stand van zijn hoofd is een vraagteken geworden, met opgetrokken wenkbrauwen en samengeknepen ogen, en met dat gebaar neemt hij nota van Natalies auto.

'De kever,' zegt hij, 'verraste me nogal. Om een man van jouw intellectuele kaliber te zien...'

'Hij is nogal roze, inderdaad.'

'Er zijn mensen die zich nogal wat vrijheden veroorloven. Niet dat ik naar uiterlijk zou willen oordelen, maar als ik zo'n auto mijn oprit op zie rijden... Ik ben nogal op mijn hoede tegenwoordig.'

Ik kijk naar de auto, naar de bobbelige lak, naar de paarse bloemen die zich over het portier slingeren. 'Ben je benauwd voor hippies?'

'Een man in mijn positie, Dave, heeft veel vijanden.'

Er valt een gênante stilte. Ik kijk naar hem terwijl hij het heeft over zijn vijanden, en ik heb geen reden om aan te nemen dat ik er daar een van ben, behalve dan dat Rebecca's loyaliteit jegens hem me enigszins dwarszit. Doorgaans heb ik het grootste vertrouwen in haar vermogen om een ironische afstand te bewaren tot bepaalde vormen van lulkoek. Maar het schijnt dat ik hier ben uitgenodigd om de zaken te normaliseren, dus probeer ik over koetjes en kalfjes te praten.

'Ik hoor dat vrouwen vrijuit spreken.'

'Waarover?'

'Dat is toch de naam van je documentaireserie?'

'O ja, natuurlijk. *Vrouwen spreken vrijuit.*' Ik zie dat hij nog steeds wordt afgeleid door de auto.

'Schiet het al een beetje op?'

'Niet dat ik erover door wil blijven zeuren, Dave, maar waar haalt zo iemand als jij zo'n vehikel vandaan? Heb je hem soms gekocht?' Hij bekijkt hem aandachtig alsof hij er misschien wel zelf voor in de markt zou kunnen zijn.

'Ik heb hem geleend. Iemand heeft hem me geleend. Ik had een auto nodig en zij hadden er nog een staan waar ze toch niks mee deden.' Ik heb geen zin om het hele proces uit te gaan leggen. Er was een meisje dat zichzelf van kant heeft gemaakt en toen kreeg ik de auto. Ik weet dat ik het in mijn hoofd zo formuleer omdat ik me er ongemakkelijk bij voel. Ongemakkelijk is waarschijnlijk nog zwak uitgedrukt. Maar er zit een positievere kant aan die ik, zelfs tegenover mezelf, nog maar nauwelijks heb toegegeven – een soort privilege, doordat ik zo dicht bij deze persoon kan komen wier leven het mijne maar nauwelijks overlapt heeft, doordat ik in ieder geval de gelegenheid krijg iets te weten te komen over haar auto – een idee te krijgen dat dit was wie zij was, of wilde zijn, in deze stad van autorijders. Ik ben nu al verwend door onze geleasede automaat. Je kunt in de vroege avondspits van deze stad niet al handschakelend rondrijden zonder een relatie te krijgen met je versnellingsbak. Als ik achter Max aan het huis in loop voel ik het bolle koppelingspedaal nog steeds als een blauwe plek onder mijn voet. Door het steeds herhaalde aanspannen doet mijn linkerkuit nog steeds pijn. Je leert de wegen veel beter kennen – de sporen en gaten, de in onbruik geraakte tramrails – als je eroverheen dendert met versleten schokdempers. Je voelt hoe kwetsbaar je bent als je ergens in zit dat zo overduidelijk geplet kan worden. En dan zijn er nog de reacties van andere bestuurders, de lachjes en de vredestekens en de opgestoken middelvingers.

Max is me door de voordeur voorgegaan de zitkamer in en

heeft me gevraagd of ik een glas wijn wil. Ik zit op het randje van de taankleurige leren bank en kijk naar de salontafel met het glazen blad en het grote schaakbord en de Japanse onderzetters erop en de daarachter gelegen verzonken open haard – de horizontale lijnen van tegels en hout, de zachtere verticalen van potplanten, binnen en buiten en zo subtiel van elkaar gescheiden, dat transparantie en reflectie moeilijk uit elkaar te houden zijn. De grote dikke boeken bij de open haard dragen de namen van kunstenaars en kunstbewegingen op hun rug. Er staan kaarsen op ooghoogte op de schoorsteenmantel, vierkante zwarte kaarsen, elk op zijn eigen zilveren schaaltje.

Max reikt me een glas witte wijn aan en schuift een onderzetter naar me toe. 'Alleen maar reclame en meer van die rotzooi,' zegt hij terwijl hij de ene envelop na de andere op de salontafel mikt. 'Hebben jullie dat in Engeland ook? Al die nu-of-nooit-aanbiedingen, die nul-procent-rente-leningen, die bedelbrieven voor goede doelen? Hier is er eentje van een politicus. Je steunt die onbenullen, zorgt dat ze in het Congres komen en daar gaan ze opzitten en pootjes geven. Ze zijn al afgekocht voor ze er aankomen. Jouw duizend dollar dienen uitsluitend voor de schone schijn. Maar wat doe je eraan? We zitten nu eenmaal opgescheept met een tweepartijenstelsel. Maar ondertussen worden we wel geregeerd door imbecielen. Weer dat schrikbeeld van zo'n halve zool die naar Washington gaat.'

Mijn bijdrage aan deze conversatie heeft tot nu toe bestaan uit brommen en knikken. Nu Max zijn post heeft doorgenomen valt er een ongemakkelijke stilte.

'En die *Vrouwen spreken vrijuit*-serie,' zeg ik, 'daar ben je wel gelukkig mee?'

Hij lacht. 'Ik ben altijd gelukkig. Al die anderen gelukkig houden, dat is pas echt lastig. Maar met een serie kun je je tenminste aan alle kanten indekken. Drie is een interessant getal, weet je wel? Ik zie het als een boterham. Het vlees zit ertussenin.'

Op de oprit klinkt het geluid van een auto, het slaan van portieren, en nog een tweede auto, en lachende vrouwen, en ik realiseer me hoe blij ik ben dat Rebecca zo meteen door de deur naar binnen zal komen.

'Daar zul je ze hebben,' zegt Max.

Eerst verschijnen de kinderen, het jongetje dat als een neerstortend vliegtuig op de benen van Max af stormt, en het meisje verlegen als ze me ziet, dan Frankie met een aktetas en twee kleurige rugzakken. Ze loopt het meisje, dat in de deuropening blijft staan, voorbij. Tot mijn verrassing wendt het kind zich tot Rebecca, die als laatste binnenkomt. Ze nestelt zich tegen haar aan zonder zich om te draaien of op te kijken om oogcontact te maken, omdat haar kinderogen nog steeds, nieuwsgierig en aarzelend, op mij zijn gericht. Ik vraag me af hoe Rebecca dat vindt. Doorgaans maakt Rebecca er geen geheim van dat kinderen haar onverschillig laten. Maar dit meisje kan haar kennelijk wel bekoren, of anders doet ze speciaal haar best voor Frankie, voor Max. Ze heeft een hand op het hoofd van het kind gelegd en gaat nu op haar hurken zitten om haar te verzekeren dat ze niet bang hoeft te zijn, dat het David maar is. Met een vinger strijkt ze zachtjes een loshangende haarlok van het kind achter haar oor. Door haar houding is de zoom van haar rok opgekropen – een deel van haar nieuwe garderobe. Haar dijen zijn een beetje donkerder na weken van vluchtige blootstelling aan de zon.

De jongen is ondertussen van zijn vaders benen weggestuiterd en heeft zich voorover in mijn kruis geworpen.

Frankie verontschuldigt zich voor hem en begroet me en wil weten hoe het met mijn boek gaat. 'Effe dimmen, knul,' zegt ze tegen de jongen, die zich langs haar wringt voor een nieuwe zelfmoordmissie.

Aan de andere kant van de kamer imiteert het meisje Rebecca's handbewegingen en schikken ze met zijn tweeën spiegelbeeldig elkaars haar.

'Kom,' zegt Rebecca, 'gaan we hallo zeggen.' Ze gaat staan, neemt het meisje bij de hand en leidt haar naar mij en Frankie toe.

Max heeft het hoofd van de jongen tussen zijn knieën geklemd. 'Guantánamo voor jou, makker,' zegt hij, terwijl hij de jongen kietelt. De jongen gilt van plezier.

'Hoi,' zegt Rebecca, terwijl ze me bij mijn arm pakt en haar lippen naar mijn gezicht brengt, 'alles goed?' Ze kijkt me bijna verlegen aan. Iets in deze vreemde situatie perkt ons in, maar zorgt er tevens voor dat we onze recente vijandigheid achter ons laten. Ik begin gewend te raken aan haar kapsel. Het korte haar doet haar ogen beter uitkomen en opgewekter lijken.

'Drukke dag op kantoor?' vraag ik en ik kus haar terug terwijl ik mijn hand om haar middel leg, dat warm aanvoelt door haar blouse heen.

'Ach, je weet hoe dat gaat,' zegt ze, 'de kunstgeschiedenis is een louche bedrijf, maar iemand zal het toch moeten doen.'

En met deze uitwisseling van betekenisloze frasen wordt er iets rechtgezet. Ik was vergeten hoe goed je eruitziet, zou ik hebben kunnen zeggen, als je denkt dat niemand naar je kijkt. En zij zou hebben kunnen zeggen: laten we vrijen vanavond.

'Ze is een godsgeschenk,' zegt Frankie. 'Voor mij persoonlijk, bedoel ik. En bij de studenten slaat ze in als een bom.'

'Ik ben een buitenlander,' zegt Rebecca en ze bagatelliseert het compliment. 'Daar komt het in hoofdzaak op neer, ik ben iets nieuws.'

'Als dat het enige was wat je te bieden had, zou dat je in deze stad een kwartje en een kop koffie opleveren.'

Het meisje trekt aan Rebecca's hand. 'O, Laura, dit is David. Hij is eigenlijk veel leuker dan hij eruitziet.'

'Hoi, David.'

'Hoi, Laura.'

'Dit is mijn nieuwe vriendin, Laura,' zegt Rebecca tegen mij.

Het meisje kijkt ernstig naar me omhoog. 'Ben jij de vriend van Becca?'

'Ik ben haar man.'

'Je praat raar.'

'Maar Rebecca praat toch ook raar, of niet?'

'Niet zo raar als jij.'

'Hebben die monsters al gegeten?' vraagt Max aan Frankie.

'Juanita heeft ze te eten gegeven. Ze moeten alleen nog in bad.'

'Ik ben geen monster,' protesteert Laura.

'Ik ben al bij Nita in bad geweest,' zegt het jongetje. 'Nita heeft me in het bad gezet en me heel hard geschrobd, samen met de hond en de schildpadden.'

'Ja, aan me hoela,' zegt Max. 'Naar de badkamer in drie tellen. Hoi, Becks.' En hij komt aanzetten voor een integrale omhelzing van Rebecca. Ik ben me bewust van hoe zijn donkere handen, de gespierde knokigheid ervan, zich uitspreiden tegen het lichtblauw van haar blouse, en van zijn neus in haar haar, terwijl Laura tegen me praat.

'Becca heeft me bij Nita opgehaald en ik mocht wel mee in haar auto, maar haar auto heeft geen zitje, maar dan gaat ze me wel een ander keertje meenemen, als ze wel een zitje heeft, en dan gaan we donuts eten.' Aan het eind van deze tirade heeft ze haar hand in de mijne gelegd, net zo makkelijk als een volwassene zijn elleboog op tafel zou zetten.

Rebecca heeft zich ondertussen uit de omhelzing losgemaakt. 'De kinderopvang ligt op mijn route hiernaartoe,' zegt ze tegen mij.

'Dus jullie reden op elkaar,' zeg ik. En opeens zijn alle ogen op mij gericht en begint het mij te duizelen als de woorden zich in mijn hoofd herhalen.

Max grinnikt. 'Pardon?'

'Ik bedoel... achter elkaar.' Ik lach ongemakkelijk. 'Jullie reden achter elkaar aan.'

Iedereen lacht. Dan staat Frankie tegen Rebecca te praten over iets wat iemand heeft gezegd tijdens de vergadering en Max loopt de kamer uit met de kinderen en ik kan niets anders bedenken dan mijn wijnglas op te pakken. En achter elkaar is misschien wat ik bedoelde, tenzij ik eigenlijk op zoek was naar een heel ander woord. Maar kennelijk niet. Kennelijk dacht ik aan iets geheel anders.

'En, wat heb jij vandaag gedaan?' Rebecca komt naast me op de bank zitten. Frankie loopt naar de keuken.

'Van alles en nog wat. Beetje geschreven. Je ziet er trouwens fantastisch uit in die rok.'

'Vind je hem niet te kort voor mij?'

'Zolang hij je mannelijke studenten niet te veel afleidt.'

'Lijkt me sterk.' Ze pakt mijn glas, drinkt eruit en geeft het terug. 'Dus je hebt wel wat gewerkt.'

'Ik kreeg een mailtje,' zeg ik, 'van Jake.'

'Jake wie?'

'Het vriendje van Natalie. Dat meisje dat zelfmoord heeft gepleegd.'

Dit veroorzaakt een lichte temperatuurdaling. 'Wat wilde hij?'

'Hij wilde me haar dagboeken laten zien.'

'Van dat dode meisje?'

'Ja.'

'Is dat niet een beetje akelig?'

'Ik weet niet. Hij probeert te begrijpen waarom ze het heeft gedaan.'

'Heb je ze bekeken?'

'Geredigeerde hoogtepunten.'

'Denk je niet dat dat misschien een schending van haar privacy is?'

'Dat lijkt me inmiddels nogal academisch.'

'Dus hij was bij ons thuis?'

'Nee, we hadden afgesproken bij zijn college.'

'Alleen jullie twee?'

'Alleen wij twee, ja. Erg lollig was het trouwens niet. Ik kreeg een pistool tegen mijn hoofd.'

'Heeft hij je bedreigd?'

'Nee, niet hij. Er was iets te doen op dat college, een of andere oefening. Het wemelde er van de politie. Eentje daarvan vond dat ik er verdacht uitzag en trok zijn pistool.'

'Mijn god! Gaat het weer?' Ze legt haar hand op mijn gezicht.

'Het was knap eng.'

Ze trekt mijn hoofd naar zich toe tot onze voorhoofden elkaar raken. 'Arme lieverd. Het is niet veilig voor je op straat.'

'Gewoonlijk gaat het me aardig af.'

'Weet je zeker dat je je met die mensen moet inlaten? Ze klinken als slecht nieuws. En die auto leidt ook alleen maar tot verplichtingen.'

Ik trek mijn hoofd weg. 'Het heeft niks met de auto te maken.' Hoe kan ik dit uitleggen? 'Ik was erbij toen het gebeurde. Die jongen, die Jake is overstuur en dat kun je hem niet kwalijk nemen. Hij mailde me. Ik voel me verantwoordelijk. Hij is negentien.'

'Hij is toch geen student van je.'

'Ik voel een menselijke verantwoordelijkheid.'

'En de sloerie? Hoe oud is de sloerie?'

'Ze heet Astrid.'

'Hoe kon ik dat nou vergeten?' Ze kijkt over haar schouder naar de keuken. Ze is ineens boos maar ze is niet harder gaan praten. Ze wil niet dat we ruziemaken waar Frankie bij is.

Het begint schemerig te worden. Er ligt een rossige gloed over de lichte meubels.

Het irriteert me dat ze zich netjes zou moeten gedragen voor deze vreemden. 'Wat je zei over die auto...'

'Wat zei ik?'

'Dat de auto alleen maar zal leiden tot verplichtingen. Dat is niets voor jou. Het is iets wat je moeder zou zeggen als haar buurman zou aanbieden haar een grasmaaier te lenen of zo.'

Frankie verschijnt weer met een dienblad.

Rebecca zit me kwaad aan te kijken. 'Je had een klacht moeten indienen,' zegt ze.

'Bij wie?'

'Weet ik niet. Bij wie de leiding had.'

'Er is niets gebeurd.'

'Ja, maar toch.'

'Een klacht waarover?' Frankie zet het dienblad op de salontafel en gaat er op haar knieën naast zitten. Ondanks haar tengere bouw beweegt ze zich onhandig als een gestrande vogel.

'Een agent heeft David onder schot gehouden.'

'Jezus! Waarom?'

'Het was gewoon een misverstand. Er waren een heleboel mensen. Ik denk dat ik hem nerveus maakte.'

Frankie kijkt me een ogenblik lang aan. Dan schuift ze het schaakbord aan de kant om ruimte te maken op de tafel en begint dingen van het dienblad te halen.

'Er zou waarschijnlijk een heleboel papierwerk aan te pas komen,' zeg ik. 'Bij een klacht indienen, bedoel ik. Nutteloze ondervragingen en formulieren invullen. Waarom zou ik?'

'Nou, dat ligt nogal voor de hand,' zegt Rebecca. 'Om te voorkomen dat het iemand anders overkomt. Als het je thuis zou zijn overkomen, zou je het wel doen.'

Ik haal mijn schouders op. Misschien heeft ze gelijk.

'Hoe zag hij eruit?' Frankie heeft de wijnfles op tafel gezet en twee glazen, elk op zijn eigen onderzetter. Verder staat er een kommetje olijven, wat hummus in een pot, een bord met stukjes wortel en een stapel papieren servetten. 'Hoe zou je hem beschrijven?'

'Ik zou hem niet hoeven te beschrijven. Ik heb zijn naam gehoord. Iedereen die eromheen stond heeft hem gehoord. Achteraf gezien was het eigenlijk best amusant.'

'Maar wat gebeurde er met zijn gezicht? Hoe zou je zijn uitdrukking beschrijven?'

'Wat een rare vraag. Ik denk dat hij kwaadaardig keek.'

'Hoe, kwaadaardig? Hoe zag kwaadaardig er in dit geval uit?'

'Ik weet niet. Vijandigheid vermengd met intense concentratie, denk ik.'

'En als je nu alleen zijn gezicht had kunnen zien, als je het pistool niet had kunnen zien, zou je dan geweten hebben dat hij er een had?'

'Ik begrijp denk ik niet wat je bedoelt.'

'Had hij ook gewoon een man hebben kunnen zijn die zich bijvoorbeeld op een videospelletje concentreert? Als je zijn gezicht niet in de context had gezien.'

'Moeilijk te zeggen. Maar ik zou niet graag het videospelletje zijn geweest, dat kan ik je wel vertellen. Vooral niet als hij aan het verliezen was.'

Ze heeft mijn glas opnieuw gevuld en ook voor zichzelf en Rebecca een glas wijn ingeschonken. Ze strijkt een lucifer af uit een doos op de schoorsteenmantel en begint de kaarsen aan te steken.

'Het is niet mijn bedoeling om je hiermee lastig te vallen.'

'Dat geeft niet.'

'Als het een pijnlijk onderwerp is. Ik ben alleen nieuwsgierig naar gezichtsuitdrukkingen...'

'Daar werkt ze momenteel aan,' legt Rebecca uit.

'... wat is spontaan, wat is sociaal aangepast, en wat wordt alleen door de context bepaald, dat soort dingen. Ik ben ervan overtuigd dat de invloed van de context op hoe wij gezichtsuitdrukkingen interpreteren, aanzienlijk is. Als je nadenkt over de iconografie van portretkunst, dan heb je de klassieke aanwijzingen voor beroep en status, en nog verder terug, in de middeleeuwen, een oneindige hoeveelheid religieuze symbolen. Dus wordt de lelie van de maagd vervangen door het geweer van de jager. En bepaalde soorten portretfotografie liggen rechtstreeks in het verlengde daarvan – de eerbiedwaardige academicus die gefotografeerd wordt voor een wand vol boeken, bijvoorbeeld.' Ze verschuift de aangestoken kaarsen terwijl ze praat, verdeelt ze in ongelijke groepjes over de schoorsteenmantel. 'Bij het niet geposeerde portret wordt een nieuwe nadruk gelegd op spontaniteit. Het onderwerp wordt vastgelegd terwijl het in beweging is, zich er niet van bewust dat er een foto wordt gemaakt. Maar de iconografie is er nog steeds. De jazz-zanger in vervoering bij de microfoon, of droefgeestig op een of andere anonieme plek achter de schermen. Daarin zit het hele verhaal van de bevestiging door het publiek en de persoonlijke eenzaamheid. En als wij het gezicht van het onderwerp zien, menen we dat hele verhaal erin te kunnen lezen. Het geeft ons het idee dat we er nu, op dit moment, bij zijn. Alsof de foto ons op een of andere manier spontaan in contact brengt met de vreugde of de pijn van het onderwerp.'

Ze drukt op een knopje en er springen vlammen op in de open haard. De warmte is uit de lucht verdwenen. De beelden van kaarsvlammetjes en gasvlammen flakkeren over de tuin en binnen in de struiken, verplaatst en vermenigvuldigd door de dubbele beglazing. Rond de salontafel worden de schaduwen dieper en rustelozer. Frankie heeft het over de decontextualisering van beelden en de mutabiliteit van betekenis. Rebecca heeft haar voeten onder zich op de bank getrokken en zit een stuk wortel te eten en, zo te zien heel tevreden, te luisteren naar wat haar baas te zeggen heeft over wat voor haar een bekend thema moet zijn. Ik voel me ook tevreden, op een soort minimale manier, omdat ik geen ruzie heb met Rebecca en omdat ik haar nog niet heb verteld dat ik Astrid vandaag heb gezien, omdat ik haar niet heb verteld dat ik haar niet heb gezien, niet in zoveel woorden.

'Richt een camera op een paar meiden op een feestje,' zegt Frankie. 'Ze lachen en leunen naar elkaar toe om een mooi plaatje te vormen – hun gesocialiseerde opvatting van hoe een foto er zou moeten uitzien. Wij, hier, nu, hechten meer waarde aan spontaniteit dan enige andere periode of plaats die je maar bedenken kunt. Alles moet spontaan gaan. Dus wordt spontaniteit zelf een ingewikkelde constructie met zijn eigen iconografie.'

Het schaakspel, dat opzij is geschoven om plaats te maken voor de wijn en de olijven, is tot leven gekomen in het kaarslicht. De schaduwen bewegen tussen de stukken. Een partij is tijdelijk onderbroken. In deze elegante kamer is de onafgemaakte partij het levendigste teken van eerdere bewoning. En je zou je heel goed kunnen voorstellen dat de schaakstukken over het bord zijn verspreid voor het visuele effect, om de illusie te creëren dat er geschaakt wordt – deel van de iconografie van het reflectieve leven, zoals Frankie het zou beschrijven. Het doet me denken aan Natalies schaakstuk, dat zo vreemd afstak bij de rest van haar spullen op het strand, en aan mijn gevoel dat ook dat geen speeltje was, maar een gewijd voorwerp. Dan valt me ineens de uiterlijke gelijkenis op – Natalies stuk moet deel hebben uitgemaakt van net zo'n spel als dit.

Rebecca heeft het over een tentoonstelling in het museum voor moderne kunst, maar ik zit de zwarte pionnen te tellen. Ergens tussen de vijf en de zes raak ik de tel kwijt. Ik moet het systematisch doen. Ik begin opnieuw, tel de ene rij na de ander, van links naar rechts. Ik kom tot zes. Met de twee die naast het bord staan, die al geslagen zijn, kom ik op acht. Het is een compleet spel. De gelijkenis is toevallig. Misschien zijn er wel tientallen identieke schaakspellen in deze stad, nu ik erover nadenk. Misschien wel honderden. Waarschijnlijk is er een winkel in Beverley Hills die een monopolie heeft op extra grote schaakspellen voor de chique huizen.

'Hé, Becks.' Het is Max die op blote voeten komt aanlopen over de houten vloer. 'Laura zegt dat je haar hebt beloofd een verhaaltje voor te lezen voor het slapengaan.' Hij legt zijn hand lichtjes op haar schouder.

'Ja, dat klopt,' zegt Rebecca en ze staat op van de bank.

'Ik bedenk wel een smoes als je het te druk hebt met andere dingen.'

'Nee hoor, ik vind het leuk.'

'Dan heb ik tijd om me met Noah bezig te houden.'

En Rebecca volgt Max naar dat deel van het huis waar de kinderen in bad en in bed worden gestopt. De stemmen sterven weg. Deuren piepen in hun scharnieren. Er klinkt gegil en gemompel en het fluistergeluid van vlammen die zich rond kunstmatige houtblokken krullen.

'Waarmee we zijn aangekomen bij de kwestie van het orgasme,' zegt Frankie.

'Het orgasme?'

'Nee, misschien heb je gelijk – seksueel genot in het algemeen. Laten we zeggen, de diverse stadia van opwinding, en al de gezichtsuitdrukkingen die we daarmee associëren.'

'Sorry. Ik was niet echt aan het luisteren.'

'Maar het orgasme in het bijzonder, toch wel, want dat is wanneer we op ons spontaanst zijn, op ons persoonlijkst, het dichtst bij onze dierlijke natuur. Wat onzin is, natuurlijk, want een meer gecodificeerde activiteit is nauwelijks te bedenken. Heb je enig idee hoeveel gesimuleerde orgasmen de gemiddelde Amerikaanse in haar leven bekijkt?'

'Jij óók?'

'Ik zou het kunnen opzoeken. Maar ik blijf liever hier bij jou, als je het niet erg vindt.' Ze tilt haar glas op.

Ik denk aan Astrid die de rokken van haar boerka optilt – de gebruinde, gespierde benen en de glimp ondergoed – en ik vraag me af welk stadium van opwinding op mijn gezicht te zien zou zijn geweest als mijn gezicht te zien zou zijn geweest.

'Sorry,' zegt Frankie. 'Ik praat te veel. Je snapt wel dat ik die ideeën opwindend vind.'

'Ja, en ik snap wel waarom.'

Het glas houdt stil, net onder haar mond. 'David, zit je met me te flirten?'

'Ik geloof van niet.'

Ze kijkt me onverstoorbaar aan over de rand van haar glas, alsof ze meer kan zien dan ik zou willen blootgeven. 'Van mij mag je, hoor. Ik hoop dat dat duidelijk is. Flirten is min of meer wat er verwacht wordt in deze omstandigheden.'

'Deze omstandigheden?'

'Een man, een vrouw, kaarslicht, een fles wijn. Het is een erg oud gebruik.'

'Het was niet mijn bedoeling om met je te flirten.'

Ze neemt een slokje wijn en zet het glas zorgvuldig terug op zijn onderzetter. 'Mag ik je iets vragen, David?'

'Ik zou niet weten waarom niet.' Om iets te doen te hebben, til ik een pion van het schaakbord, houd hem even in mijn hand en zet hem terug op zijn veld.

'Is jouw huwelijk monogaam?'

'Ja, natuurlijk.' Ik pak een tweede pion op. 'Daar ben ik wel altijd van uitgegaan.'

'En je wilt niet eerst weten hoe ik monogaam definieer?'

'Hoe definieer je het?'

'De vraag is hoe jij het definieert.'

Ik pak een derde pion op. Ik zit te tellen, maar wil ze ook voelen. Ik herinner me hoe Natalies schaakstuk in mijn hand lag – een herinnering van hoe de bolle vormen op mijn hand aanvoelden. 'Trouw zijn, denk ik. Niet met iemand anders slapen.'

'Je hebt slapen en slapen.'

'Nou, het lijkt me duidelijk dat ik het niet heb over slapen.'

'Nee, dat lijkt me duidelijk. Maar kussen dan. Hoe zit het met kussen?'

'Niet raadzaam, zou ik zeggen.'

'Ik vraag niet om raad. Ik vraag om definities. Is kussen overspel?'

'Nee, geen overspel, natuurlijk niet. Ik neem aan dat sommige christenen het een gelegenheid tot zonde zouden noemen. Maar ik ben niet echt een deskundige.'

'Op het gebied van kussen?'

'Op het gebied van de moraalfilosofie.'

'En non-penetratieve seks?'

'Je bedoelt... zoiets als...'

'Met de handen, met de mond...'

'Op dat gebied zou ik me ook niet echt een deskundige willen noemen.' Ik lach om mijn gêne te verbergen. 'Een enthousiaste liefhebber, misschien.'

'Maar zou je het overspel noemen?'

'Absoluut.' Ik heb pion nummer vier in mijn hand. 'Al meen ik me te herinneren dat een paar prominente Amerikaanse baptisten best bereid waren het met Clinton eens te zijn dat hij niet echt seks had gehad met die vrouw.'

'En wat als je nu op dit moment obscene dingen tegen me ging zeggen?'

'Ik weet niet of ik daar wel erg goed in zou zijn.'

'Maar stel dat je dat wel was en stel dat je het deed en stel dat ik klaarkwam zonder aanraken.'

'Zonder dat ik je zou aanraken?'

'Of ikzelf. Stel dat ik zomaar, spontaan klaarkwam.'

'Bestaat dat wel echt, spontaniteit?'

'Zou dat overspel zijn?'

'Nou nee, duidelijk niet.'

'Duidelijk?'

'Het zou niet echt mijn schuld zijn. De jouwe trouwens ook niet.'

'Dus het is alleen seks als je er iemand de schuld van kunt geven.'

'Volgens mij heb ik dat niet gezegd.'

'Volgens mij wel.'

'Dan neem ik het terug.'

'Dan neem je dus je geïmpliceerde definitie terug.'

'Klopt, ik neem hem terug.'

'Dus kussen is oké, maar niet raadzaam, maar orale seks, bijvoorbeeld, is taboe, terwijl klaarkomen zonder aanraken... hoe zou je dat noemen?'

'Mijn zaak die verder niemand iets aangaat.'

'Precies, maar stel dat ik op je schoot ging zitten en jij kwam klaar, of stel dat ik met mijn hand tussen je benen wreef terwijl jij volledig gekleed was en je kwam niet klaar, of stel dat ik alleen maar tegen je zou praten zoals ik nu tegen je praat en je raakte alleen maar opgewonden. Is een van deze voorbeelden overspel, en zo ja welk, en welk voorbeeld is alleen flirten en welk zit daar ergens tussenin?'

'Ik zou het eigenlijk niet weten.' Mijn ademhaling gaat ineens een stuk moeizamer. 'Ik heb er nooit echt over nagedacht.'

'Dan heb je wel een erg beperkte fantasie.'

'In termen van definitie, bedoel ik.'

'En in andere termen...?'

'In andere termen?'

'Heb je er wél over nagedacht?'

'Van nu af aan misschien.'

'Weet je David, in mijn woordenboek is flirten niet noodzakelijkerwijs een inleiding tot meer. Flirten, op zijn best, maakt meer overbodig.'

'Ja, dat kan ik me voorstellen.'

'Dat lijkt mij ook, ja.'

Zonder erbij na te denken, pak ik de vijfde pion op en zet hem weer terug op zijn kwetsbare positie aan de witte kant van het bord, omgeven door vijanden, rijp voor de opoffering. Ik ben me ervan bewust dat Frankie naar me kijkt, terwijl ze een grote slok wijn neemt. Mijn hand trilt licht als ik de pion weer optil. Ik heb het me niet verbeeld – deze pion is zwaarder dan de andere, en heeft ruwere randjes. Ik laat hem overhellen naar het kaarslicht. Hij is niet van ebbenhout, maar van klei. En hij is niet symmetrisch – dat zie ik nu. Bij daglicht zou ik het onmiddellijk hebben opgemerkt.

'Je hebt mijn geheim ontdekt.' De stem van Max doet me opschrikken. Zijn hand landt stevig op mijn schouder. 'Het is een vervangstuk. Ik vond het knap onplezierig toen ik de echte kwijt was geraakt.'

'Iedereen onder de wol?' vraagt Frankie hem.

'Tijd om een feestje te bouwen. Hoe botert het tussen jullie twee? Dave, je hebt niets meer te drinken.'

'Ik heb David zitten vertellen over mijn research.'

'Stel je voor, Dave – foto's in stukjes snijden om aan de kost te komen.' Hij schenkt de fles leeg in mijn glas.

'David begrijpt het wel, toch, David?' Ze kijkt me aan terwijl ze dit zegt en mijn interpretatie van haar uitdrukking is behoorlijk ingekleurd door de context.

Max lijkt niks te merken. 'Wie kookt er?' Hij steekt een stuk wortel in de hummus en schept er een wankele klodder mee op, die hij halverwege tegemoet komt door zijn kin te laten zakken.

'Ik. David heeft me aangeboden om te helpen in de keuken.'

Max kijkt me aan alsof hij even wil checken of ik dat wel aankan.

'Ik ben eigenlijk wel benieuwd,' zeg ik, terwijl ik de pion in mijn hand weeg, 'waarom je hem van klei hebt laten maken?'

'Wat bedoel je?'

'Waarom niet van hout zoals de rest van het spel?'

'Dat was allemaal iets van Evie,' zegt Frankie.

'Evie was een kunststudente die Laura een tijdje heeft gecoacht. Laura is trouwens echt kunstzinnig begaafd.'

'Max liep iedereen te vragen of ze de pion hadden gezien, doorzocht de stofzuigerzak, beschuldigde Noah ervan dat hij hem had opgegeten.'

'Kom nou, zo erg was het nu ook weer niet.'

'Je hád het niet meer.'

'Nou ja, het is een mooi spel.'

'Dus op een avond laat Evie de kinderen wat met klei knoeien en maakt zelf dit even tussendoor. Bakt hem op de opleiding. Komt de volgende dag om hem persoonlijk af te leveren.'

'Niet te geloven toch? Komt ook nog aardig overeen met de kleur van het hout. Wat een schat.'

'Ja, dat heeft Evie goed gedaan.' De woorden klinken hol in mijn mond. Mijn hersens gaan hun eigen gang.

'Wie is Evie?' Het is Rebecca, terug van haar oppascorvee, die zich naast me op de bank laat zakken.

'Ken je haar niet?' vraagt Max. 'Ze is een leerling van Frankie.'

'Kan best dat je haar niet kent,' zegt Frankie. 'Ze is dit jaar voornamelijk bezig met keramiek.'

'Maar wat een schat.'

En opeens kan ik hem niet meer aankijken. Ik begrijp zijn vreemde gedrag bij de brievenbus toen ik de oprit inreed, zijn reactie op de auto. Hij dacht dat ik Natalie was die uit de dood was opgestaan. Misschien weet hij niet eens dat ze dood is. Waarom zou hij? Hij ziet haar auto en hij ziet Natalie die komt opdagen om hem, vijf minuten voordat zijn vrouw zal thuiskomen, voor schut te zetten, om een scène te maken in bijzijn van zijn gasten.

Rebecca zegt aardige dingen over de kinderen, hoe lief Laura is, hoe ze met grote ogen had zitten luisteren naar een of ander verhaal over heksen. Ze pakt mijn arm vast en legt haar hoofd ertegenaan. Ze is zo goed in mensen gelukkig maken, mijn vrouw. En haar genegenheid maakt dat ik me kleingeestig voel omdat ik me stoor aan de moeite die ze doet – ze lijkt zo naïef in dit gezelschap. Ik denk aan de manier waarop Max haar ontbood en Frankie achterliet om mij een preek te geven over seksuele ethiek, en ik krijg het er helemaal warm van als het ineens bij me opkomt dat ze misschien wel partnerruil in de zin hebben. Mocht dat zo zijn, dan verspillen ze hun tijd. Ik kan me niet voorstellen dat een van ons beiden daarvoor in zou zijn.

Max heeft het over zijn bloedonderzoek, dat kennelijk perfecte resultaten heeft opgeleverd, afgezien van zijn cholesterol, dat hardnekkig hoog blijft, ondanks zijn vetarme dieet en zijn bikkelharde trainingsschema. Hij wil weten hoe het met mijn cholesterol zit.

'Ik heb geen idee,' zeg ik. 'Ik heb er nog nooit naar gevraagd.'

'Jezus, Dave, een man van jouw leeftijd.'

'Max maakt zich druk om zijn gezondheid,' zegt Frankie, 'maar hij is zo sterk als een paard. Toch, lieverd? Jouw problemen zitten allemaal tussen je oren.'

'Dat klopt inderdaad, maar niet noodzakelijkerwijs op de manier die jij bedoelt.'

'Nu ga je weer muggen ziften. Max is een muggenzifter.' Ze zegt dit met een spottend lachje, maar ook met een soort trots, alsof muggenziften een goocheltrucje is dat het leuk doet op feesten en partijen.

'Er is namelijk inderdaad iets aan de hand met mijn corpus callosum.'

'Mijn god, Max, waar heb je dat nu opeens weer vandaan?'

'Echt waar. Mijn corpus callosum is nogal dun.'

'Corpus...?' vraagt Rebecca.

'Callosum. De verbinding van zenuwvezels, weet je wel, tussen de linker- en rechterkant van je hersens. Het mijne is nogal dun.'

'Hoe weet je dat?' Frankie daagt hem uit, de ogen wijd opengesperd in komische verontwaardiging. 'Hij zegt het alsof hij het weet. Heb je het laten meten of zo?'

'Het is gewoon zo. Ik heb een dun corpus...'

'Callosum,' zegt ze. 'Ja, dat heb je nu al drie keer gezegd. En wat zou dat als het nogal dun is?'

'Het is een absoluut nadeel, als je het weten wilt, in bepaalde contexten.'

'En nu moet je voedselbonnen gaan aanvragen, of zo?'

Max lacht. 'Oké, in materieel opzicht is het geen nadeel. Misschien is het in de zakenwereld wel nuttig, om eerlijk te zijn.'

'Eerlijk zijn is niet vaak nuttig in de zakenwereld.'

'Tenzij je iemand moet ontslaan.' Max lacht bij voorbaat om zijn eigen optreden. 'Om eerlijk te zijn ben je volslagen waardeloos, dus sodemieter maar op...'

'Nee, maar wacht nou eens even, wat is het dan precies?' Rebecca voelt zich genegeerd. Ik zie dat ze wil deelnemen aan dit gedol. 'Wat is dat corpus...?'

'Callosum,' zegt Max. 'Het is de structuur die de twee kanten van de hersens in staat stelt om te communiceren.'

'Typisch.' Frankie wijst naar hem alsof hij tentoongesteld wordt. 'Hij doet zijn kunstje en wij mogen ernaar gaan zitten luisteren.'

'Ze hebben experimenten uitgevoerd op ernstige gevallen, weet je.'

'Hij vindt ergens een flard informatie en, hopsakee, hij is een deskundige.'

'Zo heb ik bijvoorbeeld ergens gelezen over een psychoot – tijden geleden, toen ze dat soort dingen nog deden, een gek, die zijn corpus callosum heeft laten doorsnijden.'

'Nu is de neurochirurgie aan de beurt.'

'Hij kon bijvoorbeeld nog wel een kleur herkennen, en hij kon de kleur benoemen, maar opeens niet meer allebei tegelijk. Hij kon geen verbinding meer maken tussen de ene kant en de andere. Het is blauw, zei hij dan, terwijl hij naar roze keek. Nee, rood. Want pas als hij zijn eigen antwoord had gehoord, wist hij of hij het goed had gezegd of niet.'

'Dus wat je zegt is dat jouw corpus callosum is doorgesneden?' Rebecca klinkt verbijsterd, alsof er een echt gesprek plaatsvindt.

'Nee, nee, nee, niet doorgesneden.'

'Geplet,' zeg ik.

'Dun,' zegt Frankie.

'Daarom maak ik films.'

'Daarom maak je films? We zijn vijftien jaar getrouwd en eindelijk gaat hij me vertellen waarom hij films maakt. Nou Max, laat maar eens horen dan.'

'Dat heb ik net gedaan. Zodat de linkerhelft van mijn hersens de rechterhelft kan zien denken en ik greep krijg op waar ik naar kijk.'

'In de trant van: hoe kan ik weten wat ik denk als ik niet zie wat ik zeg,' probeert Rebecca.

'Nee, niet wat ik denk, Becks. Ik weet altijd wat ik denk.' Hij legt zijn hand ongedwongen op haar arm. 'Daar gaat het net om. Je kunt me vragen wat je maar wilt – de buitenlandse politiek van Amerika, homohuwelijk, Derrida's invloed op de manier waarop we films bekijken. Ik kan je zo vertellen wat ik denk.'

'Ik hou van je, schat, dat weet je,' zegt Frankie, 'maar jouw inzicht in Derrida is uitermate beperkt.'

'Wat ik weet doet niet ter zake. Ik heb het over wat ik denk. In tegenstelling tot wat ik non-verbaal waarneem.'

'Wat eveneens – daar heb je gelijk in – uitermate beperkt is.'

'Nee, niet beperkt, helemaal niet beperkt. Dat zeg ik helemaal niet. En als je nou eens echt zou luisteren, zou je dat weten. Zie je wat ze doet? Ze monteert me. Negentig procent van wat ik probeer te communiceren, landt op de vloer van de montagekamer.'

'Arme ziel.' Frankie streelt zijn schouder. 'Hij heeft zo'n vreselijke castratieangst.'

'Niet noodzakelijkerwijs beperkt. Gigantisch, misschien wel – de waarnemingen waartoe ik in staat ben. Potentieel overweldigend. Maar niet toegankelijk als data, niet beschikbaar in hun volledige... je weet wel...'

'Directheid?' stel ik voor.

'Zie je?' Hij wendt zich tot Frankie, alsof er een bewijs is geleverd. 'Dave begrijpt het.'

'Neem me niet kwalijk,' zeg ik. 'Ik moet even iets uit de auto halen.' En ik sta van de bank op zonder enig doel, behalve ergens te zijn waar ik kan nadenken.

'Tuurlijk Dave, ga je gang.'

'Ik ben in de keuken,' zegt Frankie, 'als je zover bent.'

Rebecca kijkt me bevreemd aan. 'Wat is er? Wat moet je halen dan?'

'Niks. Gewoon iets wat ik nog wilde doen.'

Als ik de voordeur opendoe, prikt de koele lucht in mijn gezicht. Ik moet het snikheet hebben. Ik heb er niet op gelet hoeveel ik heb gedronken of hoe warm het vuur was. Ik trek de deur achter me dicht en loop naar de auto. Ik heb hem niet afgesloten. Wie zou die roestbak stelen in zo'n buurt? Ik laat me op de bestuurdersstoel zakken, doe het handschoenenvak open en haal de sleutels eruit, die misschien de sleutels zijn waar Natalie over schreef in haar dagboek, die de sleutels zouden kunnen zijn van het kantoor van Max. Natalie had net zo'n pion als de pion die Max is kwijtgeraakt, maar daaruit volgt nog niet dat Max Natalies Rochester was. En als hij het wel is, wat kan mij dat schelen? Natalie was oud genoeg om haar eigen beslissingen te nemen en Frankie heeft al helemaal geen oppas nodig. Ik denk aan Jake, die alle Rochesters in de stad gegoogeld heeft in de hoop op een authentieke confrontatie. Als ik niks zeg en niks doe, bescherm ik Max dan voor de gevolgen van zijn daden? De sleutels liggen in mijn hand en tarten me ze te gebruiken. Maar ik ben geen inbreker. Ik gooi ze terug in het handschoenenvakje. Frankie is het eten aan het maken en Rebecca zal zich afvragen waar ik uithang.

9

Ik heb Jake dit zien doen – hoe moeilijk kan het zijn? Het is het gevoel alsof de tijd stilstaat waardoor je je hart in je keel voelt kloppen. Ik ben op de linkerrijbaan stil gaan staan met mijn richtingaanwijzer aan en zoek het tegemoetkomende verkeer af naar een gaatje. Daar, naast de weg, ligt een parkeerplaatsje op me te wachten, verleidelijk dichtbij. Ik zou willen gaan rijden, liefst nog voor er iemand van achteren tegen me aan botst. Maar als ik de U-bocht verkeerd inschat, zal ik zijwaarts afgevoerd worden naar de meest geavanceerde medische zorg ter wereld, gevolgd door een verlammende ziekenhuisrekening en, op enig moment, de onvermijdelijke ondervraging, waarschijnlijk als ik bijkom op de intensieve care – waar ik in godsnaam mee bezig was? De beslissende stoot op het lichaam. Het is Rebecca die ik de vraag hoor stellen en hij heeft niks te maken met mijn rijvaardigheid – hij gaat over Astrid en Malibu en dat ik om onduidelijke redenen kilometers van huis was op de Pacific Coast Highway. Mo bezoeken? Omdat ze depressief was? Het is een van de zeven geestelijke werken van barmhartigheid, de bedroefden troosten – maar bedroefden heb je overal. Ik zou maar in mijn eigen straat hoeven rond te kijken om bedroefden te vinden die troost konden gebruiken. Mo en ik, we kennen elkaar nauwelijks en het lijkt nogal onwaarschijnlijk dat een praatje met mij haar zal opvrolijken. Ik heb tenslotte de aardappelhongersnood op mijn geweten. Het zou niet lang duren voor Rebecca erachter was waarom ik hier ben.

Ik zie wellicht een gaatje, ver voor me uit, waar de weg zichtbaar wordt in de bocht – beide rijbanen vrij.

Niet dat we ruzie hebben gemaakt over Astrid. Dat niet. Max lijkt ook van de agenda geschrapt. We hebben veiligere dingen gevonden om ruzie over te maken – symbolen en surrogaten.

Hier komt het gaatje en daarna, met angstwekkende snelheid, het dichtgaan ervan, en ik schiet plankgas mijn U-bocht in. Binnen een paar seconden sta ik weer op de rem en trekken mijn banden diepe groeven in de strook aarde tussen de weg en de huizen.

Eergisteravond, bijvoorbeeld, toen we terug waren van ons normaliserende etentje bij Max en Frankie, leken we allebei toe aan wat eigen normalisatie. En volgens mij hadden we allebei door dat dat met de nodige omzichtigheid moest. Dus namen we een douche, Rebecca stak een paar geurkaarsen aan, ik zette langzame muziek op, zij deed haar pessarium in, ik deed het licht uit en we kropen in bed. En we waren weer terug bij waar we gebleven waren – seks – zo plezierig, zo onlogisch opwindend. Hoe konden we zijn vergeten om hier ruimte voor te maken? Na een poosje was de grootste gedachte in mijn hoofd hoe heerlijk het voelt om hier te liggen met mijn gezicht tussen Rebecca's benen en haar handen in mijn haar en haar smaak in mijn mond. Ik was er helemaal klaar voor dat Rebecca's heupen omhoog zouden gaan en op hun eigen ritme zouden gaan bewegen en dat ze die kleine bekende keelgeluidjes zou gaan maken, maar voelde alleen dat ze ongedurig van positie veranderde. Er waren ook geluidjes, maar het waren meer het soort geluidjes dat ze maakt als ze een artikel zit te schrijven en niet op een woord kan komen.

'Het ligt aan mij,' zei ze, 'ik kan me maar niet ontspannen.' En misschien lag het inderdaad aan haar, ik wist het niet. 'Ga jij maar gewoon door,' zei ze, 'maak je maar geen zorgen, het komt wel goed.' Wat een rare formulering, dacht ik, terwijl ik langs haar omhoogkroop, alsof ze me aanspoorde om haar op een berghelling achter te laten omwille van de expeditie.

Het bleek ook aan mij te liggen. Rebecca was gespannen – dat voelde ik aan de onhandige manier waarop ze onder me bewoog. Maar mijn gedachten gingen ineens ook alle kanten op. Naar Astrid, voornamelijk – haar blauwe jurk die opbolde en aan haar vastplakte in het zwembad van de Kleinmannen, dat rare voorval met die boerka en hoe ze die uittrok in Malibu – en ze waren vatbaar voor andere, meer verontrustende beelden. Toen mijn hoofd krampachtig naar achteren ging, kwam dat niet door de opwinding, maar door de gedachte aan Natalies slappe lichaam dat op de rotsen werd gesmeten. En Rebecca vroeg: 'Waar was jij ineens naartoe?'

We hadden het opgegeven of we namen even een pauze, ik wist het niet zo goed – we lagen allebei naar het plafond te staren – en zij zei: 'Er zijn dingen waar we over moeten praten.' Ze wilde weten hoe ik me de rest van mijn leven voorstelde, en ik zei iets over teruggaan naar Londen, terug naar onze reguliere banen, en haar promotie, en weer contact opnemen met oude vrienden. 'En meer niet?' zei zij. Het leek een belangrijke vraag waarop ik waarschijnlijk een antwoord zou moeten bedenken. Maar toen de telefoon ging en Rebecca zei dat ik hem moest negeren, nam ik hem toch op. 'Misschien is het iemand uit Londen. Misschien is er iets gebeurd. Het is ochtend in Londen.'

Natuurlijk was het niet Londen, het was een student die om dr. Parker vroeg – een of ander joch, nam ik aan, dat nog geen duidelijke conceptie had van het begrip bedtijd. Rebecca zat midden in een antwoord op een vraag over Nederlandse schilders, wat een van haar specialismen is, toen ze begon te giechelen. 'Amir,' zei ze, 'je bent echt onmogelijk!' En ik realiseerde me dat het die verrekte Amir Kadivar was, die student van Frankie in zijn Armani-pak, die wél in staat leek om haar spanning weg te nemen, terwijl ik dat niet kon.

'Ik dacht dat hij iets deed met Perzische miniaturen?' vroeg ik toen ze had opgehangen.

'Hij onderzoekt alleen een paar verbanden. Frankie had hem verteld dat ik de aangewezen persoon was om dingen aan te vragen.' Ze leek blij te zijn dat Frankie eraan had gedacht om dit karwei naar haar te delegeren.

'Zelfs huisbedienden hebben vrije tijd,' zei ik. Ik wist dat het niet Amir was die me dwarszat, en zij wist het ook. De reden deed er niet toe. Als er al een kans was geweest om de avond te redden, dan had ik hem nu verpest. Ze deed haar oordopjes in, doofde de kaarsen en rolde zich op om te gaan slapen.

Astrid houdt een vinger voor haar mond als ze naar de deur komt. Ze glimlacht en nodigt me met een kleine hoofdbeweging uit binnen te komen. Ik stap over de drempel en mime verwarring. Kennelijk doen we vandaag aan gebarentaal. Ze doet de deur achter me dicht, waardoor ze het verkeer het zwijgen oplegt, en we staan in het halfduister. Ik volg haar onder de boog door van de hal naar de zitkamer. De glazen deuren aan de andere kant van de kamer zijn afgedekt met een gordijn dat de blauwe middaglucht terugdringt. Langs de rand valt een lichtstraal de zijkant van de kamer binnen. Hij beschijnt het hoofd van een boeddha en de groeven van een kandelaar en wordt oogverblindend teruggekaatst door de spiegel achter de bank. De televisie staat aan en straalt zijn eigen blauwe aura uit over de meubels.

'Gaat het een beetje, Mo?' zegt Astrid.

Vanaf de bank gaat een hand de lucht in die lusteloos zwaait. Drie van de mollige vingers zijn versierd met ringen – een turkoois, een amethist en een paar gladde zilveren ringen. Het is de hand van Mo. Als mijn ogen aan de schemer zijn gewend, zie ik de rest van haar – vormeloos in grijze stof. Haar gezicht is onzichtbaar. Ze heeft Astrids boerka aan.

'We hebben bezoek, lieverd. David is er.'

De stof beweegt en ik zie het gaasachtige inzetstuk waar de ogen moeten zitten. Ze draait haar handpalm in onze richting.

'We zouden kunnen praten. Je hebt David al niet meer gezien sinds... nou, al niet meer sinds we Natalie op weg hebben gestuurd.'

Bij het noemen van Natalies naam wordt de hand een vuist en zakt omlaag.

'Dat was niet niks, hè Mo? Hoe we Natalie naar het geestenrijk hebben geleid? Dat hebben we goed gedaan, toch? Beter had niemand het kunnen doen.'

De gedaante beweegt onder de stof, krimpt weg in de bank. Ik weet niet zeker of ik een zucht hoor of alleen het geluid van het water dat tussen de rotsen beweegt.

'Verdorie, Mo, we moeten toch ooit over haar praten.'

Ik doe een stap verder de kamer in. 'Hoe gaat het met je, Mo?' Er komt geen antwoord. In de spiegel zie ik, nu ik vanuit een andere invalshoek kijk, in plaats van de lichtzuil het televisiescherm. Natalie danst over het strand en laat de rok van haar operettejurk door de golven wervelen. Ze steekt een arm uit die boven de lijn van de horizon zweeft. De hand lijkt te groot voor de uitgeteerde pols.

Astrid wacht op een antwoord en zegt dan: 'Wil je iets eten, lieverd? Ik heb Thais eten in huis. De tom kha gai is lekker. Of misschien alleen wat sla?'

Mo's beringde vingers komen omhoog en wuiven ons weg.

Ik voel hoe Astrid achter me mijn elleboog vastpakt. Ze loodst me terug door de hal, langs de trap naar een deur. Ze duwt hem open en ik loop het licht in van een andere kamer. Ze komt achter me aan, doet de deur dicht en leunt er met gesloten ogen tegenaan.

'Wat is er?' vraag ik.

'Mo is er.'

Dit deel van het huis heb ik nog niet eerder gezien. Het is net zo groot als de zitkamer en heeft een eigen zonneterras.

'En is er en is er en is er, en om eerlijk te zijn word ik langzaam gek van het geluid van haar zwijgen.'

Ik loop naar het uitzicht toe en draai me om, om de kamer op te nemen. In een hoek staat een bureau naast een stel leunstoelen en een volgeladen kapstok. Het hoofd- en voeteneind van het bed is gemaakt van zilverachtig ijzerwerk en ligt bezaaid met kussens. Er staat een fleurig geverfde antieke klerenkast. De vloerplanken hebben de bleke kleur van oud loodwit tot diep in de nerven. Het is een complete leefruimte, luchtig en door de zon gebleekt, met levendige kleuruitspattingen. Astrid in haar kanariegele jurk is zelf een van die uitspattingen.

Ze heeft grommend haar bovenlichaam naar voren laten vallen, zodat haar haar bijna over de grond zwiept. Nu komt ze weer overeind en staart naar het plafond. 'God, ik heb een borrel nodig.' Ze kijkt me aan. 'Het spijt me vreselijk,' zegt ze, 'dat ik je bij al die gekte betrek.'

'Dat geeft niet,' zeg ik, 'ik vind het leuk om hier te zijn,' al weet ik niet echt zeker of ze het heeft over de specifieke gekte van Mo's zwijgen, of over het hele Malibu-drama dat nu al vanaf de eerste dag dat ik de Moonglow binnenging mijn leven op zijn kop zet.

'Je bent echt een maatje,' zegt Astrid en ze komt naar me toe en geeft me een knuffel. Van zo dichtbij blijft er niet veel van haar over. Als ze praat maakt ze zoveel indruk, dat het me steeds weer verbaast hoe broos ze aanvoelt. Ik ben zo gewend aan Rebecca's lichaam – aan het subtiele meegeven van substantie onder druk.

Astrid kust me op de wang en loopt dan snel weg. 'Ik heb een lunch klaargezet op het terras.'

Er is voor twee mensen gedekt op een lage tafel, met bestek en glazen en papieren servetten. In het midden van de tafel staan een stuk of zes bakjes van een afhaalrestaurant en een zilveren ijsemmer met een fles champagne erin. Terwijl ik de fles openmaak en twee glazen vul, haalt zij de deksels van de bakjes. Dan laten we ons wegzakken in de kussens die al verwarmd zijn door de zon. We voeren een onsamenhangend gesprek, peuzelen wat uit de bakjes en kalmeren onszelf met alcohol. En onder ons doet de oceaan waar hij goed in is, gooit zich, in de ene golf na de andere, op de rotsen en het zand en zuigt zich weer terug tot één geheel, het wereldomvattende sleuren en schommelen van water, geregeerd door een duizelingwekkend verre maan. Ik verbaas me voor de zoveelste keer over het feit dat het zo werkt.

'Wat is dat voor blik?' vraagt Astrid.

'Ik zit alleen te denken over de getijden. Het feit dat de maan dat kan bewerkstelligen.'

'En de zon. De zon is er ook voor een deel verantwoordelijk voor.'

'Dat wist ik niet. Lijkt logisch. Als de maan het kan, waarom dan niet de zon? Maar het blijft verbijsterend.'

'En verbijsterend hoe lang mensen dat al weten – althans over de maan. De oude Egyptenaren, bijvoorbeeld, duizenden jaren voordat we iets begrepen van zwaartekracht. Wat een ongelofelijke verbeeldingskracht.'

'Misschien ongelofelijker voor ons dan voor hen. Wij zien het mechanisme niet, dus vinden we het mysterieus. Voor hen was het net zoiets als astrologie. De mechanismen konden hun niet zoveel schelen – daar hadden ze goden voor.'

'Heb je het daar in je boek ook over?'

Ik lach. Het is een afwerend lachje – een manier om niet te

antwoorden. De kloof tussen Astrids idee van mijn boek en de platvloerse realiteit lijkt steeds moeilijker te overbruggen. En wat het nog erger maakt is dat ik momenteel niet eens aan het boek aan het werken ben.

'Is dat een pijnlijk onderwerp?'

'Ik doe mijn laptop open,' zeg ik, 'maar het eindigt er altijd mee dat we elkaar over de tafel heen zitten aan te staren. Dan zet hij zijn screensaver aan en voel ik me volslagen buitengesloten.' We hebben allebei genoeg gedronken om dit grappig te vinden.

Als ze uitgelachen is zegt ze: 'Het klinkt als een huwelijk,' wat op dit moment nog zoiets is waar ik liever niet aan denk. Dus vraag ik haar hoe het met Jake gaat.

'Hij heeft me dat hele Rochesterverhaal verteld,' zegt Astrid. 'En me die passages in Natalies dagboek laten zien. Hij zegt dat jij een of ander theorie hebt dat Rochester een schuilnaam is.'

'Hij is een personage in *Jane Eyre.*'

'Hé, dat klopt inderdaad.' Ze glimlacht als ze het verband ziet. 'In de film werd hij gespeeld door William Hurt. En *Jane Eyre* was een van de boeken die Natalie had. Hoe wist je dat trouwens, dat ze dol was op dat boek?'

'Het lag tussen al haar speciale spulletjes op het strand.'

'Wauw, en dat heb jij opgemerkt. Als je maar weet dat Jake denkt dat je een genie bent.'

'Klinkt nogal onwaarschijnlijk. De laatste keer dat ik hem heb gezien, dacht ik dat hij me ging vermoorden.' Ik lach het compliment weg, maar de waarheid is dat ik opgelucht ben te horen dat ik hem niet van me heb vervreemd. 'Astrid, hoe goed ken jij Max eigenlijk?'

'Max wie?'

'Niet zo goed, dus.' Hierom moeten we weer vreselijk lachen.

'Moet ik hem kennen dan?'

'Max Kleinman. We hebben elkaar bij hem thuis leren kennen.'

'Oké, dié Max. Ik heb zijn vrouw weleens gesproken, geloof ik. Het was toch ook bij haar thuis?'

'Astrid, mij mag je het wel vertellen. Ben je onuitgenodigd komen binnenvallen op dat feestje?'

Ze maakt een kirrend geluidje in haar wijnglas. 'Christus, nee, ik was met iemand. Wat kan jou dat trouwens schelen?'

'Ik heb het gevoel dat Max misschien wel Rochester is.'

'Sorry, maar ik begrijp het niet.'

Het is voor het eerst dat ik mijn vermoeden hardop heb uitgesproken. 'Dat vriendje van Natalie zou best weleens Max geweest kunnen zijn.'

Ze spert haar ogen wijd open, gaat rechtop zitten, in kleermakerszit op haar kussens. 'Had Natalie iets met jouw vriend Max?'

'Dat begin ik zo stilaan te vermoeden.'

'En jouw vriend Max was de screentestfreak, die vent met zijn fetisjisme voor het filmen van... dingen... zonder wederzijds goedvinden.'

'Hij is niet echt mijn vriend.'

'Waar kende zij hem eigenlijk van?'

'Dat vroeg ik me ook al af.'

'Maar hoe kom je daarbij, David? Heeft hij het tegen jou over haar gehad?'

'Nee, absoluut niet. Het kwam door het schaakstuk. Weet je nog, het viel mij op, op het strand.'

Dus vertel ik haar over het schaakspel van Max, de vervangende pion – het onbeholpen eerbetoon van Evie de kunststudente. Ik ben me Evie onderhand zelf als enigszins onbeholpen gaan voorstellen en vertel dit aan Astrid – Evie zoals ik me haar voorstel, verlegen en onbevallig met afgebeten vingernagels en zo hopeloos verliefd op haar werkgever dat ze het alleen kan uitdrukken in zwijgende offergaven. Dan vertel ik haar over de sleutels die ik in Natalies auto heb gevonden, reservesleutels voor een kantoor – waarschijnlijk dat van Rochester.

'Mijn god, David, heb je de sleutels van die vent?' Ze staat rechtop – de beweging is indrukwekkend moeiteloos.

'Ze lagen onder het gaspedaal. Ik heb ze gevonden toen ik wegreed bij het Bluegrass Café.'

'Denk je echt dat het de sleutels zijn waar Natalie over schrijft?'

'Tenzij ze ergens zelf een kantoor had. Er hangt een labeltje aan waar "Reservesleutels Kantoor" op staat.'

'En die heb je al dagen en dat vertel je me niet...? Ik kan je wel wurgen.'

Ze spreekt *wurgen* uit met een diepe grom. Van pure opwinding is ze naast me op de grond op haar knieën gezakt. Ik houd haar polsen vast om me te verdedigen en haar gezicht zweeft boven het mijne. Ik heb een verontrustende inkijk in de voorkant van haar jurk, waar ik een glimp opvang van het gootje tussen haar borsten en een randje paars kant, dat allemaal beweegt door haar gelach.

En ik moet ook lachen. 'Ik zou het je wel eerder hebben verteld...'

Ik voel haar armen ontspannen en ik verslap mijn greep om haar polsen en onze armen vallen omlaag zonder helemaal van elkaar los te komen, en heel even houden we alleen elkaars handen vast. 'Maar wat betekent het nu echt?' vraag ik, en ik heb het nog steeds over de sleutels – ik ben er niet aan toe om na te denken over wat dit handje vasthouden betekent en of het überhaupt wel iets betekent. 'Wat zou ik dan moeten doen met die sleutels? Ze bestaan, maar daar is ook alles mee gezegd.'

'David! Je bent wel traag van begrip.' Haar handen hebben weer het luchtruim gekozen, vluchtig als vogels, om expressieve vormen te tekenen in de lucht. 'Een sleutel is er verdomme toch om een deur mee open te maken? Bedenk een of andere smoes om bij Max op bezoek te gaan. Wacht tot hij even niet kijkt. Snuffel wat rond, kijk of de sleutels passen, trek Natalie uit de archiefkast, of waar hij haar ook heeft. Je lost de *Wie is Rochester*-vraag op en wij kunnen de tape vernietigen. Daar zou iedereen zich vast een stuk beter door gaan voelen.' Ze is overeind gekomen en loopt bij me vandaan om de lage tafel heen met de overblijfselen van de lunch erop en de lege champagnefles. 'Jezus, dat is wat we nodig hebben.'

'Snuffel wat rond?'

'Jake heeft het nodig. Mo weet niets over dat Rochester-gedoe – die heeft al genoeg aan haar hoofd – maar als ze er ooit achter kwam, zou zij het ook nodig hebben.'

'Ik weet niet of ik dat wel kan.'

Ze staat daar boven me, met de blauwe hemel achter zich, en kijkt me aan alsof ik iets grappigs heb gezegd. 'Wat is dit, een of andere beschaafde code of zo? Dat doe je niet als gentleman, inbreken in het kantoor van een andere gentleman?'

'Waar heb je trouwens dat Engelse accent geleerd? Dat doe je erg goed.'

'Je geeft geen antwoord op mijn vraag.'

'Het zou een schending zijn van zijn privacy. Diefstal zelfs.'

'Natalies privacy is anders ook nogal aardig geschonden. En als ze gefilmd is terwijl ze seks had, van wie zou die tape dan zijn, denk je? Volgens mij heb je maar één probleem, en dat is hoe je dat huis binnenkomt.'

'O, dat is een eitje.' Ik sta moeizaam op uit de lage stoel en ga naast haar bij de balustrade staan. 'Ze hebben deze week een feestje. Vrijdagavond. Als het aan mij lag ging ik er niet naartoe. Maar we moeten met zijn allen gaan kijken naar de eerste uitzending van die verdomde documentaireserie van Max.'

'Bedoel je dat je daar dan bent? En dat iedereen aan het beeldscherm gekluisterd zit?'

'Behalve Max, natuurlijk. Het is zijn film. Hij heeft hem natuurlijk al gezien.'

Dit is blijkbaar het grappigste wat ik de hele middag gezegd heb. 'David,' zegt Astrid, terwijl ze bijkomt van het lachen, 'je hebt echt geen verstand van het kunstzinnige ego, hè?'

'Kennelijk niet.'

Haar gezicht betrekt. 'Ik moet even gaan kijken hoe het met Mo gaat. Eens zien of ik haar kan verleiden met deze soep.' Ze pakt de kartonnen beker op die nog half vol is en neemt hem mee, zodat alleen de geur van citroengras en kokos achterblijft. Ik vraag me af of Mo nog steeds naar Natalies laatste dans zit te kijken. Diezelfde vraag moet bij Astrid zijn opgekomen, bedenk ik, aangezien Mo ook een filmmaker is die niet genoeg kan krijgen van haar eigen filmmateriaal.

Ik sta een tijdje naar de oceaan te kijken. Naar het noorden toe zie ik hoe de kustlijn in westelijke richting buigt voordat hij in nevel oplost. Veel dichterbij ligt een zanderige uitstulping met cactussen erop die boven de waterlijn uitsteken. Ik herken de vlezige bladeren van de schijfcactus, plakjes licht en schaduw in het heldere zonlicht. Er is nog een andere soort met langere bladeren die omhoogwijzen of omlaag geklapt zijn naar de wortels. Ze staan in een groep op de zandbank en elke plant is een grote klomp van grijsgroene linten, als de strik op een verjaardagscadeau. En als ik ze eenmaal zo heb gezien, begin ik de schijfcactussen te zien als groene en gele ballonnen, omhoogcirkelend in de lucht. Heel even lijkt alles zo eenvoudig.

Ik hoor de deur open- en dichtgaan en Astrid komt weer naar buiten.

'Hoe gaat het met haar?'

'Ze slaapt, godzijdank. Ze slaapt veel. Ik heb de televisie uitgezet. Ik heb ook de stekker van de videocamera eruit getrokken. Waarschijnlijk steekt ze hem er gewoon weer in, maar ze heeft zo weinig energie dat ze misschien ook wel gewoon naar een of andere soap gaat kijken.'

‘En heeft ze nog steeds dat ding aan?’

‘Ik had hem niet moeten laten rondslingeren.’

‘Denk je dat ze net doet of ze een non is – terug naar het geloof van haar voorvaderen?’

‘Ik heb het idee dat het meer bedoeld is als straf, alsof ze zichzelf aan het uitwissen is.’

‘Dat doen nonnen toch ook – het vlees doden, de wil ontkennen?’

‘Ik ken geen nonnen.’ Ze zucht en leunt naast me op de balustrade, terwijl ze naar de kantelende golven kijkt. ‘Ik heb haar wel eerder zo gezien, maar nog nooit zo erg. Het zal wel niet lang meer duren, dan is ze weer de oude.’

‘Dat is een bemoedigende gedachte.’

Zij kijkt naar me op. ‘Daar moet je geen grappen over maken. Als je denkt dat dit gek is, dan moet je maar eens wat langer blijven.’

Ik zou willen uitleggen dat ik geen grapje maakte, dat ik het alleen verkeerd had begrepen, maar Astrid loopt weer terug de kamer in. ‘Ik zou alleen willen dat ze iets minder griezeligs had uitgekozen om zich in te wikkelen. Ik bedoel, Jezus, er is genoeg om uit te kiezen.’

Ik loop achter haar aan door de deuropening.

‘Heb ik je mijn verzameling al laten zien?’ Ze draait aan de klink van de klerenkast en de deuren barsten open. De sjaaltjes krijgen opeens de ruimte en schommelen aan hun haakjes, en de kleren die aan de stang hangen, zwaaien naar ons toe. ‘Deze komt uit Pakistan. Moet je zien hoe mooi die is.’ Ze tilt een grote, zijden rechthoek met patronen van zijn haakje en begint hem rond haar schouders en over haar hoofd te schikken. ‘Wat brengt mensen ertoe te denken dat schoonheid de wereld uit geslagen moet worden? Begrijp jij dat, want ik niet dus. Volgens de Koran – toch? – worden mannen geacht hun blik op de grond te richten als er een vrouw passeert. Maar zoals ik het zie, moeten ze haar wel eerst aan zien komen om te weten dat ze niet moeten kijken. Dit is jouw onderwerp, David, dus jij kunt me vertellen of ik het bij het verkeerde eind heb, maar naar mijn idee wordt er gezegd dat kerels moeten ophouden zich aan vrouwen te verlekkeren en hun een beetje respect moeten tonen, wat min of meer hetzelfde is als wat mijn grootvader ooit zei tegen een stelletje tuig in Times Square. Wanneer is dat zo vertekend geraakt dat vrouwen zichzelf onzichtbaar moeten maken, dat hun lucht en daglicht onthouden moeten worden?'

Ze heeft de zijden doek als een sluier om haar gezicht gewikkeld en de hoeken hangen tot bijna aan haar middel. Zoals ze al zei, hij is prachtig. En omdat hij haar haar bedekt, ben ik me als nooit eerder bewust van haar gezicht. Haar ogen lijken groter. En haar tanden mogen dan zijn rechtgezet en gebleekt tot karakterloze perfectie, haar mond beweegt op zijn eigen asymmetrische manier doordat de lippen aan de ene kant eerder uiteengaan en weer later sluiten dan aan de andere kant.

'Ik bedoel, Jezus, David, zo'n plukje haar, bijvoorbeeld.' Ze trekt bij haar voorhoofd een krul onder de doek vandaan. 'Kun je je voorstellen dat er op dit moment plekken op aarde zijn waar ik gegeseld kan worden als ik zo in het openbaar zou verschijnen? Hoe doodsbang moet je dan zijn voor een vrouwenlichaam?'

Om een of andere reden kies ik dit moment om naar haar toe te leunen en haar niet helemaal gesloten lippen met de mijne te beroeren. Het is geen erg lange kus, en aangezien er nauwelijks sprake is van beweging, is hij alleen maar onderzoekend in die zin dat hij ons naar nog niet in kaart gebracht gebied voert. Ik trek me terug op het moment dat de afwezigheid van ander contact ondraaglijk begint te worden. Een ogenblik lang blijf ik roerloos staan en zij ook.

Ik heb het gevoel dat alles beschikbaar is. Ze is een cadeautje dat erop wacht om uitgepakt te worden. Het bed nodigt ons uit met zijn overvloed aan kussens. Ik hoef alleen maar een hand uit te strekken en het een zal tot het ander leiden en een eindeloos aantal mogelijkheden zal zich openen. Want ook voor haar, zie ik, is het een soort opschorting – opengesperde ogen, meer kleur in het gezicht, zichtbare tekenen van een snellere hartslag. Lichthoofdig van het besef van wat ik gedaan heb, van wat ik wellicht zou kunnen gaan doen, sta ik plotsklaps stil op de middelste rijbaan, stijf van schrik voor de botsing die ik al voor me zie, de krijsende remmen, de opdonder die ik krijg van carrosserie en ingedeukt chassis, het pijnlijke bij bewustzijn komen en *waar ik in godsnaam mee bezig was?*

Als Astrid haar mond opendoet, is dat om een soortgelijke vraag te stellen, maar met een heel ander effect. 'Dus dit gaan we doen?' Er zit absoluut geen veroordeling in, het is geen retorische vraag – het is slechts een verzoek om informatie.

'Ik ben getrouwd,' zeg ik en ik voel me stom. Dat weet ze natuurlijk. Ze heeft Rebecca gezien, met haar gesproken aan de telefoon, commentaar geleverd op haar humeurigheid.

'Tja, wie niet?' Ze lacht omdat dat hoort bij haar opgewekte toon. 'Al is het in mijn geval eigenlijk meer een formaliteit.' Ze trekt de sluier van haar hoofd en leunt naar achteren om haar haar los te schudden.

Ik wil informeren naar die formaliteit – het was nooit bij me opgekomen dat Astrid wellicht een echtgenoot had – maar ze heeft nog meer te zeggen. 'Weet je, David, hoe andere mensen met dit soort dingen omgaan is me een raadsel. Ik neem aan dat je oud genoeg bent om te weten wat je lekker vindt. Het enige dat ik je wil vragen is dat, wat er ook gebeurt, tussen ons tweeën blijft.'

'Ja, natuurlijk.' Mijn mond is droog en mijn stem voelt of hij niet van mij is. 'Natuurlijk zou ik mijn mond houden. Hou ik mijn mond, bedoel ik, hierover.'

Ze staat haar hoofd te schudden. 'Dat bedoel ik niet. Ik vraag je niet om discretie. Ik bedoel nu, op dit moment. Het voelt alsof we niet alleen zijn.'

'O.' Ze weet me steeds weer opnieuw te verrassen. 'O, ja. Ik snap wat je bedoelt.'

'Dus, wil je nog een fles champagne opentrekken of is het tijd voor thee?' Ze kijkt hoe ik mijn mond opendoe, weer dichtdoe en dan weer open. 'Weet je,' zegt ze, terwijl ze haar schouders ophaalt, 'we kunnen die champagne altijd nog bewaren voor een andere keer.'

'Om eerlijk te zijn,' zeg ik, 'zou ik een moord doen voor een kop thee.'

Ze loopt naar haar bureau, zet de elektrische waterketel aan en haalt een doosje theezakjes uit een la. Hoewel ze met haar rug naar me toe staat, zie ik hoe zorgvuldig ze alles doet. In haar bewegingen zit een soort waardigheid die grenst aan stijfheid. En nu al mis ik de subtiele wrijving van lippen. Mis ik waar dit toe geleid zou kunnen hebben – de droomtoestand van wederzijdse overgave en de adembenemende heruitvinding van seks. Maar meer nog verlang ik terug naar de tijd daarvoor, toen we op het zonneterras konden zitten, Astrid en ik, zoals we waren vóór de zondeval, toen de opties nog niet afgebakend waren. Want ik weet hoe dat gaat met echtbreuk – ik heb boeken gelezen. Ik weet van de gestolen uurtjes, de kwelling in hotelkamers. Ik weet niet of ik wel bereid ben een dubbelleven te leiden. Ik zou liever thuis zijn – als ik maar wist waar thuis is, op dit moment. Het bed staat nog steeds netjes opgemaakt naast me. Keurig netjes in haar gele jurk maakt Astrid thee. Ik voel me onzeker en alleen en ik denk: als Astrid me buitensluit, wat doe ik dan?

Om de stilte te doorbreken vraag ik: 'Zei je grootvader dat echt – loop je niet zo aan haar te verlekkeren?'

'Ja hoor. Ik was zestien. Dat was mijn opa Leibowitz. Hij wilde me voor alles beschermen, waarschijnlijk omdat het hem bij mijn moeder niet gelukt was om haar voor alles te beschermen. Als het de ouwe Duvall was geweest, hadden ze er waarschijnlijk met de paardenzweep van langs gekregen, maar de ouwe Duvall zou het waarschijnlijk niet eens hebben opgemerkt. Hij was van de alcoholische kant van de familie.' Tegen het eind van deze uitleg staat ze tot mijn opluchting weer met haar gezicht naar me toe .

'En dat was je andere grootvader – Duvall?'

'De vader van mijn vader.' Ze steekt haar handen uit, alsof ze zichzelf tentoonstelt. 'Astrid Leibowitz Duvall, dat ben ik – een wandelende geschiedenis van Amerika.'

En na een poosje zitten we aan haar bureau thee te drinken en vertelt ze mij over haar ongebruikelijke opvoeding. Uiteindelijk komt ze aan bij haar echtgenoot, Jeremy, van wie ze vervreemd is, maar die de slimste, meest belezen persoon is die ze ooit is tegengekomen. Het leven met hem was nooit saai, maar helaas bleek hij nogal onmogelijk om mee te leven.

'Zo konden we bijvoorbeeld nooit opschieten met elkaars vrienden. Mo was mijn bruidsmeisje – dit is pas een paar jaar geleden. Het was de eerste keer dat ze elkaar ontmoetten en het was een absolute ramp. Hij had net een stuk voor *Harper's Magazine* geschreven over de moord op Kennedy en zij zei tegen hem dat het zo goed was, dat hij het vast als een psychische boodschap had doorgekregen, en hij zei tegen haar dat ze zwamde. Dat was zo'n woord dat hij altijd gebruikte. Ze probeerde echt om aardig tegen hem te zijn, weet je? Omwille van mij? En ik dacht wauw, zijn intellectuele capaciteit is zo groot' – ze maakt een weids gebaar – 'ik bedoel, echt gigantisch, maar op een bepaald vlak is hij stil blijven staan.'

'Hoe lang heeft het geduurd?'

Ze maakt een bromgeluidje terwijl ze naar buiten kijkt, naar de oceaan. 'Dat is een erg moeilijke vraag,' zegt ze. 'Je hebt dat bizarre gebeuren in de kwantumfysica, dat er een stel elektronen is. Die raken op een of andere rare manier met elkaar verknoopt. Als de ene naar boven roteert, roteert de andere naar beneden. Want dat doen elektronen, kennelijk – ze roteren omhoog of ze roteren omlaag – ze kunnen blijkbaar niet ophouden met roteren. Stilstaan is kennelijk geen optie als je een elektron bent. En als ze met elkaar verknoopt zijn, betekent dat dat ze een dans doen waarbij ze elkaar voortdurend in balans houden. En wat pas echt idioot is – als je die elektronen uit elkaar haalt, lijkt het geen enkel verschil te maken voor die… hoe je het ook noemen wilt… die toestand van verknoopt zijn. Ze gaan gewoon door met hun dansje – als de een beneden is, is de ander boven. Is dat niet ongelooflijk? Ze hebben dat effect op elkaar, hoe ver ze ook uit elkaar zijn, en niemand weet waarom. Omhoog en omlaag roteren ze, nog even verknoopt als altijd. Als je erover nadenkt, moeten ze in een of andere andere dimensie aan elkaar gekoppeld zijn. Hoe dan ook.' Ze zucht in haar mok. Dan kijkt ze verdrietig op. 'Zo is het met mij en Jeremy.'

10

Ik hoor de zachte plop van een kurk die uit de fles bevrijd wordt en het bruisen en spatten van het uitschenken, en dan draait Max zich om van de tafel met drankjes met een champagnefles en een schuin gehouden glas waar het schuim overheen stroomt. Zijn stem klinkt boven het geroezemoes uit. 'Neem een glas, jongens, het begint over vijf minuten.'

Applaus en gelach verspreiden zich door de kamer. Achter Max, aan de andere kant van de tafel, heeft de bodybuilder de fles overgenomen en vult glazen. Hij heeft een team surfmeisjes die champagne uitdelen, terwijl hij nog een paar kurken laat knallen. Max loopt nu tussen de gasten door en moedigt ze aan om te gaan zitten. De zitkamer is veranderd in een bioscoop. Er staat een gigantische televisie voor de open haard en een stuk of zes rijen klapstoeltjes. Jaloezieën houden het licht uit de tuin buiten. Er staan allerlei kleine hapjes kunstig uitgestald op gesteven tafellakens. Er staat een ijssculptuur van de Venus van Milo, gedecoreerd met op cocktailprikkers gespietste garnalen.

Er is een ander soort mensen dan op het faculteitsfeestje – flamboyanter, meer van de wijd opengesperde ogen en de open mond en de luidruchtige kreten. Ik neem niet aan dat Frankies kunsthistorici en verzamelde academici evenveel onschuldig plezier zouden hebben beleefd aan de steeds bloter wordende Venus. Ik betrap me erop dat ik naar deze mensen kijk alsof ze televisie zijn, en dat zijn ze dan ook. Maar vandaag bekijk ik alles als televisie. Alles lijkt intenser en onecht. Ik ben er niet echt bij, vandaag. Ik verkeer in een veranderde toestand. Niet dat ik geen energie heb, maar alle energie zit aan de binnenkant, waar zij circuleert als elektriciteit. Aan de buitenkant zijn mijn bewegingen vertraagd.

Het is een feestje met veel energie, erg opwindend. Opwinding is iets dat deze mensen benoemen als een prestatie of een professioneel pluspunt. 'Ik werk bij de planning,' zei een vrouw net tegen me. 'Planning,' zei ik, 'wat leuk.' 'Ja,' zei ze, enthousiast knikkend, 'erg opwindend.' Sommige van de vrouwen hebben die behoedzame blik van vrouwen die zich van zichzelf bewust zijn en eraan gewend zijn om bekeken te worden, een soort wegglijdende oogopslag die de intimiteit van oogcontact uit de weg gaat. Er zijn een paar mannen met het overdreven knappe uiterlijk van nieuwslezers en praatshowpresentatoren. Zelfs de lelijke mensen lijken charismatisch lelijk, model-lelijk.

Er wordt een glas champagne in mijn hand geduwd. Ik sta ergens in een hoek gedrukt met een producent. Ik zie Rebecca tussen de mensen door lopen. Ze heeft een zwarte cocktailjurk aan met een hoge kraag en lange mouwen. Hij staat haar goed – strak en los op precies de juiste plekken –, geeft haar iets zwoels. Glad als satijn met gaasachtige stukken op strategische plaatsen – een suggestie van een decolleté, een beschaduwd stukje benen boven de zoom. Toen ze eerder vanavond de slaapkamer uit kwam en ik de jurk voor het eerst zag, wilde ik zeggen hoe geweldig ze eruitzag, maar ze was me voor met: *Laat maar zitten, oké?* En ik zag hoe fout het zit tussen ons. Want ze had al iets opstandigs toen ze door de deur kwam, klaar om een aanval af te weren. En in haar hoofd gaat het allemaal om Max, mijn onverklaarbare vijandigheid jegens hem, mijn snobistische minachting voor zijn wereld. En aanvankelijk ging het waarschijnlijk inderdaad om Max, maar nu gaat het om Rochester en zijn verborgen camera, en het gaat om mijn vermoeden dat Max en Rochester een en dezelfde persoon zijn, een vermoeden waar Rebecca niets van af weet. En daarom moet ik erachter zien te komen. Als ik het eenmaal zeker weet, zal ik het haar kunnen vertellen. Het zal niet gemakkelijk zijn, maar het zal de lucht in elk geval klaren. Want als dit nog veel langer zo doorgaat, kunnen we straks niet meer bewegen vanwege de berg dingen die niet gezegd kunnen worden.

De producer staat te vertellen over zijn televisieshow. De show heet *Dierengek*. Volgende week komt er een vrouw die met haar python slaapt, een flat die is omgebouwd tot een tropisch vogelhuis, en een man die zijn eekhoorn met hersenletsel probeert te genezen met aromatherapie en acupunctuur. De producer vindt het allemaal erg opwindend.

'Maar vinden ze het dan niet erg om voor gek te worden uitgemaakt,' vraag ik hem, 'die pythonvrouw, bedoel ik, en die man met zijn eekhoorn? Voelen ze zich niet gekwetst als ze zien dat ze gebruikt worden om te worden uitgelachen door andere mensen?'

'Ben je mal? Elke week staat de telefoon roodgloeiend van de mensen die dierengek willen zijn. De studio puilt uit van de zelfgemaakte filmpjes. Deze idioten vinden dat ze mislukt zijn als ze niet gek genóég zijn.'

'Zo te horen hou je echt van je werk.' Ik heb Rebecca uit het oog verloren. Net stond ze nog te lachen om een van de verhalen van Amir. Nu zie ik haar niet meer.

'Tuurlijk houd ik ervan, maar soms gaat het er echt krankzinnig aan toe,' zegt de producer. 'Een paar maanden geleden was er een vent die zijn dobermannpincher een kaki uniformjasje had aangetrokken. Hij had het beest een armband met een swastika om de voorpoot gedaan en hem de Hitlergroet geleerd. Dan zei hij Sieg Heil, en de hond stak zijn poot in de lucht en blafte. Na de show heeft een of andere krankzinnige trut de hond doodgeschoten. Waarschijnlijk heb je het wel gehoord – het was overal op het nieuws.'

'Ik geloof niet dat het nieuws Engeland bereikt heeft.'

'Je meent het! Hier was het een paar dagen lang voorpagina-nieuws. Dat mens dat geschoten had, beweerde dat ze gearresteerd was om politieke motieven. Ze beriep zich op de vrijheid van meningsuiting – ik bedoel, alsof het doodschieten van een nazihond een daad van vrije meningsuiting was. De dierenbeschermers gingen door het lint. Demonstreerden buiten het gerechtsgebouw, eisten de doodstraf. Blijkt dat ze betalend lid is van de bond tegen antisemitisme en racisme. De republikeinen en de antisemieten konden hun lol niet op – vonden dat dit de duistere keerzijde was van politieke correctheid – vandaag het opschonen van de taal, morgen het neerschieten van honden. Wat daarna volgt is de goelag, de zoutmijnen, heropvoeding van de middenklassen. De bond had een advertentie van een halve bladzijde in de *LA Times* nodig om uit te leggen dat ze niets tegen dobermannpinchers hadden.'

Men beweegt zich in de richting van de stoelen. Er is een toeloop naar de tafel met eten waar mensen een voorraad inslaan, of nog snel lege borden wegzetten. Mijn producervriendje plukt snel wat garnalen van de billen van de Venus van Milo. Ik vind het jammer dat hij weggaat. Het kostte geen moeite om naar zijn verhalen te luisteren. Ik ben te afgeleid om zelf over koetjes en kalfjes te praten. Ik laat me afzakken naar de keuken, een lichte ruimte, half open naar de zitkamer, glimmend van het graniet en het roestvrij staal, en houd me schuil bij de ontbijtbar in de hoop geen aandacht op mezelf te vestigen.

Frankie passeert me op weg naar de koelkast met Max in haar kielzog.

'Jezus, Frankie,' sist Max, 'ik heb hem op de schoorsteenmantel gelegd. Waar is hij nou, godverdomme?'

'Hoe moet ik dat nou weten?'

'Er zit een hele kamer vol mensen te wachten.' Hij zoekt tussen de lege flessen en ongewassen glazen.

'Ik zei dat we dit konden doen, op voorwaarde...'

'Niet nu, Frankie, in hemelsnaam.'

Een van de surfmeisjes arriveert met een armvol gebruikte borden en begint ze op het aanrecht te zetten.

'Op voorwaarde,' zegt Frankie, die een pietsie zachter gaat praten, 'dat ik er geen enkele verantwoordelijkheid...'

'Het begint over twee minuten.'

'Dat ik er geen enkele verantwoordelijkheid voor zou hoeven dragen.'

Max' zoektocht heeft hem naar de achtergelaten borden en glazen op de bar gevoerd. Hij ziet me en knikt. 'Je ziet, Dave,' zegt hij, 'hoe mijn werk in mijn eigen huis wordt behandeld. De afstandsbediening is verdwenen, mijn carrière gaat zó door de plee en mijn vrouw heeft belangrijker zaken aan haar hoofd.'

Ik lach geforceerd – ik ga zodra ik de kans krijg rondsnuffelen in het kantoor van deze man – maar Max lijkt het niet te merken.

'Godsamme, Frankie, er zijn mensen in deze stad die dreigen me te vermoorden.'

'Misschien hebben díé de afstandsbediening meegenomen.'

'Dat is niet grappig.' Hij loopt al tastend langs een vensterbank die vol staat met een verzameling onwaarschijnlijk uitziende cactussen. Vlakbij staat het surfmeisje de vaatwasser te vullen. 'Jij zou nog geen water geven aan een drenkeling,' zegt hij tegen Frankie, 'als het niet in je contract staat.'

'Doe niet zo melodramatisch.'

'Zoekt u dit soms?' Het meisje staat naast de afvalbak, een elegante container die door een lichte aanraking onder het aanrecht vandaan is gegleden. Ze staat op het punt een bord vol garnalenschalen en cocktailsaus leeg te schrapen.

'Kut, Frankie, wie heeft de afstandsbediening in de vuilnisbak gegooid?' Max vist hem uiterst voorzichtig tevoorschijn. 'Heeft Noah dat gedaan?'

'Hij heeft me wel geholpen met opruimen voor het feest.'

'En heeft toen de afstandsbediening in de vuilnisbak gegooid?'

'Volgens mij is dat een goed teken. Hij begint het te begrijpen.'

'Wat begint hij te begrijpen? Dat het goed is om dingen in de vuilnisbak te gooien?' Hij loopt langs haar heen de kamer in. Hij richt zijn hand op de televisie. 'De voorstelling kan beginnen,' zegt hij met zijn publieke stem. Het gestroomlijnde zwarte scherm komt ineens tot leven. Hard rijdende auto's botsen in stilte op elkaar en verdwijnen in een spectaculair geel vuur. 'Opgelet allemaal.' Hij loopt naar de deur. Met zijn hand op de lichtschakelaar houdt hij zijn horloge in de gaten. Er wordt op het laatste nippertje nog om stoelen gevochten. Een vrouw slaakt een gilletje en zegt: 'Hé, kijk effe uit.' De zwaargebouwde man die over haar voeten is gestruikeld, verontschuldigt zich luidruchtig. Ik zie Rebecca bij de tafel met eten. Ze eet dim sum, maar lijkt er absoluut geen plezier aan te beleven.

Het volume van de televisie gaat omhoog en we kijken naar een preview van een bikkelharde nieuwe politieserie. De opsporingsambtenaar slaat het hoofd van de verdachte tegen een muur. Max heeft iets plakkerigs op zijn hand ontdekt. Hij draait de afstandsbediening om. Hij staat geërgerd te mompelen en reikt naar een servet op de tafel naast hem. Het volume van de ondervraging gaat over in gebulder en neemt weer af, terwijl Max veegt. Er wordt gelachen. Mensen kijken achterom om te zien wat hier de bedoeling van is. Opeens kijken we naar een andere zender. '... zat aan deze tafel,' zegt de aantrekkelijke verslaggeefster met voldoening, 'hier op deze stoel een hamburger te eten, toen het schieten begon.'

'Die tent ken ik,' zegt Frankie tegen mij, 'dat is in Melrose.'

'Heb je daar gegeten?' vraag ik.

'Het ligt naast mijn lievelingsboekwinkel.'

'Wat afschuwelijk!'

'Wel godverdomme...' Max zoekt verwoed naar het knopje voor de kanalen.

'Arme Max,' mompelt Frankie. 'Hij is zo'n kind.'

'Volgens een woordvoerder van het ziekenhuis blijft haar toestand kritiek. De politie acht het niet uitgesloten...'

'... incest, het laatste taboe.' Deze nieuwe stem is een paar octaven lager en neemt zichzelf veel serieuzer. Max slaakt een zucht van verlichting. We zijn weer op de goede zender aangeland. 'Maar is dat altijd al zo geweest?' Beelden van hindoegoden vloeien over in klassieke fresco's, terwijl de commentaarstem, sonoor en intiem, een schrikbarende nieuwe kijk op de slinkse praktijken van de mensen uit de oudheid belooft.

Frankie raakt mijn arm aan. 'Is alles in orde tussen Rebecca en jou?'

'Waarom zou het niet in orde zijn?'

'Ik vraag het alleen maar.' Ze kijkt me even aan en loopt dan naar de dim sum.

Vanaf de randen van het scherm duiken er ineens allemaal gezichten op. Ze vliegen naar het midden, waar ze bij elkaar komen in de vorm van het woord Outreach – de naam van de televisiemaatschappij die de serie uitzendt –, dat onmiddellijk weer uit elkaar valt en naar de randen toe verdwijnt in een vonkenregen. De begeleidende uitbarsting van geluid bestaat voornamelijk uit Afrikaanse trommels en een groot koor dat zingt in een taal die wel eens Gaelic zou kunnen zijn.

‘Daar gaan we dan,’ zegt Max en hij dimt het licht.

Een mannenstem, ernstig en krachtig, kondigt de baanbrekende weekend-miniserie *Vrouwen spreken vrijuit* van Outreach TV aan. Er volgt een verwarrende collage van beelden, voordat de titel van de film van deze week in beeld verschijnt: *Aan den lijve*. Hier en daar wordt er geklapt. Iemand draait zich naar Max toe met een geheven glas.

De titel vervaagt en het scherm is gevuld met gekleurde lichten. De camera scant het pluchen interieur van een bar totdat hij aankomt bij een jonge vrouw die zich in haar ondergoed om een paal wentelt. De muziek wordt zachter en iemand, waarschijnlijk de vrouw, begint te spreken. ‘Ik had nog nooit aan strippen gedacht, voordat mijn kamergenootje het voorstelde. Ik ben altijd al wel lenig geweest, weet je wel, cheerleader en zo, en dat is goed, want je moet veel zelfvertrouwen hebben om dit werk te doen, weet je wel, veel zelfrespect.’ Als ze met een hand naar achteren reikt om haar bh los te maken, gaat de camera dichter naar haar toe. Het gezicht, met heel veel pixels, wendt zich af. Terwijl de camera een draai maakt, glijden de onbedekte borsten voorbij, badend in blauw en oranje licht. ‘Ik was niet van plan om het aan mijn ouders te vertellen. We hadden weer eens mot, weet je wel, over van alles en nog wat, en toen gooide ik het er gewoon uit. Mijn vader sloeg me. Door de blauwe plekken kon ik niet werken. Blauwe plekken, daar hoef je niet mee aan te komen. Piercings ook niet. Het is een erg conservatief wereldje.’ De camera filmt een stuk of zes wezenloze mannengezichten en gaat weer terug naar het podium, waar de jonge vrouw nu ondersteboven hangt, terwijl ze met haar benen de paal omklemt en haar lange haar over de grond laat zwiepen. ‘Ik kon twee weken niet werken. Waardoor mijn moeder zich, denk ik, schuldig voelde, weet je wel, want daarna kwam ze kijken hoe ik danste, waar ik wel blij om ben, als je het eerlijk weten wilt, al vond ik het wel doodeng toen ze daar zat.’ Ze trekt zichzelf omhoog om de paal vast te pakken boven haar voeten. 'Daarna zei ze dat ik altijd al lenig was, weet je wel, toen ik klein was al – goed op het klimrek en zo. Wat belangrijk voor me was, want het was een soort van bevestiging.'

Op de achterste rij wordt luid gelachen, als reactie op de film of op een eigen grapje. Max is rusteloos. Zijn ogen flitsen bezorgd door de kamer en weer terug naar het scherm.

Frankie staat met haar hand rond Rebecca's nek gedrapeerd. Ze kijkt door half gesloten ogen, met haar hoofd achterover, ofwel omdat ze het camerawerk kritisch observeert of omdat ze liever zou verdwijnen. Rebecca fronst, misschien omdat ze erop wacht tot de onderliggende feministische strekking eindelijk duidelijk wordt. Amir gaat bij hen staan. Hij fluistert iets in Frankies oor, maakt grapjes.

We luisteren naar een andere stem. Deze is vervormd, maar het Oost-Europese accent klinkt erdoorheen. 'Ik ben kunstenares, ik werk met mijn handen. Dit is niet zo grappig, trouwens. Ik praat over mijn echte werk. Dit is alleen hoe ik nu leef, om mijn opleiding te kunnen volgen, tot ik mijn eigen studio open.' We volgen de vrouw door een stadsstraat. We horen de geluiden van het verkeer, de claxons en de sirenes. 'Sommige van deze meisjes zeggen dit ook, overigens – dat ze kunstenares zijn, dat dit dans is of theater of zovoort. Dat is bullshit in mijn ogen. Voor kunst moet er zelfexpressie zijn, trouwens, geen zelfontkenning.'

Ik hoor de jaloezieën kletteren en kijk net op tijd naar de andere kant van de kamer om de glazen deur dicht te zien schuiven en de jaloezieën terug te zien zwaaien. Rebecca en Frankie zijn naar de tuin gevlucht. Amir draait zich met zijn handen in zijn zakken en een stuurse blik naar het scherm.

De vrouw uit Oost-Europa zegt dat de werktijden haar wel bevallen, de vrijheid van het eigen baas zijn. Het geld bevalt haar ook, natuurlijk. Ze loopt met kwieke pas in een T-shirt en spijkerbroek, voortdurend van achteren gefilmd, en trekt een koffer op kleine wieltjes achter zich aan. Ze draagt haar haar in een staart met een roze lint. Ik vermoed dat ze Tsjechisch is. Ze loopt tussen een stel gipsen naakten door en wisselt een paar woorden met de uitsmijter in de deuropening.

Die heb ik eerder gezien, die gipsen beelden. Om een of andere reden trekken ze mijn aandacht. Ze zijn gemodelleerd naar een klassiek beeld – Diana, misschien, die tijdens het baden bespioneerd wordt door Aktaion. Maar het is in die vorm en in die omgeving dat ik ze eerder heb gezien, wit tegen de zwarte ingang met zijn zware rode gordijn, ergens in mijn reizen door de stad.

We kijken naar een paar onscherpe gezichten in schaduwachtig licht. De benen in de voorgrond, bloot boven roze enkelsokjes, buigen en draaien. Onder op haar rug zit een kleine tatoeage. Het is een vogel – een vliegende zwaluw. De camera wordt op iets anders scherp gesteld en de benen vervagen. Nu zijn het de gezichten van de mannen die scherp zijn.

'Het is niet makkelijk altijd om dit te doen,' zegt de Tsjechische vrouw. 'Maar rijke huizen schoonmaken is ook niet makkelijk. Dingen aan vreemden verkopen via de telefoon is niet makkelijk. Het is normaal voor mensen om zich niks te voelen, om bekeken te worden alsof ze niks zijn. Dit werk is niet zo anders. Ik heb vriendjes gehad, natuurlijk. Eén jongen, weet je, was bijzonder. Hij wilde met me trouwen. We hadden het over een geregeld leven. Maar hij kon het niet aan dat ik dit doe. Zelfs vroeg hij me om ermee op te houden. Waar moet ik dan van leven? vroeg ik hem. Het was hem of mezelf, denk ik. Ik moest voor mezelf kiezen.' De voorstelling is voorbij. Het meisje zit op haar hurken om de dollarbiljetten op te rapen die over het podium verspreid liggen. 'Het is geen kunst, maar het is werk. Wat betekent dat trouwens, een geregeld leven? Niets is ooit geregeld.'

Nu is er een derde vrouw aan het woord. 'Dus ik heb er nog telefoonwerk naast gedaan,' zegt ze. 'Je moet vooruit plannen, toch? Je verdient er haast niks mee, maar je kunt thuis werken en het geeft niet als je er niet uitziet.' Ze ziet er wat ouder uit, een zwarte vrouw, nogal zwaar van buik en heupen, maar met de gespierde dijen van een hardloper. De muziek is ineens rauw. Het veelkleurige licht van de televisie flikkert over het gezicht van Max en zijn gasten, wordt lichter en donkerder en weer lichter, terwijl de vrouw naakt danst op het platte televisiescherm. En de televisiemensen denken met hun glas champagne in de hand aan kijkcijfers en concurrentie en de mogelijkheden van spin-offs, en royalty's en honoraria, en de onzichtbare cameramensen denken aan hun baan, en de wazige figuren die over hun drankjes gebogen zitten of ergens voorbij het podium op een bank hangen, denken aan seks of macht of aan niets. Terwijl ze met een hand een met lovertjes versierde jurk achter zich aan sleept, draait de zware vrouw haar rug naar de camera en buigt ze haar hoofd en bovenlichaam naar voren, terwijl ze haar dijen en kuiten aanspant en ik voel een erectie opkomen als de seks het wint van de sociologie.

De vrouw verlaat de club. Dit is een andere club – geen gipsen nimfen – en een andere straat, rommelig en troosteloos. 'Voor mijn geldt het niet,' zegt ze, in voice-over, terwijl ze de lege stoep op loopt, 'want als er ooit 'n vent me nog eens aanraakt, schop ik hem dood – maar niemand kan je iets doen als je alleen maar praat aan de telefoon, da's een voordeel.'

Ik sta er niet gemakkelijk bij, kruis mijn enkels, laat een voet op de andere rusten en voel door mijn broekzak Natalies sleutels tegen mijn dij, Rochesters sleutels. Ik zou hier niet moeten staan – ik heb werk te doen. Een van deze sleutels moet passen in een sleutelgat in het kantoor van Max. Ik stel me de lichte weerstand voor, het glijden en schuiven van bewegende delen onder druk, het kantelen en de klik als het slot opengaat. Ik loop achteruit de gang in. Ik doe een stuk of zes stappen op mijn tenen, terwijl ik naar de hoofden kijk die afsteken tegen de televisie. Dan draai ik me om in de richting die ik op ga.

Er is een bergkast, dan een badkamer – ik herinner me de marmeren vloer en de geur van rozenblaadjes. Ik blijf stilstaan bij de derde deur, voordat ik de klink omdraai en hem zachtjes openduw. Het bed is een grote rechthoek van grijsgroene luxe, breed genoeg om met enig beleid drie of vier vreemdelingen in te laten slapen. De nachtkastjes zijn symmetrisch uitgerust met lampen, hoekige boeken en dozen tissues.

Ik kom met zes voorzichtige stappen aan bij de volgende deur. Hij zwaait geluidloos open en ik sta in een kantoor. Een louvreraam ziet uit op de tuin. Achter de elkaar overlappende glaslatjes zijn donkere plantenvormen en lichtere vlekken lucht zichtbaar. Ik sluit de deur achter me en leun er met mijn rug tegenaan. Ik bedenk hoe weinig ik te drinken heb gehad, een beetje wijn, een glas champagne. Ik ben niet dronken, ik zweef.

Er staat een zwarte leren stoel en een bureau met een computer en alle toebehoren. Langs een muur staan planken vol boeken, videotapes en dvd's. Op de tegenoverliggende muur hangen een paar filmposters en een prikbord. Onder het bureau zitten archiefladen. Ik haal Natalies sleutels tevoorschijn en probeer ze om de beurt. Ze zijn te groot. Naast de deur zit een ingebouwde kast. De kleinere sleutel draait soepeltjes in het slot en de deur glijdt open. Binnenin zitten planken met archiefdozen erop en nog meer videotapes. De meeste van die tapes zijn voorzien van geprinte etiketten. Het kost me moeite ze te lezen. Er staat een lampje op het bureau. Ik draai het van het raam vandaan en doe het aan. Ik zie een paar handgeschreven etiketten op de onderste plank, maar de titels bieden geen aanknopingspunten. Ik rol de stoel van het bureau vandaan. Hij draait en helt over als ik erop ga staan. Ik steun tegen het deurkozijn en til een archiefdoos van zijn plank. Zodra die uit de weg is, zie ik de tapes die erachter in een rij staan. Ik schuif de archiefdoos terug op zijn plaats en haal de volgende weg. Ik zie de naam Nat, wat Max' versie moet zijn van Natalie. Ze had vast gestaan waar ik nu sta, realiseer ik me, wiebelend op dezelfde stoel. De tape naast de hare heet Evie. Het duurt even voordat ik me herinner waarom ik die naam ken – Laura's handvaardigheidsjuf, natuurlijk, arme Evie, zwijgend en onbeholpen. Wat doet zij in hemelsnaam hier? En er is nog een naam waar mijn oog op valt. Mijn hart gaat als een razende tekeer. Ik voel me een beetje duizelig. Ik begin te wiebelen en herstel mezelf. Op mijn hurken wacht ik tot ik weer helder kan zien en ga dan weer staan om makkelijker te kunnen ademen. De derde naam is Becks. Geen reden om voorbarige conclusies te trekken, houd ik mezelf voor. Geen reden om aan te nemen dat deze Becks ook maar iets te maken heeft met mijn Rebecca. Het wemelt vast van de Rebecca's en Becky's en Becksen die snakken naar wat filmactie met een beroemde televisieproducent.

Ik hoor stemmen op de gang. Ik laat de drie videotapes op de stoel vallen en duw de kast dicht, terwijl ik de sleutel uit het slot trek. Dan rol ik de stoel razendsnel terug naar het bureau. Ik zet me vast schrap voor het moment dat de deur van het kantoor opengaat. In mijn hoofd oefen ik op een verklaring. *Ik vroeg me af*, zou ik kunnen zeggen met een armgebaar naar de computer, *ik vroeg me af of ik even mijn mail kon checken. Ik verwacht iets belangrijks... verbaast me dat ze nog niet gebeld hebben. Ik dacht dat ik misschien... wilde de film niet onderbreken...* Ik hoor weer stemmen maar die komen uit de tuin, samen met de stank van salie en eucalyptus. Ik doe het licht uit en wacht.

'Weet je zeker dat je je wel goed voelt, lieverd?' Het is Frankie.

'Het gaat alweer een stuk beter, dank je,' zegt Rebecca.

'We hoeven niet terug naar binnen te gaan als je niet wilt.'

'Nee, we moeten terug. Max voelt zich vast gekwetst als we niet terugkomen.'

'Hij overleeft het wel.'

Een ogenblik lang gebeurt er niets. Ik hoor Rebecca haar neus snuiten.

Dan zegt Frankie: 'Waarom praat je niet met hem?'

'Ik weet het niet. Ik wil wel. Ik ben maar steeds aan het wachten op de goede gelegenheid.'

'Je moet het gewoon recht voor z'n raap zeggen. Wat kan er nou helemaal gebeuren?'

'Ik weet het niet. Hij is zo onvoorspelbaar tegenwoordig. We zijn zes jaar getrouwd en opeens heb ik het gevoel dat ik hem helemaal niet ken.'

'Als je wilt praat ik wel met hem.'

Dat vindt Rebecca kennelijk erg grappig. 'Geen goed idee,' zegt ze. Ik hou van die aardse lach van haar. Ik heb hem de laatste tijd niet vaak meer gehoord.

Ze lopen weg. Ik luister naar hun stemmen die langs de zijkant van het huis verdwijnen. De deur naar de zitkamer glijdt open. De verleidelijke klanken van een saxofoon glibberen de tuin in. De deur schuift dicht en de muziek glijdt weer terug naar binnen. Ze hadden het over mij. Rebecca heeft me iets te vertellen, iets wat ik niet leuk zal vinden. En hier staat haar naam in de privéverzameling van Max. Maar Frankie weet ook waar het over gaat. Ik snap er helemaal niks van.

Ik rol de stoel weer onder het bureau vandaan en kijk naar de tapes. Ik voel me belachelijk – op het verkeerde been gezet. Er zijn redenen om niet te spioneren die ik vergat toen ik met Astrid aan het praten was. Het is niet leuk als je bespioneerd wordt, maar het is nog erger voor de spion, want de spion verlaagt zichzelf. En als de spion iets ontdekt dat in zijn eigen nadeel is, staat hij zelf voor gek. Ik heb gezien waarvoor ik kwam – de tape met Natalies naam erop. Nu kan ik hem terugzetten en weggaan. Ik kan hem onmogelijk meenemen. Om mezelf dit te bewijzen pak ik hem op. Ik til de achterkant van mijn colbert op en stop de tape in mijn broekband. Mijn colbert valt eroverheen. Zonder spiegel kan ik niet zien of de bobbel zichtbaar is, al kan ik me nauwelijks voorstellen dat dat níét zo is. Ik luister naar de stilte in de tuin. Wie wil ik eigenlijk voor de gek houden? Ik haal de tape weer tevoorschijn en houd hem in de laagste opening tussen de glaslatjes van het louvreraam. Mijn vingers blijven hem even vasthouden. Dan laat ik hem los. Hij landt zachtjes, en de geur van salie stijgt op in mijn neusgaten als een ontvangstbewijs. In een opwelling pak ik ook de andere twee tapes – Evie en Becks – en laat ze een voor een naar buiten glijden. Ik ga bij het raam vandaan. Dit is het gevaarlijkste moment. Met de deur op een kier luister ik of ik stemmen of voetstappen hoor. Melancholieke stripclubmuziek drijft de gang in vanuit de zitkamer. Ik stap naar buiten en trek de deur achter me dicht.

Er staat een druk op mijn blaas alsof alle spanning zich daar heeft opgehoopt. Ik loop nonchalant terug naar de badkamer. Ik heb de deur al geopend en een stap naar binnen gedaan, voordat ik me realiseer dat hij bezet is. Terwijl ik excuses mompel en de deur dichttrek, heb ik een duidelijk beeld van de rug van Amir en zijn gezicht in de spiegel, mond open, een vinger op zijn tandvlees en zijn ogen opeens waakzaam. Er zit een witte veeg rond zijn neus en ik zie dat hij niet bezig is met een gebitsprobleem.

Frankie komt door de gang op me af. Ik sta met mijn hand op de deurklink. 'Amir is daarbinnen,' zeg ik en ik voel me stom.

'Wat schattig, de jongens gaan samen naar de wc.'

'Nee, het is alleen... hij was vergeten de deur op slot te doen.'

'En nu hou jij de wacht?' Ze lacht haar ironische lachje en loopt langs me de slaapkamer in.

Het televisiescherm is gevuld met mannen: middelbare mannen in een bar, goed gekleed en welvarend; jonge latino's op hoge gympen zonder veters en in slobberjeans, in een groepje rond een pick-up; lange, blonde types in shorts, die zichzelf stuk voor stuk argeloos voor aap zetten door hun zelfbedrog en hun dubbele moraal te onthullen en onsamenhangende morele oordelen te vellen. De film begint, misschien, net zijn tanden te zetten in de harde kern van zijn onderwerp.

Ik loop de kamer binnen en daar is Rebecca – een vreemde voor mij, zo stijlvol gekleed en met haar haar zo luchtig omhoog geföhnd. Ze ziet dat ik naar haar kijk en er is iets onzekers in haar ogen, alsof ze niet zeker weet of ze naar me toe zal komen of wat ze moet zeggen – zich ervan bewust, misschien, dat ze dingen weet die ik niet weet, of angstig dat ik misschien dingen weet die zij niet weet. Ze komt naar me toe en knijpt in mijn hand. 'Gaat het een beetje?' zegt ze en ze vlijt zich tegen me aan.

Ik verstijf en voel me vervolgens slap worden. 'Ja hoor, prima,' zeg ik.

Lekker is dat, de warmte van haar adem, de trillingen van haar gemompel tegen mijn hals. Ik voel tranen komen. Ze wacht op een gelegenheid om me iets te vertellen wat ik liever niet hoor. Dit is uiteindelijk mijn thuis. Ik wil dit niet verliezen. 'Ik moet alleen even in de frisse lucht,' zeg ik.

Ik schuif de deur naar de tuin open, stap naar buiten en sluit hem achter me. Er valt een streep licht naar buiten in de richting van de wildernis van de canyon, die breder en smaller wordt met het zwaaien van de lamellen. Ik wacht tot ze weer stil hangen en de smallere streepjes licht en donker scherp afgetekend zijn op het plaveisel. De muziek uit de zitkamer sterft weg, terwijl ik langs de zijkant van het huis loop. In een van deze kamers zijn mensen aan het praten. Ze praten zachtjes, maar intens. Het louvreraam van het kantoor is makkelijk te herkennen. Ik schuifel door kiezel en schors en hurk bij de muur. Als ik met mijn hand achter de saliestruik reik, bots ik ergens tegenaan met mijn wang, een uitsteeksel met een ruwe rand. De wond prikt. Hij voelt ruw en warm onder mijn vingers. Ik hoor woorden, onverwacht dichtbij, maar gedempt en met veel ademgeruis. Ik tast de muur af met mijn hand en voel de zijkant van een soort ventilatierooster.

'Je moet hiermee ophouden.' Het is Frankie.

Het antwoord is maar net hoorbaar, een boze mannenstem, te vervormd om te ontcijferen.

'Het spijt me, Amir, maar het gaat niet gebeuren. Je kunt maar beter teruggaan naar het feestje.'

Hij praat weer, Amir, en maakt kleine woef- en blafgeluidjes van woede. Ik neem aan dat ze hem heeft betrapt met zijn coke en hem de huisregels nog eens duidelijk uitlegt. Maar uit het volgende wat ze zegt, blijkt dat ik het bij het verkeerde eind heb.

'Hoor eens, je bent een lieve jongen. Ik voel me best gevleid dat je zoveel voor me voelt.'

Ik versta iets van wat hij zegt. Misschien is hij dichterbij gekomen of praat hij meer mijn kant op. Hij is niet blij met het woord *gevleid*. Hij herhaalt het een paar keer.

'Natuurlijk ben ik gevleid,' zegt Frankie, 'en een beetje verveeld, om je de waarheid te zeggen.'

'Verveeld?' Dat hoor ik wel degelijk.

'Alleen vandaag, alleen als jij in zo'n rotbui bent, wat helemaal niks voor jou is. Het spijt me, echt waar, dat je denkt dat ik je misleid heb. Maar woorden zijn alleen maar woorden. We zijn niet verplicht om ernaar te handelen. Hoe zou de wereld werken, eerlijk, Amir, als we alles waaraan we uitdrukking geven, in daden zouden omzetten – als ons vermogen tot formuleren alleen het aardse en uitvoerbare zou omvatten. Dat zou de menselijke verbeeldingskracht onvoorstelbaar veel armer maken.'

'Je bent echt ongelooflijk, weet je dat. Je verdringt me uit je leven...'

'Niet zo histrionisch, alsjeblieft.'

'... en dan praat je zo...'

'Hoe?'

'Alsof ik een van je eerstejaarsstudenten ben.'

'Mag ik je iets vragen, Amir? Had je je werkelijk voorgesteld dat wij seks zouden hebben?'

'Ja, natuurlijk.'

'Ik bedoel echte geslachtsgemeenschap?'

'Onder andere.'

'En heb je er plezier aan beleefd je dat voor te stellen?'

'Wat is dat nu voor vraag?'

'Het is de enige vraag die telt. Want als je er plezier aan hebt beleefd, waar klaag je dan over? De werkelijkheid zou het waarschijnlijk sowieso niet halen bij je fantasieën. Je zou teleurgesteld zijn en we zouden elkaar over en weer van van alles beschuldigen. Is het echt nodig dat we elkaar dat aandoen?'

'Je bent echt een harteloos kreng, weet je dat.'

Ik dwing mezelf om te doen waarvoor ik hier gekomen ben. Ik schuif voorzichtig naar voren en steek mijn arm uit naar de donkere vormen tussen de struik en de muur. Ik hoor de ruzie nog wel, maar luister niet meer naar wat er gezegd wordt. Ik trek de tapes een voor een tevoorschijn en sta op, terwijl ik het ventilatierooster ontwijk, het badkamerraam ontwijk.

Ik sluip terug naar het pad en volg het de hoek om naar de poort aan de zijkant van het huis, die op de knip zit, maar die niet is afgesloten. Ik doe de poort open en sluit hem zachtjes achter me.

De oprit staat vol auto's, gestroomlijnd en glanzend. Die van ons staat beneden, bij de brievenbus. De kofferbak gaat open door een druk op de afstandsbediening. In zijn ongerepte interieur schijnt een zachte gloed. Ik leg de tapes netjes op een stapeltje in de hoek. Realiseer me dan dat ze niet op elkaar zullen blijven liggen en dat Rebecca zich zal afvragen wat dat voor geluid is, dus leg ik ze naast elkaar. Ik aarzel, doe dan mijn colbert uit en gooi het eroverheen. Ik doe de kofferbak dicht.

Er klinkt applaus uit het huis. Gejuich en gelach en gepraat. Als ik terugga zullen mensen zeggen: *Goed hè?* en *Wat vond je ervan?* Maar ik weet niet wat ik vind. Ik slenter de staat op. Ik draai me om en begin de heuvel op te lopen.

11

Het klinkt alsof het regent. De goten staan blank. Er loopt water over de straat, waardoor de kuilen en scheuren in het oppervlak zichtbaar worden. Door de hele canyon schakelen de automatische gazonsproeiers zichzelf in. Hier zijn we nog nooit geweest, Rebecca en ik, de heuvel op voorbij het huis van Max en Frankie. Het is behoorlijk klimmen. Dan begint het uitzicht weidser te worden. De huizen schreeuwen erom gezien te worden – een middeleeuws landhuis, een Griekse tempel, een Spaanse haciënda met een pannendak. Bij de brievenbussen staan bordjes met PRIVÉ-OPRIT, VERBODEN VOOR ONBEVOEGDEN, WIJ ZIJN BEWAPEND. Ik herken alle elementen van dit landschap, maar zo door elkaar gehusseld is het raar en heeft niets vertrouwds meer.

De weg splitst zich op en ik sla op goed geluk de smallere straat in. Ik heb het geordende stratenplan ver achter me gelaten, daarbeneden ergens, onder Sunset Boulevard. Ergens recht voor me uit, als ik zo ver zou gaan, voorbij de kronkelende heuveltop en na een bochtige afdaling, zou ik het weer terugvinden op de droge vlakte die ze de valley noemen. Maar hierboven zijn geen rechte hoeken. De weg slingert naar beneden en mijn pas versnelt zich zonder enige inspanning. Na een poosje komt er weer een bocht naar beneden en daal ik af door een smallere geul, waar de zwaartekracht me dwingt tot een drafje. De huizen zijn kleiner geworden, meer provisorisch. Sommige hangen over de rand van de weg, ondersteund door palen, of leunen achterover tegen de rotswanden. Ze zitten zichtbaar met schroeven en bouten in elkaar als boomhutten. Hun houten betimmering bestaat uit elkaar horizontaal of verticaal overlappende knoestige planken met zichtbare naden. Er is niet veel verkeer, dus loop ik midden op straat om de geparkeerde trucks en de overwoekerde berm te mijden. Het is koel, maar de lucht is nog steeds zwaar. Ik heb er niet over nagedacht waar ik naartoe ga, alleen dat ik het niet aankan om al die mensen te zien. De straat loopt steil omlaag. Bij elke stap krijgen mijn enkels en knieën een schok in een ritme waarover ik geen controle lijk te hebben. Ergens onder mijn ribbenkast zit een knoop van bezorgdheid. Daardoor loop ik te hijgen – niet door de inspanning, maar door die knoop. Het geluid van de lucht die uit mijn longen en door mijn luchtpijp komt en daar aan mijn stembanden trekt, is een soort zingen, een soort weeklagen. Het lucht enigszins op om geluid te maken, om mijn ledematen te bewegen, om te voelen dat ik vooruitkom.

Ik ging het kantoor van Max binnen om een antwoord te vinden en ik kwam naar buiten met nog meer vragen. Wat betekent het voor mij dat Max een tape heeft met een etiketje waar Becks op staat? Misschien betekent het niets. Het zóú niets betekenen als Max niet ook een tape had met een etiketje waar Nat op staat. Als ik Natalies dagboek niet had gelezen. Als Rebecca haar haar niet had laten knippen en allemaal nieuwe kleren had gekocht.

Ik word me in toenemende mate bewust van de druk op mijn blaas. Ik zou zo ergens kunnen stoppen en in de struiken plassen. Ik moet steeds nodiger. Vóór me, waar de straat de bocht omgaat en in tweeën splitst, ligt een gebouwtje. Het is een soort keet met een overdekt terras ervoor als een veranda. De mensen die daarop zitten wonen er misschien wel. Of misschien zijn het gasten. Maar iets aan de manier waarop het gebouw verlicht is en de voertuigen en motoren die in een kluitje bij het trapje staan, doet me vermoeden dat het een bar is of een café. Daar hebben ze vast een toilet. Ik zou een borrel kunnen gebruiken. Maar ik kan nog niemand onder ogen komen, vragen beantwoorden als *Alles in orde?* en *Wat brengt u naar déze uithoek?* Ik zou hier stil moeten blijven staan, waar ik nog een beetje privacy heb. Maar mijn benen willen nog niet stoppen.

Ik hoor een auto achter me en wijk uit in de richting van de bomen. Het is een jeep. De bestuurder steekt zijn hoofd uit het raampje en vraagt: 'Waar is de brand?' terwijl hij gas geeft en me passeert. Hij ziet natuurlijk dat ik geen jogger ben, met die flapperende hemdsmouwen van me. Een volwassen man in volwassen kleren die midden over de weg rent – ik zou best weleens een crimineel kunnen zijn. Ik zou neergeschoten kunnen worden.

Ik zie niet waarover ik struikel. Een stuk draad uit een omheining? Een boomwortel? Een lage tak? Het voelt zacht tegen de bovenkant van mijn schoen als ik voorover val. Maar de berm is niet zacht, die is hard geworden door droogte. Dat, of ik ben op een steen of een betonnen stoeprand terechtgekomen. Ik val erbovenop met mijn knie en onderarm en tuimel zijwaarts, zodat ik op mijn rug op het wegdek neerkom. Het is die klap op de weg die me de adem beneemt. Een ogenblik lang doe ik geen poging om op te staan. Ik wacht om te voelen wat het meest pijn doet, waar de schade zit. Het bloed klopt in mijn hoofd. De hemel drijft tussen de bomen als een grijze rivier, trekt zich dan terug en houdt op met bewegen. Ik draai me op mijn zij, duw me overeind op mijn knieën, en ga op mijn hurken zitten. Het valt mee, houd ik mezelf voor. Alleen een paar blauwe plekken.

Ik doe mijn ogen dicht en weer open. Iemand komt in mijn richting de heuvel op gerend. Een pezige man die mank loopt, zodat hij bij elke stap zijn lichaam naar zijn zwakke kant draait. Hij heeft cowboylaarzen aan en houdt een breedgerande hoed in zijn hand.

'U is gevallen, meneer,' zegt hij als hij dicht genoeg in de buurt is. 'Ik zag u vanuit Josie's en ik zei: jakkes, die is lelijk gevallen.'

'Ja, stom van me. Ik keek niet uit waar ik liep.'

'Het is een donker stuk weg en u had er aardig de sokken in, meneer, dat wil ik wel toegeven.'

Ik leun voorover met mijn rechterhand op het wegdek, verplaats mijn gewicht en zet mijn linkervoet stevig neer om de druk op te vangen. Elke beweging brengt zijn eigen pijntje mee, maar alles doet het nog.

'Hier, pak me hand maar.' Zijn greep is sterk en hij trekt me overeind alsof ik niets weeg. 'Kom u maar mee naar Josie's, dan ken u effe zitten. Wat drinken. Kennen we zien wat die weg met u gedaan heb.'

'Bedankt dat u naar me toe bent gekomen.'

'Met alle plezier. Het is een donkere weg en een harde weg. U is niet de eerste persoon die ik op zijn knieën heb gezien. Woont u hier ergens in de buurt?'

Nee, ik was op een bijeenkomst een eindje verder de heuvel op, een soort feestje, met mijn vrouw en haar baas en de man van haar baas die films maakt...' Ik hou op met praten. Ik weet niet wat ik probeer te zeggen, maar het valt me op dat ik behoorlijk snel ben aangeland bij de films van Max.

'En...'

'En dat was het eigenlijk wel.'

'En ik neem aan dat u toen nodig op de loop moes.'

'Ja, zoiets.'

'Nou, hoe dat voelt weet ik verdraaid goed. Ik ben haast mijn hele leven op de loop geweest. Op de loop van het ene verduivelde ding naar het andere. Tot ik er eindelijk achter kwam wáár ik naartoe op de loop was. Maar dat was pas toen ik vaker buiten westen had gelegen dan ik tellen ken.'

'Nou, eigenlijk maak ik hier geen gewoonte van. Ik had er gewoon even behoefte aan om alleen te zijn.'

We zijn bij Josie's aangekomen en onder aan het trapje draait hij zich naar me om en kijkt me recht in de ogen. 'Dat begrijp ik, meneer. Het was niet mijn bedoeling om iets in uw nadeel te zeggen. Ik wil dat u dat weet.' Hij is jonger dan ik eerst gedacht had. Hij zou zelfs jonger kunnen zijn dan ik, ook al is zijn gezicht verweerd en aan één kant bleek, waar een stuk gladdere, getransplanteerde huid zit. Hij glimlacht en zijn ogen worden zachter. 'Ik heet Wyman, tussen haakjes,' zegt hij en hij steekt zijn hand uit.

'David.'

Hij neemt mijn hand met beide handen vast en schudt hem krachtig. 'Wyman tussen haakjes heeft David aan de haak.' Hij kirt van plezier om zijn eigen grapje. 'Neem me niet kwalijk, David, ik heb een zwak voor woorden.'

Hij trekt zich, met een soepele, rollende beweging, stap voor stap aan de leuning de trap op. Ik volg onhandiger. Boven aan de trap steekt hij mij een hand toe.

'De kreupele helpt de manke,' zegt hij lachend.

De mensen op de veranda, een meisje en twee mannen in leer, zeggen 'Hi' en 'Welkom' en ik loop knikkend en glimlachend achter Wyman aan Josie's binnen. Er klinkt zachtjes een soort rockhymne. Een stel biljarters kijkt op van de tafel. 'Hoe gaat-ie, Wyman,' zegt een van hen. 'Recht naar de hemel, broeder,' zegt Wyman, 'recht naar de hemel.' Een meisje, dat bij het raam zit te lezen, lacht en richt haar blik weer op het boek. De deur is achter ons dicht gezwaaid en ik krijg het gevoel dat ik zo beroofd ga worden.

Wyman wijst me waar het toilet is en ik ga voor het roestvrijstalen urinoir staan en geniet van mijn moment van verlossing als de druk afneemt en de heldere urinestraal zingend en spetterend in de bak verdwijnt. En ik hou mezelf voor dat ik niet zo paranoïde moet doen. Wyman is een aardige man. Dit zijn aardige mensen. Aardig zijn is hun moedertaal. Het mag dan misschien alleen aan de oppervlakte zitten, een cultureel aangeleerd masker voor onverschilligheid, maar ik hoef er niet bang voor te zijn. Waar ik bang voor moet zijn, zijn mijn eigen irrationele opwellingen. Wat doe ik hier? Ik zou terug moeten gaan. Herinner ik me eigenlijk wel waar ik naartoe moet? Ik weet nauwelijks hoe ver ik heb gelopen en bergop met een stijve knie zal het nog langer duren. En ik kan niet ontkennen dat deze tent wel degelijk iets engs heeft. Ik steek mijn hand in mijn broekzak en ben blij dat ik mijn portemonnee voel.

Dan beginnen mijn benen te trillen en de muur wordt wazig, en het lijkt me een goed idee om te gaan zitten en een borrel te nemen. Ik was mijn handen en gooi wat koud water in mijn gezicht. Er loopt een schaafwond vanaf de onderkant van mijn pink tot aan mijn pols, waar ik een laagje huid ben kwijtgeraakt. De blauwe plek op mijn jukbeen, waar ik tegen het ventilatierooster ben gebotst, is nog steeds gevoelig – een paarse veeg tot bijna aan mijn oog, met een sikkeltje gedroogd bloed in het midden. Ik dep mijn zere plekken met een papieren handdoekje en ga terug naar de bar.

Wyman komt aandragen met een plastic teil met water. Hij zet hem op een kruk, die wiebelt op een scheve houten vloerplank, waardoor het water heen en weer klotst. Er rijst stoom langs hem omhoog als hij gaat zitten om zijn handen te drogen aan een handdoek. De twee mokken op tafel stomen ook.

'Josie zegt dat de koffie van het huis is. Ik zou d'r maar flink wat suiker in doen, als ik jou was.'

Ik kijk naar Josie, die achter de bar glazen staat af te drogen.

Ze is ergens in de twintig en heeft een fris, knap gezichtje, maar nietszeggend en karakterloos. Ze heeft haar haar opgebonden met een gebloemde hoofddoek. 'Dank je wel,' zeg ik, 'dat is erg aardig van je.'

'O, heel graag gedaan, David.'

Op de pooltafel ketsen de ballen tegen elkaar en dan volgt de zachtere plof van een bal die in een pocket verdwijnt. Ik pak de mok op die het dichtst bij me staat. 'Misschien zou je er iets in kunnen doen – cognac of zo...'

Ze kijkt me aan met een lege blik, alsof ik een vreemde taal spreek.

'Niet van het huis, natuurlijk. Ik betaal uiteraard voor de cognac.'

'Je wilt cognac?'

'En ook iets voor Wyman. Ik weet niet wat Wyman aan het drinken is?' Ik wend me tot Wyman. 'Ik ben nogal van slag. Een stevige borrel zou me goed doen.'

'O, dat betwijfel ik,' zegt Josie. Er is een soort droefenis in haar ogen als ze me, met haar hoofd iets opzij, aankijkt.

Wyman gooit de handdoek over zijn schouder. 'Josie schenkt geen alcohol, David. Toch, Josie?'

'Nee, David, ik schenk geen alcohol.'

'Laat me je knie eens zien,' zegt Wyman.

'Geeft niet,' zeg ik tegen Josie, 'koffie is prima.' Ik til mijn mok omhoog om duidelijk te maken dat ik weet dat het niet haar schuld is dat ze geen vergunning heeft en dat het me spijt dat ik haar voor schut heb gezet, en laat me op een stoel zakken.

Wyman legt zijn handen op mijn been. 'Ik heb eerste hulp gedaan, je hoef niet bang te zijn, nee, meneer.' Hij draait zijn hoofd opzij alsof hij luistert, terwijl hij zijn hand beweegt en op verschillende plaatsen op het been drukt. Achter hem hangt een mededelingenbord met posters en handgeschreven boodschappen en, daaronder, een houten rek voor brochures en folders. Er zit een scheur in mijn broek, net onder de knie, een L-vormige flap met een donkere vlek eromheen. 'Rol die pijp anders effe op,' zegt hij, 'dan kennen we het beter zien.'

Hij lijkt te weten waar hij mee bezig is, dus trek ik de pijp op tot aan mijn dij.

'We hebben zo wat ijs nodig, Josie,' zegt hij, 'als je d'r effe tijd voor heb. Doe het maar in een theedoek, als je wil.'

Hij betast het kniegewricht zachtjes met de ruwe kussentjes van zijn vingers. Ik adem scherp in als hij de wond aanraakt. 'Ik heb eerste hulp gedaan in het leger. Dit heb niks te betekenen voor mijn. Ik heb de dood van dichtbij gezien.'

'Dus je bent soldaat geweest.'

'Ik ben marinier geweest. Trots om mijn land te dienen. Ik heb mensen doodgeschoten en daar ben ik niet blij om. Ik wist wel dat het moslims waren, maar toch had ik veel liever hun ziel gered en hun hun leven laten leiden ter ere van de almachtige God.'

En ik realiseer me dat ik niet goed heb opgelet. Thuis zou ik er niet zo lang over hebben gedaan. 'Je bent een christen.'

'Jawel, meneer, ik geloof dat ik dat ben – een christen volgens de Bijbel.' Hij glimlacht naar me en zijn ogen zijn gretig en levendig.

'En dit hier...?'

'Josie's?' Hij wringt een doek uit boven de teil en drukt die tegen de snee. 'Josie's is een oase in de woestijn.'

'God zegene je, Wyman.' Josie zet een eerstehulpdoos op tafel en legt er een met ijs gevulde theedoek naast. Ze glimlacht naar me, met haar hand op Wymans schouder, en keert dan terug naar de bar. En nu pas stem ik af op het nummer dat al sinds ik ben gaan zitten te horen is, de gloedvolle stemmen, de stichtelijke woorden: *Als bliksem zo ontzaglijk, wil ik dat gij mij treft, versla me, Heer, vernietig me, opdat uw liefde mij verheft.*

'Mag ik je vragen, David, of je het nieuws van je verlossing al hebt gelezen?'

En achter Wymans hoofd zie ik nu ook pas om wat voor folders het gaat – *De ontkenning van Christus: De wereldlijke samenzwering, Zeven leugens van de homo-levensstijl, De mythe van de evolutie.*

Niet dat ik niet bekend ben met dit soort materiaal – ik kom voortdurend evangelisten tegen, dat is een beroepsrisico – maar doorgaans niet in een dergelijke verpakking. 'Ja, ik heb de Bijbel gelezen,' zeg ik, 'ik ben er zelfs aardig vertrouwd mee, om je de waarheid te zeggen.'

Hij fluit alsof ik iets indrukwekkends heb gezegd en dan komt er een grijns op zijn gezicht. 'Zou je jezelf lauw noemen, David? Ik wel, ik zou je zeker lauw noemen.'

'Lauw?'

'Noch koud noch heet. Zodan omdat gij lauw zijt, noch koud noch heet, ik zal u uit mijn mond spuwen, jawel, meneer.'

Mijn oog valt op *De verlossing leer je thuis* en *Bent u klaar voor het Laatste Oordeel?* 'Ah, ja, ik snap wat je bedoelt. De Openbaring, hoofdstuk drie, vers... hoeveel? Ergens tegen het einde.'

'Openbaring, drie, zestien.' Hij plakt een pleister over de snee. 'Dus je heb de Bijbel gelezen. En je ben op de loop, buiten door de duisternis. Wat zou ik die twee punten graag met elkaar verbinden.'

'Nou, nee dank je. Ik bedoel, het is erg aardig van je dat je zo goed voor me zorgt, maar ik heb nogal veel aan mijn hoofd, en ik vrees dat ik niet erg... ontvankelijk zal blijken.'

'Steenachtige grond?' Hij pakt de losse randen van de theedoek bij elkaar en slaat het ijs tegen de tafel. 'Ik denk 't niet. Verstikt door doornen, misschien. Wat voor doornen zouden dat zijn, vraag ik me af?'

'Mattheus, de parabel van de zaaier.'

'Hou hem tegen je knie.' Hij legt mijn hand op de doek met ijs. 'En niet ophouen met drukken tot ik het zeg. Dat voelt goed, hè?'

'Heerlijk, dank je.'

'Hoe komt het dat je de Bijbel wel ken, David, maar de waarheid niet ter harte heb genomen?'

Dit helpt niet echt tegen mijn ongerustheid. 'Weet je, Wyman, dit gesprek gaat echt niet plaatsvinden. Ik ben dankbaar voor de koffie en de eerste hulp, maar als je gaat proberen om mij te bekeren, ben ik bang dat ik gewoon naar buiten loop.'

'David.' Hij kijkt me recht in de ogen. 'Dat respecteer ik.'

Als ik mijn koffie op heb en aanstalten maak om te vertrekken, biedt hij aan me te rijden. 'Ik moet toch naar me werk. Zo te horen lig je op mijn route.'

'Heb je nachtdienst?'

'Altijd als Satan dienst heb, heb ik ook dienst.'

De biljarters drukken me op het hart gauw beter te worden en goed op mezelf te passen. Het meisje bij het raam kijkt even op van haar bijbel met een verlegen glimlach. Josie zegt: 'Kom gauw nog maar eens langs,' en 'God zegene je.' De bikers stappen op hun motoren. 'God zegene je,' zeggen ze, terwijl ze hun jacks dichtritsen en de riempjes van hun helm straktrekken.

Wyman helpt me zijn truck in en geeft me de theedoek met ijs aan. 'Hou 'm er nog maar een minuut of tien op. Ik breng Josie d'r theedoek morgen wel terug.' De motor komt sputterend tot leven en we rijden de heuvel op.

'Hoe was dat,' vraag ik hem, 'om soldaat te zijn?'

'Het was niet enkelt maar mensen overhoopschieten,' zegt hij, 'en het was ook niet enkelt maar latrines schoonmaken. Ik heb een paar zielen voor Christus gewonnen. Ik ging d'r heen met een vracht bijbels en had haast niks meer over toen ik terugkwam. Jawel meneer, met een lichte bepakking en een lichte geest, al moesten er af en toe mensen doodgeschoten worden en zouden d'r op andere plekken nog meer doodgeschoten moeten worden waar we geen oog voor hebben. Toen verloor ik mijn voet, opgeblazen bij een zelfmoordaanslag. Dat was wel een tegenslag. Maar de Heer geeft, David, en het is aan Hem om het weer af te nemen. Ik zie het zo dat dit hele lichaam enkelt geleend is, net als ieder goed ding waar ik in dit leven van geniet. Allemaal enkelt gekregen op Gods krediet. En dat is de enigste bank die altijd pal achter je blijft staan.'

We kronkelen omhoog, terug naar de bredere weg, de meer welvarende huizen, en ik ben blij dat ik Wyman niet hoef aan te kijken als hij zijn kleffe, huiveringwekkende verhaal doet.

'Toen ben ik dus bij SSC gegaan, dat zijn de Stadssoldaten voor Christus, en kwam hier naar Orange Country en vandaar naar LA. Want hier, op Amerikaanse bodem, valt een veel grotere slag te winnen, een strijd op leven en dood voor de ziel van onze natie en nergens meer dan in deze stad hier. Dit is Babylon, mijn vriend, dit is centraal station zonde. En als je niet gelooft in Satan en de duivels uit de hel, dan kijk je niet uit je doppen. Daarbeneden, in Hollywood, met z'n hoeren en z'n dronkaards en z'n drugs en z'n piercings en z'n tatoeages, daarbeneden in de homobars en de striptenten, daar is een lift met airco recht naar de bodemloze put. Zonde, ik weet er alles van af, jawel meneer, ik wel. Voordat God me vond, had je nog nooit zo'n zondaar gezien als mij, met me drinken en hoereren. Ik gebruikte iedere vloek die er maar bestaat en verzon d'r zelf nog een paar bij, en elke keer als ik de naam van Jezus ijdel gebruikte, spuugde ik in zijn wonden. Je ken me niks over zonden vertellen wat ik niet allang weet. Maar daarbeneden in Hollywood branden de stoepen van het lijden van Christus, de neonlichten staan in vuur en vlam van zijn kwelling.'

'En daar ga je nu naartoe?'

'Naar de synagogen van Satan, mijn vriend, om de zondaars te confronteren met de vurige liefde van God.'

'Nou, bedankt dat je niet geprobeerd hebt míj te bekeren. Ik kan me voorstellen dat je knap angstaanjagend bent als je op dreef komt.'

Hij grijnst. 'Volgens mijn ben je d'r nog niet klaar voor. Ik vond je op je knieën. Als je echt aan de grond zit en finaal buiten westen bent, is d'r , denk ik, nog tijd genoeg. En als het zover komt, dan weet je dat het Gods werk is. En ik hoop dat ik d'r dan ben om te zorgen dat je ziel wordt gered voor Jezus, jawel meneer.'

En ik hoop dat ik, als ik ooit ergens finaal buiten westen lig, niet ook nog Wyman op mijn dak krijg. Ik ben blij als ik de brievenbus van Max zie, en ik wijs Wyman waar hij moet stoppen. 'Bedankt voor de lift. En bedankt voor het oplappen.' Ik klim uit de pick-up en zorg dat ik op mijn goede been terechtkom. Ik schud het ijs in de berm en geef Wyman de theedoek terug.

'Er is nog één ding wat ik wil zeggen, David aan de haak. Ik hoorde wel wat je zei, daarstraks, op straat bij Josie's, over je vrouw en d'r Hollywood-producervriendjes. Ik zeg niet dat ik weet wat je dwarszit. Maar je heb de Bijbel gelezen, David. Je weet dat God wil dat je heerschappij heb over je vrouw.'

'Ben je getrouwd, Wyman?'

'Die zegen heb ik niet.'

'Heb je een vriendin?'

'Zie je dit?' Hij trekt een dun kettinkje uit zijn hemd. Er hangt een zilveren ring aan. 'Het is mijn beloftering. Om me d'r aan te herinneren dat ik geen vrouw aanraak, niet naar een vrouw kijk met begeerte in mijn hart, geen zondige handen aan mezelf sla, tot aan mijn huwelijksnacht, als het de Heer behaagt om me met een vrouw te zegenen.'

'Het huwelijk bestaat uit compromissen sluiten, Wyman. Soms bestaat het uit ingewikkelde onderhandelingen ten behoeve van wederzijdse overleving.'

'Noch koud, noch heet, David aan de haak, noch koud, noch heet.' Hij grijnst, toetert en rijdt weg.

Er komt muziek uit het huis, maar de meeste auto's zijn al weg.

'Lang zal het niet duren.' Amir Kadivar staat in de schaduw

van de struiken onder aan de oprit. 'Ze zorgt dat je je uniek voelt, maar het is niet meer dan een spelletje.' Zijn stem is luid en heeft een soort wilde energie die ik er niet eerder in heb gehoord. Even denk ik dat hij het over Rebecca heeft. Dan herinner ik me zijn ruzie met Frankie in de badkamer. 'Ze verneukt je, want bij haar speelt alles zich alleen maar af in de hersens.' Hij doet een paar stappen in mijn richting. 'Ze neukt je hersens. Ze zal je verleiden, David Parker uit Tufnell Park, en je laten staan met je pik uit je broek.' Bij die laatste zin draait hij zich om en hij roept hem in de richting van het huis. Er verschijnt een ruitvormig stukje licht in het raam bij de buren als iemand de jaloezieën uit elkaar trekt, en ik zie een paar ogen naar buiten kijken.

'Ik kan maar beter naar binnen gaan. Het ziet ernaar uit dat het feest op zijn eind loopt.'

'Het feest is nooit begonnen.' Hij lacht hijgerig en onregelmatig. 'Ik had het kunnen afleiden uit al die ingewikkelde, hypertheoretische lulkoek die ze uitsloeg. Weet je iets af van Perzische miniaturen?'

'Niet veel.'

'Van een schoonheid zo bedwelmend dat je ervoor op je knieën zou gaan. En weet je hoe die hardvochtige teef haar tijd doorbrengt? Ze deconstrueert stukjes derderangs fotojournalistiek. Als je te lang bij haar in de buurt blijft, deconstrueert ze jou.'

'Wat heb ik daarmee te maken?'

'Ik heb gezien hoe ze naar je kijkt. Iedereen ziet dat jij de aanstaande attractie bent. Verwacht alleen niet dat ze er is als je komt.' Hij lacht steeds moeizamer. Er klinkt een naar piepend gerasp in door. Dan trekt hij zijn schouders op alsof het een fysieke inspanning is om lucht in zijn longen te krijgen. Hij tast rond in de zak van zijn colbert en ademt met korte, kleine hijggeluidjes. Hij haalt een inhalator tevoorschijn en zet die begerig aan zijn mond. Hij strekt een hand uit en grijpt mijn arm vast. Ik houd hem staande en hij leunt naar me toe, voorovergebogen, terwijl zijn schouders omhooggaan als hij de lucht naar binnen zuigt.

'Heb je iets nodig?' vraag ik. 'Kan ik iets doen om te helpen?'

Amir schudt het hoofd. Hij ademt nu wat makkelijker en blijft zich aan me vasthouden met zijn inhalator nog steeds in de hand. 'Het gaat zo wel weer,' zegt hij. 'Je kunt maar beter teruggaan naar de meisjes. Geef de professor een kus van me. Als je ooit zo dicht bij haar in de buurt komt.'

12

'Schuif 'ns op.'

Nog voordat ik helemaal wakker ben, ben ik me bewust van het zich verplaatsende gewicht op de matras en het gekraak van het bed. Ik houd van de warmte van Rebecca's lichaam naast me. In mijn droom waren we aan het ruziën. Het appartement was van boven open en zo groot als een weiland. Het beekje dat erdoorheen stroomde, zwol aan tot een wilde rivier. Zij zat aan de ene kant aan haar bureau. Ik stond aan de andere kant aan het aanrecht. En de brug tussen ons in schommelde en kraakte toen ik er mijn voet op zette. Ik stond naar haar te roepen, maar ze kon me niet horen. En nu ligt ze hier, naast me.

'Hoe laat is het?'

'Kwart over drie.'

Het is middag. Het zonlicht valt langs de randen van de jaloezieën in oogverblindende stralen de kamer in en sijpelt vanuit de gang onder de deur door. Ik lig volledig gekleed boven op het dekbed. Ik laat mijn ogen weer dichtvallen, hoor het geluid van mijn eigen ademhaling, hoog achter in mijn mond, ervaar mijn tong als een belemmering.

Rebecca trekt zich dichter naar me toe.

Ik beweeg mijn lippen om te praten. 'Moet in slaap zijn gesukkeld.'

'Je hoeft nergens voor op te staan.' Ze streelt mijn gezicht. Haar vingers gaan zachtjes over de blauwe plek. 'Het is nog steeds dik,' zegt ze. Ik ruik haar handcrème. Haar adem is warm tegen mijn hals.

'Ik zou eens iets moeten doen.'

'Je hebt al wat gedaan, weet je nog? Je hebt schoongemaakt, bent naar de wasserette geweest, hebt de ramen gelapt en de garage aangeveegd. Je zou wat vaker een dreun op je kop moeten krijgen.'

'Erg grappig.'

'En toen ben je gaan liggen om de krant te lezen.'

Ze maakt geen melding van het eerste klusje dat ik die dag heb geklaard, namelijk het verwijderen van drie tapes uit de kofferbak van de auto, voordat ze wakker werd. De rest was alleen maar tijd vullen – ongerustheid bestrijden – tot ik een kans krijg om ze te bekijken.

'En wat heb jij zoal gedaan?'

'Ik heb die stapel essays nagekeken.' Ze kust me op mijn voorhoofd. 'Laten we proberen er een leuk weekend van te maken. Ik moet alleen wat eten organiseren voor vanavond.'

'Wat is er vanavond?'

'Het is gewoon zo'n bijeenkomst waar iedereen voor het avondeten wat knabbelt van wat iedereen ook maar heeft meegebracht. We hebben nog zeker een uur voordat we moeten gaan.'

'Gaan we naar een feestje?'

'Die geldinzameling van de burgerrechtenbeweging, weet je nog? Het staat op de kalender.'

'O, dat.' Ik kan het me niet herinneren, maar dat wil niet zeggen dat ze het me niet verteld heeft.

Buiten op straat is iets aan de hand. Sirenes naderen, gillend boven het geluid van het verkeer uit, en dan zomaar uit het niets het geratel van een helikopter.

'Waarom ben ik zo moe?'

'Waarschijnlijk omdat je de halve nacht op bent geweest.'

'Heb ik je wakker gemaakt?'

'Even maar.' Ze schuift een stukje opzij zodat ze mijn gezicht kan zien. Met haar vrije hand houdt ze haar haar uit haar gezicht. De rimpels hebben zich verzameld rond haar ogen. 'Is alles goed met ons?'

'Ik hoop het.'

De helikopter klinkt dichtbij. Er moet een ongeluk zijn gebeurd, een kettingbotsing, iets met nieuwswaarde. Of ze zoeken iemand.

Ze zucht en laat haar hoofd op mijn borst zakken. Lekker gevoel als ze zo op me rust, haar handen die me aanraken door mijn hemd en onder mijn hemd. Alles is dus kennelijk goed met ons. Dat kan niet anders. De tape is niets, een andere Becks. Tenzij ze nog even wacht met het slechte nieuws, de klap minder hard wil laten aankomen. Ze gaat met haar hand over mijn heup, omlaag tot aan de knie en komt tussen mijn benen weer terug omhoog. Ik rol naar haar toe. Ik strijk haar haar opzij en kus de zachte donzige plek hoog in haar hals, onder haar oor, dan de rand van haar mond, dan haar mond, die naar lippenbalsem en appel smaakt. Haar benen zijn warm. Ze heeft een zwarte katoenen broek aan die tot halverwege de kuit reikt. Boven haar heup, onbedekt nu bij haar middel waar haar blouse is losgeraakt, is de zachte uitstulping van haar middenrif en nog weer hoger de verbreding van de ribbenkast en de spieren. Haar dij maakt plaats voor zichzelf tussen mijn dijen. En als ik ophoud met kijken, vallen gedachten in stukjes uit elkaar. Ik heb een allesoverheersende gewaarwording van hoe haar hele lichaam me omhult. Mijn mond zakt omlaag naar haar hals, naar de ronding van haar schouder, naar de warme, zachte kussens van haar borsten, die omhoog en omlaag gaan onder een dubbele laag stof met ribbeltjes erin van naadjes en stiksels.

'Laten we vanavond vroeg naar bed gaan,' zegt ze met een wat haperende ademhaling.

'Waarom zouden we wachten?'

Ik til de blouse omhoog over haar buik en kus haar daar waar het vlees kneedbaar is, terwijl haar handen boven mijn hoofd met de knopen frommelen. Heerlijk vind ik dit. We vinden het allebei heerlijk. Waarom is dat zo moeilijk te onthouden? Ik word me bewust van het geluid van een telefoon. Tegen de tijd dat het tot mij is doorgedrongen, maakt Rebecca zich al van me los.

'Het is vast niets,' zeg ik. 'Het is vast het waterbedrijf dat ons beter water wil aanbieden.'

'Het is mijn mobiel.' Ze zit rechtop met de telefoon aan haar oor, glimlacht, zegt hallo, terwijl ze haar blouse omlaag trekt, haar broek weer goed doet, haar haar in model duwt. 'Het gaat goed met hem,' zegt ze. 'Het is Frankie,' zegt ze tegen mij. 'Wil weten hoe het met je gaat. Ja... ja, weet ik.' Ze heeft het weer tegen Frankie. 'Nog beurs en moe, geloof ik, maar verder wel goed.'

'Zeg dat we bezig zijn. Zet hem uit. Mensen horen ons niet te bellen als we aan het vrijen zijn. Wat denken ze wel?'

Ze luistert niet naar mij. Haar gezicht is betrokken. 'O, nee. Wat staat er nu dan weer?' Ze zoekt mijn hand, die op haar been ligt en grijpt hem afwezig beet. 'Maar gaat het wel met hem? Hebben jullie het al aan de politie laten weten?' Ze zit een tijdje te luisteren, te knikken, meelevende geluidjes te maken. Dan zegt ze oké en doei en tot straks en klikt de telefoon dicht.

'Wat is er?'

'Er is geen andere God dan God.'

'Belde ze om je dat te vertellen?' Ik strek mijn andere hand uit en houd haar vast rond haar middel. 'Daar gaan nu al eeuwenlang geruchten over.'

'Dat was een sms'je aan Max. Meer stond er niet in.' Ze bijt op haar lip. 'Ik hoop dat hij het serieus neemt.'

'Dat hij zijn afgoderij eraan geeft, bedoel je?'

'Het is niet grappig, David.'

'Kennelijk niet.'

'Wat me er trouwens aan doet denken,' ze kijkt op haar horloge, 'dat ik nog iets voor Laura moet kopen. Die is morgen jarig.'

'Wie is Laura?'

'Je weet wel – Laura. Laura van Frankie.'

'Ga je een cadeautje voor haar kopen?'

'Ik dacht iets van knutselspulletjes. Dat vindt ze fantastisch. Als ik nu ga, kan ik dat nog doen en meteen eten inslaan.'

'Maar je ziet Frankie pas maandag weer.'

'Ze is er vanavond ook.'

'Moeten we er daarom heen?'

'We gaan erheen omdat het een goed doel is.'

'Het wemelt van de goede doelen.'

Ze leunt naar voren en kust me. 'We kunnen nog steeds vroeg naar bed gaan.'

'En komt Max ook?'

'Je, waarschijnlijk wel. Ik weet het niet. Doet dat ertoe?'

'Zeg jij het maar.'

Ze gaat overeind zitten met haar gezicht naar het raam. 'Wat is dat toch met jou en Max? Gaat het nog steeds over die stomme documentaire?'

'Dus je bent het met me eens dat hij stom is.'

'Het is televisie, David. Dat is een hondenvoerfabriek.' Ze trekt haar schoenen aan, borstelt haar haar. 'Wat je er ook in stopt, het komt eruit als hondenvoer. Sinds wanneer interesseert je dat zoveel?'

'Sinds jij de publiciteit bent gaan verzorgen voor Max.' Dit was ik helemaal niet van plan – totaal zinloos dat gekat.

'Het was goedkope uitbuiting – nou goed?' Ze staat op. Ze begint dingen uit haar handtas te halen en op het bed te leggen. 'Dat vond ik ervan. Het was teleurstellend. Maar aangezien televisie nu eenmaal zo werkt, valt er misschien niets beters van te maken. De vrouwen waren treurig en zwak en misleid. Maar ze waren in elk geval beter dan de mannen. De mannen waren meelijwekkend.' Ze heeft haar sleutels gevonden onder in haar handtas en is begonnen alles er weer in te proppen. 'Daardoor werd het eigenlijk nog goedgemaakt, doordat het uiteindelijk de mannen in het nauw dreef, de hoerenlopers en de managers en de vriendjes en al die andere viespeuken. Alle mannen. Je had moeten blijven tot dat kwam.'

'Je was zelf de helft van de tijd in de tuin.'

'Ik was vijf minuten in de tuin met Frankie. Ik ben niet aan de wandel gegaan en in een knokpartij terechtgekomen.'

'Ik ben gevallen – dat zei ik toch.'

'Ja hoor, en gered door christenen.'

'Niet gered! In godsnaam, ik hoop dat ik niet meer te redden bén.'

Daar moet ze om glimlachen. Scepsis hebben we tenminste nog gemeen. 'Geholpen dan. Hoor eens, ik weet dat dit voor jou allemaal niet bijster is uitgepakt en het spijt me dat ik je hier mee naartoe heb gesleept.' Ze gaat op het bed zitten en pakt mijn hand vast. 'Maar kun je niet gewoon proberen er het beste van te maken?'

'Ik zal eens zien wat ik eraan kan doen.' Ik zeg het zonder overtuiging.

'Ik moet nu eerst naar de winkels. Zorg je dat je om halfvijf klaar bent om te vertrekken?'

'Ja hoor.'

'Halfvijf, dus.' Ze kijkt even naar me vanuit de deuropening. Ze maakt zich zorgen om me, dat zie ik – mijn afstandelijkheid is voor haar erger dan mijn boosheid. Ik hoor de voordeur dichtgaan, haar voetstappen op de betonnen trap en de auto die achteruit de straat in rijdt. We hebben problemen, dat is duidelijk. Maar hoe erg zijn die, en van welke soort?

Ik sta op en zet een kop koffie voor mezelf waarmee ik terug de slaapkamer in ga, omdat daar de televisie staat. De tapes liggen in mijn sokkenla onder mijn sokken. Ik sta op het punt om de Becks-tape in de videorecorder te stoppen. Ik heb hem al uit het doosje gehaald. Maar ik bedenk me en stop Nat erin. Ik pak de afstandsbediening en ga aan het bureau zitten.

Er zijn geen titels, alleen een waas van horizontale strepen en vervolgens Natalie die voor een bed staat. Ik herinner me de slaapkamer van gisteravond, toen ik op zoek was naar het kantoor van Max. Natalie heeft haar operettejurk aan, de jurk die ze aanhad toen ze dansend in de golven stierf. Zonder de dans of de oceaanbries om er leven in te blazen, hangt hij vormeloos omlaag van haar schouders. Ze kijkt opzij, bijna in de richting van de camera. Ze trekt het lint in haar haar strakker, tilt haar kin op en zuigt haar wangen naar binnen. Ze is alleen en bekijkt haar profiel in een spiegel. Er staat Zuid-Amerikaanse jazz op, vermoedelijk de keus van Max. Ze trekt de voorkant van de jurk omhoog, houdt hem bijeengefrommeld rond haar middel vast en begint met haar vinger in haar buik en haar dijen te prikken en in de uitgeteerde spieren te knijpen. Het is pijnlijk om haar zo onbedekt te bekijken, terwijl ze zo weinig plezier beleeft aan haar eigen spiegelbeeld.

Er klinkt een geluid uit een andere kamer en ze laat de rok omlaag vallen en strijkt de stof glad over haar magere gestalte. 'Ha, schat,' zegt ze en Max komt in beeld, loopt op blote voeten van de camera vandaan in een zwarte zijden kamerjas. Hij heeft een champagnefles en twee glazen in zijn handen. 'Waar was je naartoe?' 'Ik vind dat we iets te vieren hebben,' zegt hij. 'Wat ben je toch lief,' zegt ze. Ze kust hem en even zijn alleen haar knokige armen te zien die zich aan hem vastklampen, haar vingers in zijn haar en de zwarte zijde van zijn kamerjas. Met de fles nog steeds in de ene hand en de twee glazen rinkelend in de andere, tilt hij haar armen uit zijn nek en loopt langs haar naar het bed. Hij draait zich om, vult de glazen en geeft er eentje aan haar. Ik zie dat de fles slechts half vol is. Hij is overgebleven van een of ander feestje. Als Natalie het al opmerkt, zegt ze er niets over. Ik krijg zin om hem een klap op zijn bek te geven als ik hem zo zelfverzekerd zie. Zij is natuurlijk met heel iets anders bezig. Dat snap ik even later, als ze een pirouette draait door de kamer, met haar rug naar hem toe stilhoudt en haar mondvol terug in het glas laat lopen, voordat ze het lint uit haar haar trekt en het losschudt. Hij heeft ondertussen zijn eigen glas opnieuw gevuld en de fles op het nachtkastje gezet. Met zijn vrije hand trekt hij de ceintuur van zijn kamerjas los en laat die kronkelend op de grond vallen. En ik zie dat ook hij met iets heel anders bezig is. Hij weet waar de camera is. Hij weet naar welke kant hij moet kijken als hij de hoofdattractie onthult. Hij is imposant gespierd, egaal gebruind met dik zwart haar op zijn borstkas en rond zijn pik en een zelfverzekerd klein buikje, het buikje van een man die weet wat hij waard is. Ik vind het net kleding, net een harnas, al die spieren, al die door de zon verweerde, door de zonnebank gebruinde huid, als boomschors, als slangenhuid. Op een of andere manier ziet hij er minder naakt uit dan een naakte man er zou mogen uitzien. Naast hem ziet Natalie er zelfs met haar kleren aan te naakt uit. Hij is niet bijzonder lang, zijn pik, nu ik het toch over zijn pik heb, ook al zwelt hij op terwijl ik ernaar kijk, maar hij is wel dik, dat moet ik zeggen. Ik vraag me af of Rebecca zich al genoodzaakt heeft gezien er iets over te moeten zeggen.

Ik schud grommend mijn hoofd om die gedachte te verdrijven. Ik zal het snel genoeg weten van Rebecca. Dit gaat om Natalie. En terwijl ik dat denk, vraag ik me af of het wel klopt. Waar gaat dit eigenlijk om? Ik heb de tape gevonden op de plek die Natalie heeft beschreven. De identiteit van Rochester is zonder enige twijfel vastgesteld. Heb ik eigenlijk wel het recht om nog meer dingen te ontdekken dan dat wat ik al ontdekt heb? Hij zit nu, en zij knielt over hem heen, en hij trekt de jurk omhoog over haar magere lichaam, over haar hoofd, maakt hem los uit haar haar, en verder is het alleen nog wie wat met wie doet. Zou ik kunnen zeggen dat ik dit bekijk voor Jake, dat ik de Bewust Onbeschonken Bezichter ben? Dat ik tegen hem kan zeggen: nergens voor nodig dat je ernaar kijkt, Jake. Het is niet meer en niet minder dan wat je zou verwachten. Het is wat het is. Niks bijzonder wreeds, behalve dan dat Max, als Narcissus, naar zichzelf kijkt, terwijl Natalie, onopgemerkt, steeds kleiner wordt. We hebben het gestolen beeld teruggevorderd, jij en ik samen, en nu kunnen we het wissen en hebben we onze plicht aan de dode vervuld. Dat zou ik kunnen zeggen. Het is een verhaal dat ik mezelf zou kunnen vertellen en het is misschien half waar. In plaats daarvan merk ik dat ik om een of andere reden een citaat van de apostel Paulus in mijn hoofd heb en me aan de woorden vasthoud als aan een talisman. *Al wat waarachtig is, al wat eerlijk is, al wat rechtvaardig is, al wat rein is...* Ik druk op de ejectknop en de tape springt naar buiten. *Al wat lieflijk is, al wat wel luidt...* Een bink met een wasbord demonstreert een trainingsapparaat. *Zo er enige deugd is, en zo er enige lof is, bedenk datzelve.* 'Slechts vijf minuten per dag,' zegt de bink, 'om je dijspieren te ontwikkelen.' Achter hem zijn drie modellen in lycra druk bezig met ontwikkelen.

Ik pak de tape met de naam Evie. Ik weet niet meer waarom ik hem heb meegenomen en ik kan geen goede reden verzinnen om hem te bekijken, maar ik stop hem er toch in. Ik weet wat ik aan het doen ben. Ik bewaar Becks tot het laatst. Evie dient als adempauze om bij te komen van Natalie, en voordat ik geconfronteerd word met wat het dan ook is waarmee ik geconfronteerd ga worden. Ik heb geen speciaal gevoel bij Evie. Ik heb me haar mollig en onbeholpen voorgesteld, een beetje verliefd op Max en te verlegen om het te laten zien, afgezien van haar gezwoeg op die vervangende pion. Zodra de tape begint, zie ik hoe ik me door die naam heb laten misleiden. Evie heeft lang blond haar. Ze heeft een wijde angoratrui aan en niet veel meer. Ze gebruikt haar moment alleen om haar benen in te smeren met lotion. Ik heb zo de indruk dat haar dijspieren, mocht ze die onthullen, aardig ontwikkeld zullen blijken te zijn. 'Oké, Max,' zegt ze, 'schiet 'ns op nou.' Het accent verrast me ook. Ze komt uit Oost-Europa. 'Wat ben je aan het doen, Max? Je Viagra aan het innemen? Misschien moet je hem oppompen als een oude man?' En haar naam is vast Eva. Evie is alleen de gemaxificeerde versie, het maxwelliaanse verkleinwoord.

Max heeft iets op haar geplaag geantwoord wat haar aan het lachen maakt. Het is een bestudeerd lachje waarbij ze erg met haar haar moet zwieren. En daar zul je hem hebben, met pornografische voorspelbaarheid in zijn zwarte zijden kamerjas. Ditmaal zien we hem van achteren als hij de zijde van zijn schouders, over zijn gebeeldhouwde billen, op de vloer laat glijden. Als hij op een reactie hoopte, moet hij teleurgesteld zijn geweest – toen hij de tape bekeek, of al op het moment zelf – want, terwijl de kamerjas valt, zien we Evie zichzelf even monsteren met een zijwaartse blik in de spiegel. 'Ga nu maar braaf liggen,' zegt ze, 'en doe wat ik zeg.' En in één soepele, katachtige beweging gaat ze staan, duwt hem op het bed en kruipt over hem heen. Dat heeft ze eerder gedaan. Zelfs als ze niet weet dat er een camera is, acteert ze alsof die er best wel zou kúnnen zijn. Ik spoel de band terug en kijk hoe ze achterwaarts overeind kronkelt en Max achter zich aan omhoogtrekt aan haar handpalm. Ik druk op play en daar is dat duwtje weer, datzelfde roofdierachtige kruipen. Ik spoel terug en speel het weer af en kijk naar haar lenige bewegingen en de trui die omhoogschuift als ze vooroverleunt om over het bed te klauteren. Er is daar absoluut iets. Nog één keer en ik weet het zeker. Boven haar stuitje zit een tatoeage. Die heb ik eerder gezien. Het is een vliegende zwaluw. Evie is de tweede stripper uit de documentaire van Max, en voor de privévoorstelling is ze niet onherkenbaar gemaakt. *Ik werk met mijn handen*, zei ze in de film. *En dat is niet grappig, trouwens.*

Ik stop de tape. Ze is te goed in waar ze mee bezig is. Ik wil absoluut niet opgegeild worden door de persoonlijke pionmaker van Max.

Er zitten mannen in pakken tegen elkaar te schreeuwen in een televisiestudio. 'Mel, Mel,' zegt een van hen, 'dat hebben we allemaal al eerder gehoord. Wanneer gaat deze regering... Nee, Mel, jij hebt je zegje gedaan. Wanneer gaan ze nou eindelijk 'ns doorkrijgen dat wát Amerika ook doet voor de wereld, de wereld daarvoor geen greintje dankbaarheid zal tonen? Ze krijgen de democratie op een bordje voorgeschoteld, krijgen de vrijheid aangeleverd tegen immense kosten voor ons en helemaal gratis voor hen. Heeft het Amerikaanse volk niet 'ns wat rust verdiend?'

En min of meer tegelijkertijd zegt de ander: 'Tuurlijk heb je het allemaal al eerder gehoord, Harry, en je zult het allemaal nog eens horen, want je enige antwoord... omdat je nooit luistert, net zoals je nu weer niet luistert. Jouw enige antwoord, Harry, is wegwezen daar. Geef het nou maar toe, jij zou Hitler gewoon de bal hebben toegespeeld.'

Ik druk het geluid weg en kijk een tijdje naar de mondbewegingen van Mel en Harry. Mijn koffie is koud. Ik heb zin in een borrel maar ik wil mijn hoofd helder houden. Ik weet niet wat ik nog zal moeten incasseren. Ik voel nu al de wanhopige melancholie van de voyeur.

Mijn hart gaat tekeer als ik de laatste tape in de recorder stop. Mijn leven staat op het punt uit elkaar te vallen. Of niet. Ik heb het patroon gezien. Ik zal het binnen een paar seconden weten. Ik druk op play. Daar is het grijze horizontale waas, dan de bekende slaapkamer en het bed, maar geen mensen. Ze staat vast buiten het bereik van de camera, mijn Rebecca of die andere Rebecca. Ik doe mijn best om iets te horen, een of andere dialoog. Ik wacht maar er komt niets. Ik kijk naar een film van een lege slaapkamer en een leeg bed. Is dit een grap van Max, een meditatie op een onvervulde wens? Is dit de ruimte waarin hij Rebecca zou willen zien binnenkomen? Heeft Max kunstzinnige aspiraties? Ik voel mezelf licht worden van opluchting. Ik sta op het punt om de tape eruit te halen. Maar voor alle zekerheid spoel ik hem nog even snel vooruit. Een minuut of zo is er niets. Dan begint er iets te gebeuren. Ik herken Rebecca – de oude Rebecca met lang haar en haar rok tot net boven de knie, waardoor het gedateerd wordt. Ze staat met haar rug naar de camera en haar blouse gaat uit in snelle, stotterende bewegingen. Ze doet het met één hand omdat ze in de andere een sigaret heeft. Een sigaret? Ze heeft nooit gerookt. Ik druk op terugspoelen en kijk hoe ze razendsnel achteruitloopt, de blouse terug hijst over haar schouders, op de camera afkomt en uit het zicht verdwijnt. Ik druk op play. En daar komt ze weer, loopt op haar gemak van me vandaan, naar het bed, met in haar linkerhand een sigaret, haar rechterelleboog naar de zijkant uitgestoken, de onderarm omlaag, terwijl haar vingers ongezien de ene knoop na de andere losmaken. Ze beweegt goed. Er is een natuurlijke gratie in haar houding, in haar lopen. Dan, als alle knopen los zijn, trekt ze de blouse over haar rechterschouder omlaag en wurmt haar arm en hand eruit. Ze staat bij het bed. De blouse hangt van haar linkerschouder omlaag en de lege mouw reikt haast tot aan de zoom van haar rok. Het is geen sigaret, natuurlijk – het uiteinde is losser en pluiziger. Ze rookt een joint. De handen bewegen vóór haar en uit het zicht. De joint verschijnt weer in de rechterhand, terwijl de linker de blouse uit schudt die schemerend op de grond valt. Als ze zich omdraait en op het bed gaat zitten, bewegen haar borsten in haar bh en de vlezige bolling boven de tailleband wordt breder. En ik bedenk dat ik nog nooit zoiets moois heb gezien. En hoe kón ze? En waarom Max? Ze kijkt op met een verlegen glimlach. 'Ik weet niet of dit wel zo'n goed idee is.' Ze giechelt en brengt de joint naar haar lippen en de blik zegt: *Maar het is ook niet zo'n slecht idee.*

Er gaat een schaduw voor de camera langs. Ik kan de gedachte aan alweer Max in zijn ellendige zijden kamerjas, met zijn strakke billen en zijn harige rug, niet meer verdragen. Ik probeer de band stil te zetten, maar heb de afstandsbediening zo krampachtig vast, dat mijn vinger geen contact maakt met het drukknopje. Ik zit ermee te haspelen, terwijl de donkere vorm in de slaapkamer verhardt tot een menselijke vorm, en dan stopt de band. En zit ik naar een groep zwarte tieners te kijken die rondhangen op een straathoek en ik luister naar de stem van een verslaggever: '... waar het geweld van de gangs ieder moment kan losbarsten.' En daar is hij, roepend om boven het lawaai van het verkeer uit te komen. 'Was het een wraakactie, of een inwijding die vreselijk uit de hand liep? Misschien zullen we het nooit weten. Dit is Jeb Nordquist in Los Angeles-Zuid. Kimberly?' Terug in de studio kijkt Kimberly op van haar monitor. 'Bedankt, Jeb. Dat was Jeb Nordquist met een speciale reportage over minderhedengeweld.' Een ogenblik lang blijft ze in de camera kijken met de serieuze blik van een deelneemster aan de Miss Worldverkiezingen die verlangt naar wereldvrede, dan ontspant haar gezicht zich tot een glimlach. 'We hebben allemaal weleens gehoord van pratende chimpansees, maar wat dacht u van een vis met een wiskundeknobbel?'

De tv uitzetten lijkt net zo zinloos als hem niet uitzetten. Ik laat de beelden voor me langs flitsen. Ik kijk naar een reclame voor een of ander middeltje dat ervoor zorgt dat oude mensen kunnen windsurfen en stijldansen en paardrijden door het bos. Ze hebben allemaal grijze haren en zijn zongebruind, die oude mensen. Ze glimlachen allemaal en zijn allemaal getrouwd en niet eentje ziet er eenzaam uit. Ik kijk naar het weer. Daar gaan we een boel van krijgen, te oordelen naar de tijd die eraan gespendeerd wordt en de kwaliteit van de grafische voorstellingen. Horace de weerman loopt met grote stappen door een virtueel landschap en laat ons zien waar het heet en droog gaat worden en waar het nog heter en droger wordt. We mogen hoge golven verwachten langs de hele kust. Morgen wordt een fantastische dag voor de gezinsbarbecue. Afgezien van de wind. De wind zou nog weleens roet in het eten kunnen gooien – Santa Anas, kennelijk, die rechtstreeks uit de woestijn komt waaien. Dat betekent minder luchtverontreiniging, maar weinig of geen luchtvochtigheid, en als ik een voertuig bestuur met hoge zijkanten moet ik erg voorzichtig zijn.

Ik zet de televisie uit, pak de telefoon van het bureau en bel Astrid op. Ik krijg het antwoordapparaat, dus hang ik op. Ik wacht ongeveer twintig seconden en bel haar opnieuw. Ik zou iemand anders bellen als er iemand anders was die ik kon bellen. Ik stel me haar omzichtige vragen voor – *Hoe gaat het? Alles goed met je?* – om af te tasten hoe de dingen er tussen ons voor staan – zijn we nu minnaars, of eigenlijk al niets meer? Ik weet het niet, wil ik tegen haar zeggen, maar blijf alsjeblieft aan de telefoon.

Ze is buiten adem als ze opneemt. Tussen het gehijg door vertelt ze me dat ze aan het tennissen is met haar coach, BJ. 'Heb ik je al verteld over BJ? Geweldige vent. Hij heeft dat boek geschreven.'

'Over tennis?'

'Over alles. Het is nu al ongeveer dertig jaar de Bijbel voor alle coaches.'

'Tenniscoaches?'

'Coaches in het bedrijfsleven, coaches in het leven. *Succes in de praktijk* met B.J. Bradstock. Dat is de ondertitel.'

'En wat is de titel?'

‘*Over het net*. In het begin had ik niet eens door dat het over tennis ging. Ik kocht het omdat ik dacht dat het me zou helpen bij het zoeken op internet. Toen kwam ik BJ tegen.’

‘En nu is hij je tenniscoach.’

‘Hij is mijn alles-coach. Dat tennissen is alleen maar voor de lol.’

‘Voor hem of voor jou?’

‘Voor ons allebei, hoop ik.’

‘Je bent vast erg goed.’

‘Ben je mal. Hij is aan zijn knie geopereerd, heeft een kunstheup en een bypass. En hij maakt me nog steeds in.’

‘Dan moest je maar weer gauw gaan tennissen. Je hebt duidelijk nog wat coaching nodig.’

‘Gaat het wel goed met je, schat? Je klinkt nogal geïrriteerd.’

Ik ben opgelucht dat ze er net zo lustig op los babbelt als altijd. Haar vriendschap is wat ik nodig heb. Maar ik stel vast dat ik ook even iets van verlies voel. Ik dacht dat ík zo briljant was dat ze er versteld van stond, niet die ellendige B.J. Bradstock. ‘Heb je even?’

‘Lieverd, ik ben hier toch.’

‘Ik heb de tape gevonden.’

‘Niet ophangen.’ Ze praat tegen BJ, stelt voor dat ze even een pauze nemen. Er klinkt gekletter en achtergrondgeluid. Dan wordt het stil en ik hoor Astrid haar keel schrapen. ‘Je hebt hem gevonden?’

‘Ja.’

‘In het kantoor van Max?’ Ze praat nu zachter, houdt de telefoon dichter bij haar mond.

‘Ja, in een afgesloten kast, achter wat archiefdozen.’

‘Wauw, precies zoals Natalie beloofd had. Heb je hem bekeken?’

‘Genoeg.’

‘Eng zeker?’

'Ja. Ik ben er behoorlijk ondersteboven van. En van iets anders nog meer. Ik weet niet eens of ik je dit wel moet vertellen.'

'Ja zeg, dan moet je er niet over beginnen.'

'Moet je niet terug naar je tennis?'

'David, heb je nog plannen voor de rest van je leven?'

'Niet echt. Hoezo?'

'Omdat je waarschijnlijk dood zult zijn als je me niet vertelt wat je verder nog gevonden hebt, omdat ik je dan je kop heb ingeslagen.'

Ik lach en de korte ontspanning maakt een ruimte in me open die zich vult met ellende. 'Hij heeft nog meer tapes.'

'Als ik het niet dacht.'

'En op eentje staat Rebecca.'

'Rebecca wie?'

'Mijn vrouw Rebecca.'

'Staat zij op die tape?'

'Ze is de ster.'

'Heb je hem bekeken?'

'Genoeg ervan.'

'Je vrouw met Max? Jezus, hoe lang heeft de productie daarvan geduurd?'

'Ik weet het niet.' Er valt een stilte. Nu ik het haar heb verteld, weet ik niet wat er verder nog te zeggen valt. 'En we worden geacht vanavond naar een of andere bijeenkomst van de burgerrechtenbeweging te gaan. Ik weet niet of ik het aankan. Ik heb geen zin in burgerrechten.'

'Je hebt het er moeilijk mee, hè?'

'Knap moeilijk, ja.' Dit schiet niet op.

'Hoor eens, David, ik moet je iets vragen – om even orde op zaken te stellen, weet je wel? En omdat ik graag wil weten waar ik sta?'

Om een of andere reden verheug ik me niet op de vraag.

'Bel je me nou,' zegt Astrid, 'vanwege mij of vanwege haar?'

'Hoe bedoel je?'

'Denk eens na, David. Zo dom ben je nu ook weer niet.'

Mijn vermogen om haar versteld te doen staan, heeft een behoorlijke duikeling gemaakt – nog geen week geleden was ik een genie. 'Je hebt gelijk,' zeg ik, 'je hebt absoluut gelijk. Ik had niet moeten bellen.'

'Hé, nou niet meteen kriegel doen, ja?'

'Sorry. Echt, sorry als ik... kriegel klonk. Dat wilde ik niet...'

'Nou, oké dan... maar waarom heb je me nu gebeld?'

Er gaan flashbacks van Astrid door mijn hoofd, als een razendsnelle diavoorstelling. Astrids handen die me gaan wurgen, haar benen onder de omhooggaande zoom van de boerka, haar gezicht omlijst door zijde. En er is geluid bij – haar elektriserende gebabbel, dat heen en weer vonkt tussen zin en onzin en mijn eigen half ongelovige gelach. Ik herinner me de warmte van haar adem op mijn gezicht in het Bluegrass Café. Ik herinner me hoe ik haar kuste. Als ik haar wil, is dit het moment om het te zeggen. En wat zou er makkelijker zijn, nu overspel in de mode is? Behalve dan dat het verlangen opeens theoretisch lijkt. Ik kan me er niet op concentreren met Rebecca's verraad als een gewicht om mijn hals. 'Om je te laten weten dat ik Natalies tape had gevonden,' zeg ik. 'En ook denk ik om met je te praten... over Rebecca. Over het feit dat mijn vrouw met iemand anders slaapt – heeft geslapen. Ik wist niet wie ik anders moest bellen.'

Ik luister naar de stilte, terwijl zij dit tot zich door laat dringen. Dan zegt ze: 'Maar beste vrind, dat geeft toch niet? Ik zal mijn lijfknecht opdragen de champagne terug te zetten in de ijsemmer.'

Ik slaag erin een grommend lachje te laten horen. Ik mag er dan nog niet helemaal klaar voor zijn om de deur binnen te gaan, toch vind ik het afschuwelijk om hem te horen dichtslaan. 'Dat Engelse accent,' zeg ik, 'is echt opmerkelijk goed. Vind je het echt niet erg?'

'Hé, je bent heus niet de enige gegadigde, hoor...'

'Dit telefoontje, bedoel ik. Ik voel me nogal in het nauw gedreven.'

'Hou nou maar op met je te verontschuldigen. Jezus, David, als je moet praten, praat.'

Ditmaal lach ik spontaan, maar het is niet meer dan het geluid van mijn lichamelijke spanning die zich ontlaadt. En in de stilte die volgt zit ik alleen maar dom te staren naar hoe ongelukkig ik ben. Ik hoor Astrid ademen en dan, even later, gebeurt er iets anders – een nieuw soort geluid, alsof iemand het volume omhoog heeft gedraaid.

'Astrid, ben je er nog?'

'Tuurlijk, lieverd.'

'Ik dacht dat ik iets hoorde. Ik dacht dat je weg was.'

'Ik ga nergens naartoe.'

'Bedankt. Dat meen ik echt. Bedankt dat je alles zo ongelooflijk groothartig en kalm opneemt.'

'Je bent zelf ook behoorlijk ongelooflijk, David – attent en lief, weet je? Onthoud dat. Je verdient beter dan wat je krijgt in je huwelijk. Je moet voor jezelf opkomen.'

Ik bespeur de invloed van Bradstock in dit opbeurende praatje. Assertiviteitstraining is niet iets waar ik op dit moment op zit te wachten. Ik probeer er nog steeds achter te komen wat ik vind van die tape – Rebecca die zich uitkleedt voor Max, die high wordt met Max, die geneukt wordt door Max. 'Het punt is dat ik het gevoel heb dat ik het op een of andere manier zelf werkelijkheid heb gemaakt. Zoiets als wat Natalie zegt in haar dagboek – ik kan niet ongedaan maken wat ik weet, hoezeer ik dat ook zou willen. Ik heb gekeken en nu is het op een of andere manier onherroepelijk.'

'Zoals Schrödingers kat, bedoel je? Zolang je de doos niet openmaakt, kan hij zowel levend zijn als dood?'

'Misschien. Ik weet niet.'

‘Het universum heeft zich opgesplitst en jij bevindt je aan de verkeerde kant van de scheidslijn?’

‘God, ik weet zelf niet wat ik bedoel.’ Ik heb Astrid niet gebeld om over Schrödingers kat en de verdomde diverse parallelle universums te praten. Ik doe opnieuw een poging om uit te drukken wat er allemaal door mijn hoofd gaat. ‘Ik moet de hele tijd denken aan hoe open Rebecca en ik altijd tegenover elkaar zijn geweest. We zijn niet gewend aan dat stiekeme gedoe. Zoiets als dit is er nog nooit eerder geweest. Wat ik zei, dat ik wou dat ik er nooit naar gekeken had, dat is flauwekul. Ik moet de waarheid onder ogen zien. Wat er gebeurd is tussen jou en mij – ik kijk er nu op terug als een droom. Het was erg fijn, maar ik had geen aandacht voor wat ik had, en nu zou ik willen dat ik het nog had. Snap je een beetje wat ik bedoel?’

‘Elke dag is zijn eigen illusie, David. Vandaag is niet echter dan gisteren.’

‘Maar ik kan vandaag niet wissen, alleen omdat ik de voorkeur geef aan gisteren.’

‘Oké. Wil je weten wat ik denk? Je moet haar er gewoon mee confronteren. Misschien valt het wel mee. Vraag haar gewoon wat ze van plan is. Sla de bal in haar vak.’

‘Is dat het soort coaching dat je van je vriend BJ krijgt?’

‘Je zou er je voordeel mee kunnen doen. Hij zou je helpen inzien dat dit niet jouw schuld is. Niets maakt je zo machteloos als schuldgevoel. Zoek eerst eens uit hoe het met haar zit, en dan kun je misschien gaan uitzoeken hoe het met ons zit.’

De slaapkamerdeur gaat open en daar staat Rebecca met de keukentelefoon in haar hand. Ze ziet wit van woede.

Ik zeg tegen Astrid: ‘Ik kan maar beter ophangen.’

‘Gaat het wel?’

‘Met ons gaat het prima, dank je,’ zegt Rebecca, ‘maar nu hangen we op.’ Er klinkt een piepje en ze gooit de telefoon op het bed.

Ik sta op om de confrontatie aan te gaan. 'Je was aan het luisteren.'

'Ik dacht dat je misschien nog sliep.' Ze trilt van de inspanning om kalm te blijven. 'Ik wilde even controleren of er nog berichten waren.'

'Ik denk dat we moeten praten...'

'Nee, ik heb het allemaal uitstekend begrepen, dank je. Je vindt dat je beter verdient dan mij, nu je hebt ontdekt hoe ontzettend fijn je het kunt hebben met die opgetutte kleine mannennaaister, die zo groothartig is en alles – als ik het niet dacht. Ze is zelfs zo'n droom, dat je mij zou willen uitwissen, en misschien valt het allemaal wel mee als je het me rechtuit vertelt, want niets maakt zo machteloos als schuldgevoel. O ja, en je grote fout was dat stiekeme gedoe – dat heb je in ieder geval goed gezien, want jij hoeft niks meer stiekem te doen, vriend. En nu ga ik naar die geldinzameling, en jij mag doodvallen.'

En weg is ze. En ik sta hier en vraag me af wat er zo-even gebeurd is. Wat me ertoe brengt om achter haar aan te gaan, is wellicht de angst dat ze niet terugkomt. Of misschien ben ik gewoon te kwaad om het niet te doen. Ik zou graag wat van de dingen die ze zei tegen haar terug willen schreeuwen, willen zeggen *jij mag ook doodvallen*, willen zeggen dat Max zijn dikke kleine pik bij zich moet houden en *godverdomme uit mijn leven moet oprotten*. Misschien weet ik gewoon niet waar ik anders naartoe moet. Ik weet waar ik haar kan vinden, want ze heeft de folder op de eettafel laten liggen. Er staat een naam op – de Rosenberg Memorial Bibliotheek – met het adres en telefoonnummer.

Het duurt even voordat ik mijn portemonnee en mijn mobieltje heb gevonden. Ik was niet al te helder toen we gisteravond thuiskwamen. De portemonnee ligt op de salontafel. De telefoon ligt in de badkamer en moet waarschijnlijk nodig opgeladen worden, maar één keertje bellen zal nog wel lukken, als ik het niet vind.

De windgong van de buren klingelt toonloos. Een los deel van een houten omheining klappert tegen een stut. Beneden op straat voel ik het stof in mijn ogen en ik proef het op mijn tong. Ik stap in de auto en steek de sleutel in het contact. Ik kijk nog eens naar de folder. De Rosenberg Memorial Bibliotheek is in Los Angeles-Zuid. Daar hadden ze het net over in de televisiereportage van Jeb Nordquist – waar het geweld van gangs ieder moment kan losbarsten. Misschien worden we allemaal doodgeschoten. Dat zou een boel problemen oplossen.

13

Ik ben weggevlucht bij Frankie, die verbaasd was mij zonder Rebecca te zien arriveren. Ik had mijn vijfentwintig dollar gedoneerd en was net begonnen aan de rode wijn. Frankie stond daar met die blik waar ze zo goed in is – haar hoofd opzij en een opgetrokken wenkbrauw. 'Ach, je kent Rebecca,' zei ik tussen twee slokken door, wat absoluut geen antwoord was op wat ze me ook vroeg. Ik pakte nog een plastic glas en slenterde weg, tussen de boekenrekken door. Goddank dat er boeken zijn die het me mogelijk maken om met mijn gezicht naar de muur te gaan staan. Ik doe net of ik wat grasduin, terwijl ik overspoeld word door golven van paniek. En goddank dat er slecht verlichte gangetjes zijn tussen de rekken. Wat gebeurt er met me? Ik hou me vast aan een boekenplank terwijl ik gevoelens waarneem die ik associeer met angst of verdriet – een gevoel van misselijkheid in mijn onderbuik en maag, dat achter mijn ribben langs omhoogtrekt naar mijn keel. Een samentrekken van het middenrif waardoor ik krampachtig lucht naar binnen zuig – wat een tijd lang de enige ademhaling is waartoe ik in staat ben. Ik voel me gewichtloos. Er komt een gedachte bij me op die zich hecht aan het gevoel alsof ik boven de grond zweef: ik ken niemand, niemand kent mij. Behalve Rebecca, als ze komt. Rebecca kent mij. En het is daarom, neem ik aan, dat ik haar achterna ben gegaan. Ik drink en de wijn kalmeert me.

Een vrouw met een vriendelijk gezicht komt op me af, dus draai ik me om en blijf rondlopen. Ernstige linkse literatuur, ontdek ik, is waarin deze bibliotheek gespecialiseerd is; ernstig onder het stof, voor het grootste deel. Het trotskisme wordt aan de ene kant afgebakend door het marxisme-leninisme en aan de andere kant door het anarchosyndicalisme. Tussen de boeken staan pamfletten en kranten uit een tijd dat de arbeiders geacht werden zich te verenigen in de strijd en de verdrukten zich ieder moment zouden kunnen bevrijden van hun ketenen. Er zijn afdelingen over burgerrechten en nieuw links. Ik passeer een rij archiefkasten onder de noemer 'Oral History' en ontdek de wenteltrap naar de tussenverdieping.

Rebecca zou er ondertussen moeten zijn. Ze had hier eigenlijk al voor me moeten zijn. Misschien is ze verdwaald. Het is een deel van de stad dat we nog niet hebben gezien – een uitgebreide vlakte met goedkope huizen en hoofdstraten vol gebarricadeerde winkelpanden, waar deze bibliotheek als een betonnen bunker middenin staat. Normaal gesproken zou ze ervan uit zijn gegaan dat ik zou rijden, of zou navigeren terwijl zij reed, zo ver in oostelijke richting de stad en de smog in. Maar daar had ze dan maar aan moeten denken voordat ze zich aansloot bij de andere vrouwen op de lijst van Max. Max komt rechtstreeks van zijn werk, zegt Frankie. Misschien komen ze geen van beiden opdagen. Dan zal alles duidelijk zijn.

Vanaf het balkon kan ik zien wie er komt en gaat zonder met iemand te hoeven praten. Ik herken een paar gezichten van het faculteitsfeestje, maar niemand van de televisielui van gisteravond. Er zijn hier meer oude mensen, meer van het type onzichtbaar-niet-beeldschoon of eigenzinnig aantrekkelijk, minder strakgespannen gezichten en opgepompte lippen. Tussen de denim petten, de canvas jasjes en de overalls, de baarden, de buikjes, de kwabbige halzen en de grijze, kroezige haardossen bevinden zich uitbarstingen van kleur en niet bij elkaar passende mode. Ik vraag me af waar sommige van deze mensen vandaan zijn gekomen, de oudere, uitgezaktere. Ze lijken zo buitenlands in deze stad en deze tijd. De bibliothecaris heeft de archiefkast opengedaan en zij zijn uit het stof van hun eigen Oral History gestapt. De raciale verscheidenheid is ook vreemd. Ik bedoel niet de Aziaten of de elegant geklede Afro-Amerikanen, die zo zouden kunnen rondlopen op elk feestje van Max en Frankie. Het is het handjevol Mexicanen dat duidelijk maakt dat iedereen hier welkom is. Het valt me op hoe snel ik gewend ben geraakt aan hun alomtegenwoordigheid en hun anders zijn, deze bijrolacteurs in deze stad van sterren, de dienstmeiden, tuinmannen en hulpkelners, de dagloners die zich verzamelen bij de houthandels en de verhuisbedrijven van de Westside, die gehurkt de schaduw opzoeken van de muren en de eucalyptusbomen, de bouwvakkers in het uniform dat bij hun handwerk hoort, verfbespatte overalls en canvas gereedschapsriemen, die zich op de stoep rond de kantinewagen scharen. Ik ervaar dit nu al als een vorm van integratie, die Mexicaanse echtparen, mollig en glimlachend en op hun paasbest, die welkom worden geheten en in gebrekkig Spaans wijn aangeboden krijgen.

Dan verheft een grijsharige, oude man met een Leninbaard zijn stem boven het gepraat uit. Er gaat iets gebeuren. Men schuifelt naar stoelen toe, breekt het gesprek af, belooft elkaar strakjes nog verder te zullen praten. Het projectiescherm is een rechthoek van blauw licht, versierd met de vertrouwde desktopicoontjes. Een artistiekerige jonge vrouw in een vormeloze jurk is opgestaan om ons te vertellen dat Stu Selznick geen introductie behoeft. Ik herken Stu. *Je vriend met het pinnige gezicht*, noemde Amir hem toen hij er tegen Frankie over klaagde dat hij geworven werd voor de Palestijnse zaak. Over een tafel gebogen bedient Stu het toetsenbord van een laptop en op het scherm is het bewegingloze beeld te zien van een in de wind wapperende Amerikaanse vlag. Iemand dimt het licht.

'Herinnert u zich nog dat de Berlijnse Muur viel?' Stu kijkt op van zijn computer. Hij heeft een tekst, of een blaadje met aantekeningen in één hand, en zijn leesbril in de andere. 'Wat een opwinding.'

In het publiek wordt bevestigend gegromd.

'We konden er maar niet bij dat dat gebeurde. Het einde van de Koude Oorlog. Geen nucleaire dreiging meer. Toen belde mijn moeder.'

Mensen lachen, alsof ze zijn moeder kennen, wat bij sommigen misschien ook wel het geval is.

'Stuart, zegt ze' – hij praat met een Midden-Europees accent – 'wat een blijdschap op de televisie, Stuart. Ja, moeder, zeg ik, de Berlijnse Muur is gevallen. Stuart, zegt ze, dit is niet goed voor de Joden.'

Dit gaat erin als koek. Ik hoor het ritme van de grap, de vlucht die hij neemt door de lucht, al weet ik niet zeker of ik begrijp waarom hij grappig is.

'Wat zal ik er eens van zeggen? Mijn moeder zag de dingen niet zo breed. Bovendien kon ze nooit de zon zien zonder te zoeken naar de regenwolk. Nou vind ik dat ze zich zorgen maakte om het verkeerde slachtoffer, en met het leven dat zij achter de rug had, is dat misschien niet echt verbazend. Maar ze had wel gelijk wat de regenwolk betreft. Berichten over het einde van de geschiedenis waren voorbarig. Wie van ons had kunnen denken dat we niet zo heel veel jaren later, nu het communisme verslagen was en de Sovjet-Unie ontmanteld, in dit land geconfronteerd zouden worden met een nieuw soort mccarthyisme? Een dreiging die hier in de Rosenberg Memorial Bibliotheek wel heel navrant klinkt.' Hij drukt een toets in voor de volgende dia. Het is een lijst met namen, drie rijen op een bladzijde. Hij zet zijn bril op om zijn aantekeningen te kunnen lezen. 'Hier zijn een paar van de mensen die ermee te maken hebben gekregen. Een paar van de gedetineerde, de gedeporteerde, de verdwenen mensen. Er zitten niet veel Joodse namen tussen. Dat zou voor mijn moeder een hele opluchting zijn geweest. Ook niet veel Ierse of Noorse namen. Wel een heleboel Arabische namen, Farsi namen, Indische en Pakistaanse namen.' Hij klikt weer en de bladzijde wordt een van negen bladzijden, ingedikt op het scherm. 'De afgelopen jaren hebben we een heleboel nieuwe woorden moeten leren en heeft de nieuwspraak van de neo-mccarthyisten zich knusjes in ons brein genesteld.' Hij grinnikt en geeft een paar van de toehoorders de tijd om mee te lachen. 'Het onschuldig klinkende werkwoord "overdragen" is een van mijn lievelingswoorden. We keuren marteling niet goed, niet officieel, niet in zoveel woorden, niet op Amerikaans grondgebied. We dragen onze politieke gevangenen over. We besteden ze uit aan afhankelijke staten. We brengen ze naar bases in het buitenland. We pakken ze aan in hun eigen omgeving. Hang een Amerikaanse vlag boven de martelkamers van de verslagen vijand en alles gaat gewoon zijn gangetje. Hoe heeft het zover kunnen komen?' Hij kijkt op en zet zijn bril af. 'Weet u, ik herinner me dat mijn neef Louie *De vlucht van de hommel* speelde op mijn bar mitswa. Rabbi Goldman bedankte hem voor zijn buitengewone vertolking. Tja, voor mij mag het dan, in overdrachtelijke zin, een marteling zijn geweest, maar ik denk niet dat de rabbi dat bedoelde.' Er wordt plichtmatig gelachen. 'Onschuldige tijden.'

Hij klikt en de rijen namen worden vervangen door een naakte man die in elkaar duikt voor een hond.

'Ik weet eigenlijk niet of ik deze foto's moet laten zien. Ze zijn, in de diepst denkbare betekenis van het woord, obsceen.'

Een andere man zit gehurkt aan het uiteinde van een hondenriem.

'Wat is de herkomst van deze beelden?' Hij leest nu voor en zijn voordracht wordt stijver. 'Zijn ze het werk van undercoverjournalisten met verborgen camera's? Het feit dat de folteraars grijnzend in de camera kijken, doet vermoeden van niet. Gezellige kiekjes dan? Iets om de luitjes thuis te laten zien, of de kleinkinderen? Zoals de sepia foto's van blanke mannen verzameld rond een lynchpartij, trots op hun werk? Dat lijkt al een stuk aannemelijker. Zouden de fotografen wellicht ook gemotiveerd kunnen zijn door een behoefte om alles vast te leggen, zoals de nazibureaucraten, die te midden van de slachting alles nauwkeurig te boek stelden? Dat ook, misschien. Maar we moeten een ander cruciaal element niet vergeten, namelijk dat de foto's zélf deel uitmaken van het proces, deel uitmaken van de vernedering. De ondervraging is nog niet eens begonnen. Dit is alleen nog maar het voorprogramma.' Hij kijkt op om dat ongepaste woord tot ons te laten doordringen. 'Wie zijn die gewone soldaten, die trouwens soms weinig meer zijn dan kinderen, die hier worden ingewijd in de heilige mysteries van de oppermacht? Want laten we niet vergeten: net als het slachthuis in de kern van de landelijke idylle is dit niet een misstap, maar de nare kant van een bedrijf dat zonder nare kanten niet zou kunnen bestaan. In zekere zin zijn zij de zondebokken, de schlemielen die ervoor opdraaien als er iemand geofferd moet worden voor de internationale verontwaardiging. Maar ze zijn tevens de verdorvenen, ons eigen verdorven zelf, die ons uitdagen het op te nemen voor wat goed is in de menselijke natuur.'

De verwijzing naar de verdorvenen doet me weer aan Rebecca denken. Ik heb minstens twee hele minuten niet aan haar gedacht. Maar nu ik me herinner dat dit misselijke gevoel een oorzaak heeft, komt het bij me op dat ik me er eigenlijk beter door zou moeten voelen, door die schunnige foto's, zoveel schunniger dan de video's van Max. Ze zouden mijn alledaagse lijden in perspectief moeten plaatsen. Maar ze verliezen zelfs hun vermogen om me af te leiden. Ik verveel me nu al – met een koortsachtige, moordende verveling. Ik heb ze natuurlijk al eerder gezien, of iets soortgelijks. Maar dat ik er geen zin in heb is meer dan onverschilligheid. In mijn hoofd zeg ik tegen Stu Selznick dat hij zijn kop moet houden. Ik mompel het – hou je kop met je zeurderige braafheid. Ik wil dat Rebecca door de deur naar binnen komt, zodat ik haar kan vertellen wat ik van haar denk, zodat ik kan zeggen dat ze moet kiezen, hij of ik, zodat ik onvergeeflijk kwetsende dingen kan zeggen en haar kan vragen me te vergeven, zodat ik haar kan vasthouden en zij mij kan vasthouden, zodat ik niet langer gewichtloos rondzweef. Ik wil Max uit mijn hoofd krijgen. Want daar is hij nu, met een of ander meisje aan een hondenriem, terwijl hij zich uitkleedt voor de camera met die zelfgenoegzame eigendunk van hem, die maakt dat ik hem op zijn bek wil slaan. Ik wil zijn hoofd in een zak stoppen en de honden op hem af sturen. Ik heb hem vast bij de keel en duw hem achterover over de balustrade, zodat hij met zijn hoofd omlaag tussen het publiek van Stu Selznick valt en met een gebroken nek tussen een wirwar van plastic stoelen ligt.

En daar is hij opeens, niet langer een hersenspinsel, in de deuropening, donker afgetekend tegen het daglicht. Hij kijkt gekweld. Stu staat nog steeds te praten. Max werpt een blik op het scherm en op het publiek. Hij baant zich een weg, achter door de zaal, en knikt plichtmatig naar een paar mensen die hij passeert. Dan verdwijnt hij onder me uit het zicht. Misschien is het schuldgevoel, die bezorgde blik van hem. De deur gaat opnieuw open en nu is het Rebecca. Ze kijkt verdrietig. Als ze samen zijn geweest was het kennelijk geen succes. Tenzij ze besloten hebben dat dit het ware is, en dat ze alles aan stukken gaan slaan wat aan stukken moet worden geslagen om er ruimte voor te maken. Ze kijkt vaag om zich heen in de hoop een vriendelijk gezicht te zien, of misschien alleen op zoek naar Max. Ik wacht tot ze me opmerkt. Als dat gebeurt krijg ik een woedende blik die maakt dat ik me een stalker voel. Ze slaat haar armen over elkaar en draait zich om naar het projectiescherm.

Ik loop weg van de balustrade en haast me tussen de boekenrekken door naar de trap. Ik heb bedacht dat ik naar haar toe zal gaan nu ze nog bij de deur staat, en haar zal vragen om met me naar buiten te gaan om een ommetje te maken, en dat ik haar zal vragen waarom uitgerekend Max, en wat er godverdomme met haar is gebeurd, en kunnen we niet gewoon weer alles terugdraaien naar hoe het was. Mijn voetstappen maken lawaai op de ijzeren trap. Ik struikel als ik bijna beneden ben, omdat ik de afstand tussen de treden verkeerd inschat, en kom onhandig terecht. Ik sla een hoek om tussen de boekenrekken en sta tegenover hem, het vriendje van mijn vrouw, met zijn sterke gezicht, gebruind en pokdalig.

Hij blijft staan en ik zie in zijn ogen een wetenschap die ik daar niet eerder heb gezien, alsof hij zich bewust is van mij als een factor die hij zal moeten incalculeren. Hij komt behoedzaam op me af en spreekt op hese fluistertoon.

'Kunnen we praten?'

'Weet je zeker dat je dat wilt riskeren?'

Hij kijkt me onderzoekend aan. Ik realiseer me dat ik eindelijk eens meer weet dan hij, en dat me dat macht geeft.

'Luister, Dave, er gebeuren rare dingen.'

'Die bedreigende sms'jes bedoel je?'

'Heb je dat al gehoord?'

'Er is geen andere God dan God.'

'Vind je dat ik paranoïde doe, Dave? Lijkt je dat een bedreiging onder deze omstandigheden?' Hij kijkt voortdurend om zich heen alsof zich tussen de boeken wellicht een vijand schuilhoudt.

'Als je een vereerder bent van Belial of Moloch zou dat volgens mij wel kunnen.'

'Sorry?'

'Monotheïsme, Max. Ik begin te denken dat dat de hele tijd al het probleem is geweest. Ik hoop dat je me niet kwalijk neemt dat ik het zeg, en ik bedoel het niet oneerbiedig ten aanzien van de Joodse medemens, maar was het wel zo'n goed idee, eigenlijk, achteraf gezien?'

Hij kijkt me niet-begrijpend aan. 'Hoor eens, dat is allemaal erg interessant. Ik weet dat je een erg intelligente vent bent, Dave, begrijp me niet verkeerd, maar ik heb urgentere problemen.'

'Ja, waarschijnlijk wel.'

Er wordt ssst! geroepen. Aan het eind van een gang van boeken tuurt een van Stu's volgelingen over haar bril naar ons met haar vinger tegen haar lippen.

We staan ongeveer een meter van een deur vandaan die is omlijnd met geel licht. Max doet hem open en geeft met een hoofdbeweging te kennen dat ik naar binnen moet gaan. Hij volgt en doet de deur achter zich dicht. We staan in een bergruimte vol opgestapelde dozen en archiefkasten.

Max staat met zijn voeten uit elkaar en beweegt zijn nek en schouders alsof hij zich klaarmaakt om een klap te gaan uitdelen. 'Waar het om gaat, Dave,' zegt hij, 'is dat er gisteravond iemand in mijn kantoor heeft ingebroken.'

'Echt waar?'

'Echt waar. Ik moet je dit vragen. Die auto waar je in rondreed, die kever met die bloemen.'

'Leuke auto, vind je niet?'

'Ja, ja, erg flowerpower. Ik moet weten waar je die vandaan hebt.'

'Waarom moet je dat weten?'

'Je zei dat je hem geleend had. Dat iemand hem nog ergens had staan.'

'Zoiets ongeveer.'

'Want, ik zal er maar eerlijk voor uitkomen, Dave. De waarheid is dat ik die auto al eerder heb gezien. Ik ken de persoon die er vroeger in rondreed.'

'Ik sta versteld.'

Hij speurt mijn gezicht af naar tekenen van versteldheid. 'Wat een toeval, hè?'

'Dat kun je wel zeggen, ja.'

'Vooral als jij die persoon ook kent. Weet je, waar ik aan zit te denken… en ik vraag je dit als een vriend, Dave… word jij op een of andere manier gebruikt, gebruikt iemand jou om mij te pakken?'

'Om jou hoe te pakken?'

'Door in mijn kantoor in te breken, bijvoorbeeld.'

Hij dwingt zichzelf om me recht aan te kijken en ik voel een blos van schaamte om wat ik heb gedaan, voordat de woede weer bezit van me neemt en, tegelijkertijd, de drang om hem te zien zweten.

'Waarom zou ik dat doen?'

Hij schraapt zijn keel. 'Misschien is het dat niet, snap je, want misschien wil die persoon me op verschillende manieren pakken, en is het feit dat jij in die auto rijdt er maar eentje van. Misschien. Maar je moet begrijpen, Dave, er zijn een paar dingen die naar jou wijzen.'

'Een paar?'

'Drie eigenlijk. De auto is er een, jouw plotselinge verdwijning gisteravond wellicht het tweede…'

'En het derde?'

Dan komt er een uitdrukking op zijn gezicht alsof mijn schaamteloosheid opeens onmiskenbaar is, of alsof hij de spanning niet langer kan verdragen. 'Hoor eens, klootzak,' zegt hij. Zijn wijsvinger wijst naar mijn gezicht en zijn hand trilt. 'Gaat dit over Natalie?'

'Is dat het gedeelte waar je je zorgen over maakt? Je bent echt ongelooflijk, Max, echt waar.'

'Het enige dat ik wil weten, Dave, oké, is wat jou dit oplevert. Door die auto had ik het moeten weten. Ik had me nooit voor de gek moeten laten houden door dat vriend-van-een-vriendgelul... Dus, wat wil ze? Wil ze werk, of wat? Gaat ze me aanklagen? Als dit een poging is om me te chanteren, breek ik godverdomme je nek. En wat betekent dat trouwens, *is dat het gedeelte waar ik me zorgen over maak*? Is dat een of andere dreiging? Denk je dat je me kunt intimideren? Ik heb de Moslim Broederschap op mijn rug. Dus je kunt doodvallen.'

'Ik bedoel, waarom Natalie? Waarom niet Evie, bijvoorbeeld?'

'Dus je was het wél.'

'Denk je niet dat ik me misschien wel veel drukker zou kunnen maken over wat je met Rebecca hebt uitgevreten?'

'O, dus die heb je ook meegenomen. Ja, tuurlijk, dat was niet zo netjes van me. Ik vind het gênant. Wat wil je dat ik zeg?'

'Je vindt het gênant!'

'Sleep me maar voor de rechter. Tering, Dave, er zijn ergere dingen. Je hebt de band, dus vergeet het. Ik zou dolgraag weten hoe je ervan af wist, niemand wist ervan.'

'Ik ben met haar getrouwd.'

'Ja, ja, ik heb mijn excuses al aangeboden, wat wil je dat ik doe? Mijn keel doorsnijden? Ik haal volgende week sowieso niet meer, als de plaatselijke jihadisten hun zin krijgen. Dus je mag achter in de rij aansluiten. En Natalie mag ook achter in de rij aansluiten, zeg haar dat maar.'

'Natalie is dood, Max.'

Het dringt niet meteen tot hem door.

'Natalie staat in de rij voor de opstanding. Of de reïncarnatie. Of de eeuwige eenwording met het universum of iets dergelijks...'

'Mijn god,' zegt hij. Er gebeuren rare dingen met zijn gezicht. 'Dat is vreselijk.' Hij staart naar de grond, dan naar mij. 'Hoe kan ze dood zijn? Wat is er gebeurd?'

'Ze heeft zelfmoord gepleegd. Ze ging in de oceaan staan en sneed haar pols door met een scheermes.'

'Ik kan het niet geloven.'

'Ik heb trouwens haar dagboek gelezen. Jij wordt ook genoemd.'

'Het kan niet mijn schuld zijn geweest. Oké, we hadden ruzie. Mensen maken voortdurend ruzie – dat betekent niets. Waarom zou ze nou zoiets doen?'

De kleur is uit zijn gezicht weggetrokken. Hij lijkt het zwaar op te nemen, tenzij het slechts televisie is. Hoe dan ook, ik kan het niet langer aanzien. Ik heb een borrel nodig. En ik moet met Rebecca praten, erachter komen waar ik sta. De bijeenkomst duurt nog steeds voort. Iemand is aan het praten, een oudere man, zo te horen, prikkelbaar en kortademig.

'... want zoals ik het zie, Stu, als je de waarheid wilt weten, ik vind dat je naar je moeder had moeten luisteren.'

Daar moeten mensen om lachen. Ik vang een glimp op van zijn gebogen gedaante tussen de boekenrekken. Rebecca staat niet meer bij de deur. Ik loop langs de rekken om haar te zoeken.

'Wat ik je zeg,' zegt de oude man, 'je zou niet geloven hoeveel antisemitisme er is, daarginds in Europa, in de zogenaamd respectabele kranten, op de BBC. Afschuwelijke leugens over Israël, die over de hele wereld worden uitgevent. Als wij niet voor onszelf zijn, wie is er dan voor ons?'

'Mooi gezegd, Irving,' zegt Stu. 'Maar ik denk dat dit iets is waar we een andere keer over kunnen praten.'

'Wat is er mis met nu? Want eerlijk gezegd ben ik het zat dat mensen willen dat Amerika hun problemen voor hen oplost. Eerst willen ze een Marshallplan van Rusland. Dan willen ze een Marshallplan voor Afrika. Nu willen ze een Marshallplan voor het Midden-Oosten. George Marshall moet zich onderhand omdraaien in zijn graf. Het is gewoon de zoveelste manier om Amerika te dwingen om met geld op de proppen te komen. En waarvoor? Voor de fouten van alle anderen. Ik bedoel, wat hebben die mensen in godsnaam ooit voor ons gedaan?'

Hier wordt luidruchtig op gereageerd met gelach en geschreeuw en een stroom van argumenten die worden ingegeven door de gemeentepolitiek. Iemand roept: 'Ik denk, mensen, dat we misschien van het onderwerp verwijderd raken...'

Ik kijk opzij terwijl ik loop, nog steeds op zoek naar Rebecca. Aan de rand van mijn gezichtsveld, ergens om de hoek, is iets roods. Dan bots ik zo hard tegen iets aan, dat mijn hoofd ervan achteroverslaat en mijn schouderblad zich tegen de rand van een boekenplank bevindt. Ik loop weg met mijn handen tegen mijn slaap en zeg: 'Au, au, au.' Ik draai me om, blijf door de pijn heen lopen, en krijg de rode vlek scherp op mijn netvlies. Het is de baseballpet van Jake. Jake zit op de grond met de pet in één hand en wrijft met de andere over zijn hoofd.

'Jake, gaat het?'

'Jezus, kun je niet kijken waar je loopt?'

'Doet het erg pijn?'

'Het gaat wel.' Hij laat het toe dat ik hem overeind trek. 'Ik kom de tape halen,' zegt hij.

'Wat doe je hier?'

'Astro zegt dat je de tape hebt gevonden, dat je weet wie Rochester is.'

'Niet nu, Jake. Ik moet met mijn vrouw praten.'

Hij zet zijn pet op en rolt geërgerd met zijn ogen. 'Waarom hou je het voor mij geheim, David? Het enige dat ik hier van je wil, is wat integriteit. Is dat te veel gevraagd?'

'Hoe wist je waar ik was?'

'Astro zei dat het iets met de burgerrechtenbeweging was. Ik heb het gegoogeld.'

Iemand aan de andere kant van het boekenrek sist dat we stil moeten zijn. Het is weer wat rustiger geworden. Stu beantwoordt vragen uit de zaal.

Jake begint te fluisteren. 'Geef me nou maar gewoon die tape,' zegt hij.

'Goed. We gaan ergens naartoe om erover te praten. Maar eerst moet ik Rebecca vinden.'

'Er valt niks te praten. Ik heb je verteld over die tape. Als jij hem hebt, moet je hem aan mij geven. Het heeft niks met jou te maken.'

'Wacht nou heel even, Jake, alsjeblieft.'

Hij kijkt me woedend aan. Dan vervalt hij in stilzwijgen.

'Ik vraag me af...' Het is een stem uit het publiek. 'Wellicht is me iets ontgaan...' Het is een galmende Engelse stem die door het geroezemoes heen snijdt – de stem van iemand die eraan gewend is dat er naar hem geluisterd wordt. 'Ik vraag me af of er in uw pornografische diashow ook maar op enigerlei wijze gerefereerd is aan de mogelijkheid dat sommige van deze mensen die u in uw leugenachtigheid beschrijft als de Verdwenenen, in wezen wellicht de aartsvijanden zijn van elke liberale waarde die u en ik, naar ik mag aannemen, delen?'

'Ik heb je mijn goud laten zien, dat heb ik gedaan,' zegt Jake zachtjes.

'Wat?'

De Engelsman is nog steeds aan het praten en er wordt luidruchtig gereageerd.

Jake zegt: 'Nat zei altijd tegen me: laat je goud niet zien. Als je je goud laat zien, beroven ze je. Ze zei altijd: er schuilt een sprookjesheld in jou, Jake. Alleen moet je eerst in sprookjes geloven, voor je een held kunt zijn. Maar ik heb mijn goud laten zien en jij hebt me beroofd.'

Ik leg mijn hand op zijn arm. 'Ik heb je niet beroofd, Jake. Ik zal je alles vertellen wat je maar wilt weten. Het is alleen dat ik op dit moment zelf nogal in de problemen zit.'

Ik laat Jake staan, loop naar de rand van het publiek en begin naar Rebecca te zoeken. Frankie staat achterin naar me te kijken. Haar afstandelijkheid maakt me nerveus. Ik ontdek dat mijn benen trillen. Kennelijk een uitgestelde reactie van mijn botsing met Jake, of van mijn confrontatie met Max. Ik leun achteruit tegen een boekenkast en sluit mijn ogen.

'U mag dan trachten gemene zaak te maken met de islamofascisten,' zegt de Engelsman, 'maar vergis u niet, er ís geen gemene zaak. Als u verkiest om u te liëren met hen die de vrijheid van meningsuiting verachten, waarvan u zo breedsprakig gebruikmaakt, wees dan niet verrast als de dag komt dat u zelf het zwijgen wordt opgelegd.'

Er is een mengeling van gelach en boegeroep. Iemand zegt: 'Ga toch zitten.' Iemand anders zegt: 'Laat die vent praten.'

'En wat is precies uw vraag?'

'De vraag, meneer Selznick, is of u in staat bent om serieus te zijn, u en al degenen in uw publiek die zo snel lachen en zo traag denken. Ik vind het eerlijk gezegd meelijkwekkend om te zien hoe links de zaken verdraait – hetzelfde links waarvan ikzelf ooit dacht deel uit te maken. Welke andere president is bereid geweest zijn plaats in de geschiedenis op het spel te zetten voor Jeffersons belofte dat het Amerikaanse experiment uiteindelijk naar alle naties van de wereld verbreid zou worden? Ons hele volwassen leven hebben u en ik geprotesteerd tegen de zichzelf hinderende domheid van de Amerikaanse buitenlandse politiek, als die weer eens steun verleende aan moordzuchtige junta's, doodseskaders financierde of geheime overeenkomsten sloot met terroristische organisaties die er agenda's op na hielden die volslagen onverenigbaar waren met die van ons. Op het moment dat we, als ik het zo mag zeggen, de stenen die we naar de hemel hebben geworpen met het nodige geweld op ons hoofd terugkrijgen, mogen we blij zijn met een regering die bereid is om een halve eeuw aan precedenten overboord te zetten en openlijk te vechten voor de waarden die we allemaal aanhangen. En waaruit bestaat uw reactie? Uw reactie bestaat uit de solipsistische dwaling te veronderstellen dat de vijanden van Amerika, altijd en overal, uw vrienden zijn – zozeer zelfs, dat u fascisten kiest als uw metgezellen.' Ik doe mijn ogen open. De Engelsman ziet er goed uit, met zware kaken en een dichte bos rossig haar. Hij moet zijn stem verheffen om nog gehoord te worden boven het lawaai. 'Welnu, uw tegenzin om een afwijkende mening aan te horen, is in ieder geval consistent.'

'Wilt u alstublieft ter zake komen?'

Het wordt even wat stiller en ik hoor een metalig geknars en het stromen van water als iemand een toilet doorspoelt.

'Toen meneer Selznick aan het praten was, stelde ik me voor dat deze bijeenkomst gehouden werd in 1945...'

Rebecca komt door een deur achter in de zaal terwijl ze haar handen droogt met een papieren handdoek. Ik loop tussen de rijen stoelen aan de ene kant en de boekenrekken aan de andere naar haar toe.

'Onze legers gaan in Duitsland en Polen de concentratiekampen binnen. En jullie zitten hier naar dia's te kijken van Dresden en intens verdrietig te zijn over de wreedheden van de geallieerden.'

Er wordt luidruchtig geprotesteerd. Stoelen worden naar achteren geschoven en vallen om als mensen overeind springen. Stu Selznick is zichtbaar boos. 'Er is niets dat u mij, en een heleboel andere mensen hier, kunt leren over dodenkampen.'

'O ja, u geniet natuurlijk het voordeel van het lijden.'

Ik voel hoe iemand mijn schouder vastgrijpt en me naar zich toe draait. Ik sta tegenover Max. 'Ik weet niet wat voor ziek spelletje je aan het spelen bent,' sist hij tegen me, 'maar ik wil terug wat je gepakt hebt.' Ik kijk hoe hij zich langs een oproerige rij mensen een weg baant naar de deur.

Ik draai me weer om, om te zien waar Rebecca is en vang een

glimp op van Frankies ogen, wijd opengesperd van bezorgdheid, en zie vervolgens haar hoofd tussen de mensen door bewegen als ze achter haar echtgenoot aan rent. Rebecca volgt, vlak achter haar. Ik schuif tussen de mensen door in hun richting. Een dikke vrouw met grijs haar staat op de Engelsman te schelden dat hij gemene zaak maakt met de neokoloniale machten. De opdringende massa achter me duwt me tussen hen in. Ze citeren Orwell tegen elkaar. Ik verontschuldig me bij de vrouw dat ik op haar tenen ben gaan staan.

'Tot uw dienst,' zegt ze droog. 'Orwell was een socialist,' zegt ze tegen de Engelsman. 'Hij zag hoe de Britse aristocratie de oorlogsinspanning ondermijnde.'

'Wat Orwell zag,' zegt de Engelsman, 'was het masochisme van intellectueel links.' En de whiskydampen walmen warm en vochtig in mijn gezicht.

Voor mij opent zich een ruimte en daar is Rebecca.

'Wat heb je godverdomme met Max gedaan?' zegt ze.

'Hoe zit het met wat Max met mij heeft gedaan? En wat hij met jou heeft gedaan? En nog steeds aan het doen is, voor zover ik weet.'

'Volgens mij heb je echt een probleem, weet je dat?' Ze dringt zich langs me heen.

'Kunnen we hierover praten?'

Een oudere man tuurt me door de halvemaantjes van zijn bril aan en belemmert me de doorgang.

'Rebecca,' roep ik over zijn schouder, 'alsjeblieft, ga zo niet weg.'

'Ik heb tegen de nazi's gevochten, hoor,' zegt de oude man. 'Mij hoef je niet de les te lezen over tirannie.'

Als ik bij de deur aankom, staat Jake op me te wachten.

'Was dat hem? Was dat Rochester, die vent in dat linnen pak? Hij zei dat je iets van hem gepakt had. Was dat de tape?'

'Godverdomme Jake, laat me even vijf minuten met mijn

vrouw praten en ik vertel je alles wat ik weet. Oké?'

'Je moet me altijd afschepen, altijd kleineren, hè? Eén authentiek gesprek, is dat te veel gevraagd?' Zijn ogen beginnen te glinsteren en ik zie dat hij tegen de tranen vecht.

'Maak je nou niet druk, Jake. Ik kleineer je niet, ik heb alleen nogal veel aan mijn hoofd op het moment.'

'Nou, je hoofd kan de tering krijgen en jij ook.' Hij loopt naar buiten en knalt de deur achter zich dicht.

Zijn boosheid heeft de aandacht getrokken. Mensen hebben zich afgewend van hun politieke debat en hun onderlinge praatjes om te zien wat er aan de hand is. Ik maak wat verontschuldigende geluiden en ga achter hem aan naar buiten. Het is stil op straat als ik de deur dichttrek. Jake loopt met grote passen weg over de stoep. Wat verderop zie ik Frankie in de vroege avondschemering nog net de hoek omslaan bij een slijterij. Max is verdwenen. Rebecca staat op straat en wil net in haar auto stappen.

'Rebecca, wacht!'

Twee wrakken van auto's komen langzaam in onze richting rijden, zo breed en plat als sloepen, en ik doe een stap achteruit om ze te laten passeren – een Chevrolet en een Cadillac, pulserend met concurrerende ritmes – terwijl Rebecca nerveus met haar sleutels speelt. Achter haar maakt de Evangelische Missie van de Apostels en Profeten zichzelf kenbaar met ongelijke letters onder een schuin hangend kruis.

Ik loop naar Rebecca toe. Ze ziet er verslagen uit. Ik zeg: 'Waarom vertel je me niet wat er aan de hand is?'

'Kom je je excuses aanbieden?'

'Wil je het zo spelen? Net doen of het mijn schuld is?'

'En dat is het niet? Wat was dat met Max daarnet?'

'Oké, laten we over Max praten. Ik weet alles. Ik heb het gezien. Ik heb jou met hem gezien.'

Ik hou op met praten, want ze staat daar alleen maar stil te huilen. Haar hoofd is gebogen en haar schouders bewegen. Naast de Evangelische Missie is Sunny's Nieuwe en Tweedehands Huishoudelijke Apparaten met twee stofzuigers in de etalage achter een ijzeren hekwerk, en daarnaast is Pat's Pandjeshuis. Aan de andere kant is een garagebedrijf waar misschien twee auto's in passen en een haarstylist die *tintes permanentes* in de aanbieding heeft. Ik ben bereid tot ruimhartigheid. Ze kan me vertellen dat het voorbij is en dan kunnen we opnieuw beginnen.

Ik steek mijn hand naar haar uit. 'Kom met me naar huis.'

'Ik blijf vannacht bij Frankie.'

'Weet ze het?'

'Ze heeft me net uitgenodigd.'

'Van jou en Max. Weet ze van jou en Max?'

'Is dit een soort afleidingsmanoeuvre of zo?'

'Dus je gaat het niet eens toegeven?'

'Omdat jij iets hebt met die vrouw?'

'Dat is niets.'

'Maar ik zou eigenlijk wel graag willen weten of je haar al geneukt hebt.'

'Terwijl ik dat in jouw geval niet eens hoef te vragen.'

'Als je dat maar weet, dat je dat niet hoeft te vragen.'

'Omdat ik het weet.'

'Zo is het genoeg!'

Ik schrik van haar plotselinge woede – hoe ze haar hoofd schudt en hoe ze haar oren bedekt om me buiten te sluiten. Even later laat ze haar handen zakken en begint ze weer te praten, zachtjes, overdreven zorgvuldig articulerend, vechtend om zich te beheersen. 'Ik kan hier volwassen op reageren, ik verwacht niet van je dat je perfect bent, ze is jonger en knapper dan ik, en je voelt je vast gevleid, dat snap ik ook wel, behalve dan dat ze duidelijk geschift is, wat ik zorgelijk vind dat je dat niet lijkt te interesseren.' Ze haalt diep adem. 'Want misschien is het alleen het lichamelijke gedeelte dat belangrijk is voor jou, wat niet zo erg zou zijn eigenlijk, ik bedoel, ik heb nooit van je verwacht dat je niet naar andere vrouwen zou kijken, niet opgewonden zou raken van andere vrouwen, jezus, ik weet dat ik soms geil ben, en sommige mannen zijn leuk om te zien en sommige mannen maken me aan het lachen en maken dat ik me warm voel en soms zou ik dat best kunnen gebruiken, dus het is niet dat ik je niet begrijp. En al moet ik eerlijk zeggen dat tweeënveertig wat jong is voor een midlifecrisis en het nog wel erg vroeg is voor een huwelijksdip, als je wat clichés uit de weg wilt ruimen, dan denk ik dat ik daar wel mee kan leven zolang het alleen maar een fase is. Want ik geloof eerlijk dat het voor mij niet zozeer gaat om de gedachte dat ze aan jou zit of jij aan haar, maar meer om het feit dat je eerlijk gezegd niet meer in staat lijkt om helder te denken, en ik hoop oprecht dat je, wát je ook uitvreet, voorzorgsmaatregelen treft.'

'Voorzorgsmaatregelen?'

'Condooms! Veiligheidsgordels! Je creditcards niet rond laten slingeren – voorzorgsmaatregelen!'

Hier moet ik om glimlachen en zij ook, aarzelend, want ze weet dat het grappig is, ook al stromen de tranen over haar wangen.

'Nee, maar echt!' zegt ze. 'Want ik wil echt, écht niet dat je genaaid wordt op manieren waar je niet op verdacht was, en ik trouwens ook niet, want uiteindelijk zal ik het zijn die met de brokken blijft zitten, niet zij, maar wat ik volgens mij nog het allerergste vind, is het idee dat je haar dingen vertelt die je mij niet vertelt, dat je lol met haar hebt die ik niet heb, dat je geheimen verraadt, mijn geheimen, dat je me belachelijk maakt, praat over hoe ik je verveel en hoe dik ik ben, en misschien als je haar nu maar gewoon neukte en het achter de rug had, en je me zou vertellen dat je het achter de rug had, of misschien ook maar niet, nou, misschien zou het dan beter zijn, behalve dat ik het vreselijk vind om ervan te weten en ik vind het vreselijk om er niet van te weten, dus misschien moest je er maar gewoon mee ophouden.'

Ik kijk haar verbijsterd aan. Ze staat haar gezicht te drogen met haar mouw en kijkt me dan aan op een harde, uitdagende manier, alsof dit een test is om te zien of ik het juiste antwoord kan geven. En ik sta te denken dat haar kapsel haar echt goed staat, zo kort, nu ik eraan gewend ben. En dat haar klachten wel min of meer gerechtvaardigd zijn, afgezien van dat deel over haar gewicht, wat echt nergens op slaat, behalve dan dat zij de laatste persoon is die het recht heeft om te klagen, na haar kokette blousestriptease en haar plagerige aarzeling voor het oog van de allesoverheersende pornoster in zijden kamerjas. Dus voordat ik een antwoord heb bedacht, is ze in de auto gestapt en heeft ze de motor gestart.

Ik tik op het raam en zeg: 'Wacht, Rebecca, alsjeblieft.'

Ze draait het raampje een paar centimeter omlaag. 'Maar daar gaat het net om, toch,' zegt ze. 'Ik ben vijfendertig. Denk daar maar eens over na, David, want ik heb er al erg veel over nagedacht. Ik kan niet eeuwig blijven wachten tot jij eindelijk eens volwassen wordt. De tijd gaat voor mij harder dan voor jou.' En ze rijdt weg en laat mij midden op straat achter.

Ik kijk de auto na tot hij de hoek omgaat bij de Hemelse Kerk van de Gezalfde Verlossing. Ik voel me volslagen alleen, achtergelaten op een planeet zonder lucht. Van de andere kant komt een pick-up aanrijden. Ik voel de hitte van de motor als hij me passeert. Als het geluid van de truck wegsterft, word ik me bewust van de stemmen van mensen die de bibliotheek uit komen, het publiek van Stu Selznick dat uiteengaat.

Drie jonge zwarte mannen komen uit de richting van Sunny's Huishoudelijke Apparaten op me af met die eigenaardige soepele gang die ik herken uit harde politiefilms. Hun laag hangende broeken en gympen zonder veters lijken eigenlijk veel te belemmerend voor een leven op straat. Hoe moet je zo rennen, vraag ik me af. Ze kijken naar me door half gesloten ogen en ik bedenk dat dit het perfecte moment zou zijn om beroofd te worden, om geslagen en geschopt te worden. Ik ben zo ongelukkig dat mijn lichamelijke welzijn nergens op lijkt te slaan. Ik zou bij nader inzien trouwens liever hebben dat er geen messen of vuurwapens aan te pas zouden komen. Ik ben niet suïcidaal. Net genoeg geweld om Rebecca ertoe te brengen mij te komen opzoeken in het ziekenhuis. Dan doet de dichtstbijzijnde zijn mond open om iets te zeggen, en ik voel mijn hart bonzen en realiseer me dat ik toch eigenlijk liever niet beroofd wil worden.

'Alles oké, man?' zegt hij zonder zijn pas in te houden.

'Ja hoor, prima, dank je.'

'Ben je verdwaald of zo?'

'Alleen maar een luchtje aan het scheppen.'

'Da's cool, da's cool, lucht hebben we allemaal nodig. Hé man, gewoon doorademen.'

'Dank je, ik doe mijn best.'

'Gewoon doorademen. Ademen moeten we allemaal.' Hij knikt alsof hij het met zichzelf eens is en blijft knikken, terwijl ze soepeltjes voorbijlopen.

'Problemen met het vrouwtje?'

Ik kijk om en het is de Engelsman die voor de bibliotheek op de stoep staat. Hij is onvast ter been en zijn haar is over één oog omlaag gevallen. Het geluid van zijn stem is geruststellend, waaruit maar weer eens blijkt hoeveel heimwee ik heb.

Hij zegt: 'Was dat je ritje naar huis dat ik daarnet zag wegrijden?'

'Nee, mijn eigen auto staat hier ergens geparkeerd.' Ik steek over naar zijn kant van de straat. 'Vertel eens. Hoe speel je het klaar om zo te praten? In complete zinnen, bedoel ik, complete alinea's, als je dronken bent. Ik kan het niet eens als ik nuchter ben.'

'Ik heb ontdekt dat het helpt als ik drink.' Hij glimlacht mild. 'Alleen wil mijn mond nogal eens de overhand krijgen. Ik heb het er maar net levend afgebracht daarbinnen.'

'Tja, je beschuldigde hen van een solipsistische dwaling. Dat is vragen om ruzie.'

'Tja, wellicht een tikkeltje te veel topspin gebruikt, klopt.' Hij bekijkt me met hernieuwde belangstelling. 'Je was kennelijk aan het luisteren.'

'Nou nee, niet echt. Ik vrees dat ik met mijn hoofd bij andere dingen was.'

'Problemen met het vrouwtje. Daar weet ik alles van. Kom mee, gaan we wat drinken.'

'Dat kan ik beter niet doen.'

'Ik ook niet, maar ik doe het toch. Volgens mij herinner ik me dat er drie straten verderop een café is.'

Ik ga naast hem lopen. 'Je bent hier dus al eerder geweest?'

'Het is een favoriet trefpunt voor goede doelen. Ik schrijf een stuk over de antioorlogsbeweging.'

'Je bent een journalist.'

'Kennelijk.'

'En je woont in LA?'

'Jezus, nee. Wie wil er in die beerput wonen?'

We passeren een discountwinkel en een ijzerwinkel en een krakkemikkig schoolplein achter een hek van harmonicagaas. Dan is er weer een kerk – Iglesia de Christo –, niet groter dan een garagebox, met een bloedende Christus die rechtstreeks op de bakstenen is geschilderd. En opeens dringt het tot me door dat ik in een paradijs voor de vrije ondernemer ben. Zelfs de kerken zijn uniek. We komen aan bij een kruispunt waar meer verkeer is. Roestende rails buigen over de straat een steeg in met aan weerskanten pakhuizen, een herinnering aan een vergeten tijdperk van gemeentelijke infrastructuur. De Engelsman wijst naar een laag gebouw op de hoek aan de overkant. Het pannendak is zichtbaar achter de ondiepe, golvende kartels boven in de muur. De naam, Conchita's Bar, is in felle kleuren naast de deur geschilderd.

14

Volgens mij ben ik verliefd op Conchita. Ik neem tenminste aan dat dit Conchita is, deze vrouw die onze drankjes inschenkt – ze is matroneachtig genoeg om de baas te zijn. Ze is klein en breed, maar welgevormd in haar laag uitgesneden, schouderloze jurk, en ze loopt op haar hakken met soepele bewegingen.

De Engelsman praat tegen me. Hij zit al een hele poos te praten. Het lijkt een beetje op wakker worden en erachter komen dat je de radio hebt laten aanstaan. Zijn hoofd zit vol met despoten en moellahs en militieleiders. Hij heeft minstens evenveel gedronken als ik, maar zijn woorden blijven maar komen – met een dikke tong, maar imponerend coherent. Hij heeft het over een halvemaan aan theocratische staten van Algerije tot Kazachstan, waar niet meer gedebatteerd mag worden, waar kunst en literatuur nietig worden verklaard, waar vrouwen onzichtbaar zijn, terwijl krankzinnige imams over de hele wereld angst zaaien. Niet dat ik het gevaar niet kan zien, maar op dit moment kijk ik liever naar Conchita die limoenen in vieren snijdt, waarbij ze de spieren van haar schouder tot aan haar pols aanspant.

'Maar serieus, denk je ook niet,' zegt hij, 'denk je niet dat ons nageslacht ons zou beschuldigen van misdadige besluiteloosheid?'

Hij wacht op een antwoord en ik realiseer me dat ik een cruciaal gedeelte van de vraag heb gemist. Ik doe mijn mond open om iets te zeggen. Conchita heeft ons haar brede rug toegekeerd om naar een fles te reiken en met die inspanning gaat zoveel overhellen en aanspannen en herbalanceren gepaard, dat ik vergeet wat ik wilde zeggen. Ik wend me tot de Engelsman en doe mijn best om zijn gezicht scherp in beeld te krijgen. 'Dat mag dan allemaal zo zijn,' zeg ik, 'maar als het er echt op aankomt, hoe groot is dan de kans dat je zult worden opgeblazen, vergeleken met de kans dat een of andere beroemde televisieproducer met je vrouw slaapt?'

Hij kijkt niet-begrijpend, dan boos. 'Dat slaat helemaal nergens op. Daar heb ik toch niks mee te maken!'

'Is dat wel zo? Ik bedoel, zoals ik het zie kunnen we al die grote dingen wel verhapstukken, die dingen waarover we in de krant lezen. Of waarover we in de krant schrijven, in jouw geval. Het is ons privéleven waar we helemaal aan onderdoor gaan.'

'Nu zit je alleen maar met woorden te goochelen. Die dingen waarover je in de krant leest, zoals jij dat noemt – die dingen zouden je privéleven zíjn als ze jou zouden overkomen. En dat zou zomaar eens kunnen gebeuren. En ondertussen zijn ze het privéleven van andere mensen.'

'Ja, da's waar.' En waarschijnlijk heeft hij gelijk. Hij heeft in zoveel dingen gelijk, en tegelijk in zoveel dingen zo verbijsterend ongelijk, als een metrotrein die met meedogenloze logica bij elk station op de Central Line in Londen stopt en dan ineens opduikt in een buitenwijk. En hij kijkt me zo ernstig aan, wil zo graag dat ik zijn redenering volg, dat ik het gevoel heb dat ik moet antwoorden, hoeveel tegenzin ik ook voel om al die gedachten op te graven van waar ze ook geweest mogen zijn toen ik ze niet dacht. Want het is niet zo dat ik me om dat alles niet ook vreselijk druk heb gemaakt. Ik ben best goed in denken, op een soort theoretische manier – enerzijds zus, anderzijds zo. Maar debatteren, daar kan ik niks van, dat rouwdouwige, dat met de vuist op de tafel slaan tot alle anderen zijn uitgeschakeld. Ik mis die snelheid, dat killerinstinct.

Ze heeft zich weer omgedraaid, Conchita, en mixt een groenige cocktail. De voorkant van haar jurk beweegt over haar huid terwijl ze ademt, als oceaanwater over het zand.

'Luister,' zeg ik tegen de Engelsman. 'Het is niet zo dat ik het niet met je eens ben over het probleem. Over tirannie en zo, en die krankzinnige ideologieën die tot tirannie leiden. Ik bedoel, hoe kunnen we niets doen en onszelf nog steeds recht in de ogen kijken? Dat snap ik. Het is alleen dat ik er niet van overtuigd ben dat we weten hoe we het moeten tegenhouden. En dan vraag ik me weer af: waarom dit probleem en waarom niet alle andere problemen, zoals armoede en arbeiders die worden uitgebuit en kinderen die gedwongen worden tot prostitutie. En dan denk ik onwillekeurig toch weer dat we al die legers hebben in al hun verbluffende wonderbaarlijkheid, en voor wie een houten hamer heeft ziet alles eruit als... je weet wat ik bedoel... zo'n ding waar je met een houten hamer op slaat...'

'Maar zie je dan niet dat we geconfronteerd worden met een unieke dreiging?'

'... een haring.'

'Een haring? Waar heb je het in godsnaam over? Je hebt gewoon nog steeds niet door hoe urgent het is. Dit is een moment dat een keerpunt in de geschiedenis kan zijn. We leven in een tijd die ons een simpele keus geeft – ofwel we gaan de confrontatie met de tirannie aan, of we spannen ermee samen. Het is de historische uitdaging van onze generatie. Het dwingt ons om een uitspraak te doen.'

'Ik snap het!'

'Zie je?'

'Ja, ik snap het.' En dat is ook zo. Het dringt tot me door als een lichtstraal door sigarettenrook. Het is niet oorlog waaraan de Engelsman verslaafd is. Het is wat ons verdeelt op weg naar de oorlog. Het is met zijn rug tegen de muur zijn overtuiging aan het verdedigen. Het is de droom van de postume rechtvaardiging. Een gewone ijzeren hamer, daar dacht ik natuurlijk aan, niet een houten hamer. Zelfde soort voorwerp, behalve dat je met een houten hamer geen spijker inslaat. En daarom kan ik niet debatteren. Ik ben te traag. Ik zie dat zijn glas leeg is. 'Neem er nog een,' zeg ik. 'We zijn erg ver van huis.'

Hij slaakt een diepe zucht. 'Goed dan,' zegt hij, 'ik zal geen nee zeggen.'

Conchita vult onze glazen. Ze houdt haar hoofd schuin met een verlegen glimlach en loopt weer terug langs de bar.

'Dus jij denkt,' vraag ik, 'dat het nageslacht ons zal veroordelen?'

'Natuurlijk, of we dat nou leuk vinden of niet.'

'Maar als het nageslacht het nu eens mis heeft?'

'Als we verslagen worden, bedoel je, en de fascisten degenen zijn die de geschiedenisboeken schrijven.'

'Of als we winnen, maar er niets overblijft dan realitytelevisie, en het oordeel van het nageslacht niet meer is dan miljoenen mensen die hun stem sms'en?'

De Engelsman kijkt me vol afschuw aan. 'Denk je echt dat het Westen zo weinig te verliezen heeft?'

'Of als de ijskappen smelten en het nageslacht onder water loopt?'

'Maar in godsnaam, we moeten toch doorgaan alsof het er iets toe doet wat we doen.'

'En in godsnaam is precies waarom veel mensen dat doen. Misschien is dat wel waar God voor is – voor diegenen onder ons die niet kunnen wachten op het nageslacht.'

Hij kijkt me doordringend aan. 'Je bent toch niet religieus?'

'Helaas niet.'

'Hoezo helaas?'

'Ach, ik weet niet. Het geloof lijkt mensen troost te geven. Dingen zin te geven.'

Hij snuift en tilt zijn glas op. 'Ik hou het liever bij andere opiaten, als je het niet erg vindt.' Als hij gedronken heeft zegt hij: 'Maar vraag je je nou echt nooit af hoe wij de geschiedenis zullen ingaan?'

'Niet echt, nee.'

'En hoe zit het dan met je kinderen, of je kleinkinderen?'

'Ik heb er geen. Jij?'

'O ja, ik heb kinderen.'

'In New York?'

'O, op verschillende plaatsen, weet je. Ze wonen hier en daar bij hun moeders. Eten de alimentatie op.'

'Ik denk voornamelijk na over Rebecca. Rebecca is mijn vrouw. Als er iets grappigs gebeurt, zeg ik altijd bij mezelf: hier zou Rebecca van smullen. Althans, dat deed ik. Of dat er een of ander drama was op het werk en ik me afvroeg wat Rebecca ervan zou vinden, en dat ik niet kon wachten om het haar te vertellen.'

'Die vrouw op straat? Ze leek me knap nijdig.'

'Ja. Vroeger schreeuwden we niet zoveel. Maar we praatten wel over alles. Daarom lijkt het nu wel of alles vlak is geworden. Alsof er een dimensie ontbreekt. Dit gesprek, bijvoorbeeld. Dat ik hier met jou zit te praten – wie is daar nou nog in geïnteresseerd, straks? Wie gaat het me uitleggen?'

'Heeft ze je verlaten?'

'Ik weet het niet zeker.'

'Idem dito.'

'Je weet ook niet zeker of je vrouw je heeft verlaten?'

'Of ik haar. Ik had er mijn hoofd niet bij.'

'Is ze in Engeland?'

'Hier, in LA, is het laatste wat ik gehoord heb. We hebben elkaar in New York ontmoet. We trouwden. We waren er bijna uit hoe we samen moesten leven en toen liep het helemaal uit de hand. Ik geef de schuld aan Bin Laden. Rijen op het vliegveld, plastic bestek, mijn huwelijk naar de kloten.'

'Ik begrijp wat je bedoelt.'

'Echt?'

'Nou nee, niet echt.'

'Elf september heeft alles veranderd, weet je. Voor mij heeft het alles veranderd. Ik weet dat iedereen dat zegt, maar toevallig is het waar. Ik woonde hier toen al zo'n jaar of twaalf, met tussenpozen, maar voor het eerst voelde ik me, als nooit eerder, een Amerikaan. Niet alleen dat Amerika de beste plek was om te wonen – het was iets wat ik van binnenuit voelde, een verbondenheid. En dat is knap ironisch, eigenlijk– dat op het moment dat ik vanuit mijn instinct begon te denken, iets wat zij voortdurend doet, dat toen alles uit elkaar viel. Zij dacht dat ik gek was geworden, weet je, en ik dacht dat van haar. We waren achttien maanden getrouwd. Dat was onze eigen kleine uitbarsting van millenniumgekte geweest – dat we eindelijk iets deden met die transmondiale knipperlichtrelatie van ons. Dus we hadden onze ogen dichtgedaan en de sprong gewaagd. Mijn vrienden zagen het niet zitten. Waar praten jullie in godsnaam over, wilden ze weten. Matthew – mijn getuige – daagde me uit één enkel boek te noemen dat we allebei hadden gelezen. Mijn boek, zei ik – mijn boek over Reagan.'

Zijn gezicht klaart op als hij dat zegt, en ik zie dat wat hij zich herinnert niet slechts een ad rem antwoord is, maar de beste grap die je maar denken kunt, de beste clou die het leven te bieden heeft – de wetenschap dat er iemand van je houdt.

'Ze las het tijdens onze tweede afspraak – bleef de hele nacht op om het te lezen. Stapte in bed toen de winterzon opkwam boven Manhattan en citeerde uit het hoofdstuk over de Iran

Contra-affaire – “Bedoelde misdaden en onbedoelde consequenties”. Ze leest niet zoals andere mensen lezen. Ze ademt het als het ware in en maakt het zich eigen. Het was een huwelijk van tegenstellingen, natuurlijk, dat wist ik. Hopeloos ongeschikt noemde mijn moeder haar, en ik wist dat ze gelijk had. Maar daarom was ik hier in de eerste plaats naartoe gekomen, naar Amerika, om de tirannie van de geschiktheid te ontvluchten. Dus ik wist waar ik me mee inliet. Rationeel denken, als concept, daar heeft ze dus helemaal niets mee, mijn vrouw. Wees toch eens niet zo rechtlijnig, zegt ze dan, alsof je de regels van de samenhangende logica zomaar even kunt opschorten. Hoe we onze boeken in een appartement moesten krijgen, was een tijd lang een probleem. Zij beschuldigde mij van driedimensionaal denken en ik wees haar erop dat drie in dit speciale geval precies het aantal dimensies was dat we tot onze beschikking hadden.’

Hij brengt zijn glas naar zijn mond, en ik denk aan zijn onwaarschijnlijke vrouw en hoe hun culturele verschillen getransformeerd werden tot stand-upgrappen waarin elk de aangever was van de ander.

‘Maar we modderden verder. Tot elf september. En opeens heeft iedereen een speciale belangstelling voor terrorisme. Zij sluit zich aan bij de allerergsten, vertroebelt alles met haar slecht geïnformeerde vooroordelen en haar vage theorieën over genezen. Dit is mijn onderwerp, snap je, ik was die rotzooi al jaren aan het volgen. En ineens zitten we elkaar over de krant heen aan te staren in wederzijdse verbijstering. Op het moment dat ik zover ben dat ik me met hart en ziel betrokken voel bij dit land en alles waar het voor staat, lijdt ons huwelijk schipbreuk. Het was alsof we waren ontwaakt in een toren van Babel en twee verschillende talen spraken. Begrijp je vijand – oké, daar kan ik in meegaan, maar begrijp hem om te weten hoe je hem moet bestrijden. Niet om tegemoet te komen aan tirannie, niet om alle historische en culturele kaarten in de lucht te gooien en te zien waar ze neerkomen. Er zijn geen tien manieren waarop je dit kunt bekijken. Er is verlicht denken – ideeën die met elkaar concurreren op grond van bewijs en reden – en er zijn al die dingen waardoor verlicht denken bedreigd wordt – onwetendheid en bijgeloof en onderdrukking. Wat eerst een komische warboel was in haar manier van praten, excentriek en grillig en over het algemeen nogal meisjesachtig, begon me te choqueren. En ik denk dat zij iets soortgelijks van mij vond. We zijn niet echt uit elkaar gegaan. We zijn min of meer van versnelling veranderd en convergentie veranderde in divergentie. De periodes van afwezigheid werden steeds langer. We hielden op elkaar te bellen. Toen hielden we op met mailen. We noteerden het nieuwe adres van de ander niet meer. En er kwam een moment dat ik niet zeker meer wist waar ze was.'

'Wat rot voor je,' zeg ik. 'Drink nog wat.'

Hij drinkt zijn glas leeg. 'Vind je het stom dat ik zoveel waarde hecht aan een idee?'

'Áls je er zoveel waarde aan hecht, dan neem ik aan dat je wilt dat zij dat ook doet. Als je tenminste zoveel waarde aan háár hecht.'

Op de televisie achter de bar wordt ineens luid gelachen. Er is een of ander spelletje op. De presentator heeft iets grappigs gezegd. Als het gelach afneemt, knipoogt hij en strijkt zijn snor glad, wat de deelnemers aan het spelletje opnieuw aan het lachen maakt. De mannen die aan de bar zitten te drinken, mompelen. Een van hen tikt op zijn horloge. Ze wijzen naar de televisie. Conchita reikt omhoog om een andere zender op te zetten. Haar mouw glijdt omlaag, waardoor het zachte donkere vlees van haar bovenarm zichtbaar wordt. We kijken naar onsamenhangende stukjes nieuws in het Spaans, nieuws in het Koreaans, het drugsprobleem van een of andere filmster. Dan staan een blonde vrouw en een agent te kussen. Achter hen, onscherp, staat een auto in brand. Conchita aarzelt, terwijl ze naar de kus kijkt. Haar hand zweeft voor de knopjes. De mannen protesteren, maar zij geeft een scherp antwoord zonder zich om te draaien en ze doen er bedremmeld het zwijgen toe. Zo fel is ze, Conchita – fel maar romantisch. De agent trekt de vrouw bij de vlammen vandaan en houdt haar dicht tegen zich aan als ze weglopen. Ze is beeldschoon, ondanks de snee in haar wang. Ze glimlacht en haar haar waait over haar gezicht. Het shot verwijdt zich en op de achtergrond zien we de slechteriken in handboeien die ruw achter in een politieauto worden gestopt. Nog wijder, en we zien de brandende wrakken van een stuk of tien auto's die over een straat verspreid staan en omhoog, tegen een talud op. Het komt bij me op dat er daar achter hen vast mensen dood zijn. Of dat er in ieder geval veel gewonden moeten zijn. Maar dat doet er allemaal niet toe, want zij maken geen deel uit van het verhaal. Alleen de agent en de blonde vrouw zijn van belang. Dat wordt ons verteld door het orkest.

De aftiteling begint en wordt onmiddellijk weggedrukt om plaats te maken voor het beeld van een gesluierde vrouw. 'Zo meteen na de reclame,' zegt een televisiestem, 'een countryzangeres die haar familie verlaat om op tournee te gaan, een op grote hoogte bouwvakkende vrouw, wier echtgenoot haar aan de grond wil hebben, en een abortusarts die wordt gekidnapt door haar anti-abortusgezinde vader. Klassieke Amerikaanse verhalen. De bijzonderheid? Al deze vrouwen komen uit streng islamitische families. Verontrustende beelden en onthutsend openhartige interviews in *De ontsluiering*, de volgende grensverleggende film in de nieuwe weekend-miniserie van Outreach TV, *Vrouwen spreken vrijuit*.' Dan barst er opeens een aria van Mozart los, terwijl er een SUV het beeld in rijdt, die door een bergstroompje hobbelt, en Conchita zet weer een andere zender op. Het is voetbal – waar de mannen aan de bar op aan het wachten waren. Het Spaanse commentaar verheft zich hysterisch boven het gebrul in het stadion.

Ik kijk naar de Engelsman. 'Ik moet gaan,' zeg ik.

'Neem nog een laatste.'

Hij is nu vast daarboven, Max – boven in de heuvels, met zijn televisievriendjes, misschien, zoals gisteravond, die zich lachend rond het grote scherm hebben verzameld, klaar om te kijken naar grensverleggende beelden van vrouwen die geen sluiers dragen. Dit is de aflevering waar hij trots op is – het beleg op de boterham, noemde hij haar. Misschien is hij wel alleen met Rebecca. Met of zonder Frankie, die kennelijk op de hoogte is – ik heb tenslotte gehoord hoe ze er in de tuin bij Rebecca op aandrong om schoon schip te maken. Dus als ik met Rebecca wil praten, dan zal ik haar daar vinden.

'Het spijt me, maar ik moet echt gaan.' Ik houd me vast aan de bar.

'Neem er dan hier eentje van mee.' Hij haalt een kaartje uit zijn portemonnee en geeft het me. 'Mijn nummer staat erop. Voor het geval je weer eens wat wilt gaan drinken.'

'Bedankt.'

'Dan zal ik proberen wat minder saai te zijn. Ik ben namelijk dronken en als ik dronken ben, wil ik nog weleens gaan zwammen.'

'Zei je zwammen?' Het woord heeft een of andere speciale betekenis die ik niet helemaal kan bevatten. Ik kijk naar het kaartje. In een waas zie ik een naam staan, die er vervolgens weer in wegzakt. Ik laat het kaartje in mijn zak glijden.

De Engelsman stelt zijn blik even scherp op mij en kijkt dan weer in het niets. 'Wegwezen jij,' zegt hij.

Ik stap van mijn kruk af en wacht tot mijn benen de controle overnemen. Ik vind het rot om hem in de steek te laten. En ik vind het jammer om bij Conchita weg te gaan. Ze rimpelt haar ogen in een glimlach die een enorme teleurstelling doet vermoeden en pakt mijn fooi van de bar. Als ik me naar de deur draai, lijken de jukebox en de gekleurde lichten en het overvolle prikbord langzamer te bewegen dan ik, en een fractie van een seconde te laat tot stilstand te komen. De deur duwt zich tegen me aan als ik hem opendoe en ik hoor het ruisen van lucht in beweging. Hij doet de pamfletten opfladderen en haakt zich in de splitten van de colberts langs de bar, de ouderwetse colberts van mijn *compadres*, die zich nu omdraaien, allemaal met een geheven hand om hun ogen af te schermen, en met toegeknepen ogen te kijken waardoor de opschudding wordt veroorzaakt, voordat de voetbalwedstrijd hun aandacht weer opeist. Ik probeer de deur achter me dicht te trekken, maar hij is me te snel af en zwaait weer open, en ik laat het maar zo. Als ik de straat op loop wordt het klapperen van de deur overstemd door de herrie van het verkeer. Het kruispunt is een waas van koplampen en ik word verwelkomd met getoeter en piepende remmen. Buiten adem, met de wind heet in mijn mond, bereik ik de overkant.

Het is ver terug naar mijn auto, wat goed is, want nu heb ik tijd om na te denken over waar ik naartoe ga. Ik zou eerst naar huis kunnen gaan en van daaruit naar het huis van Max rijden. Op die manier zou ik de grootste kans maken om de weg te vinden. Maar ik vermoed dat ik zo de afstand die ik moet afleggen zou verdubbelen, want ik hoef niet zo ver naar het westen, niet helemaal tot aan de oceaan – alleen een stukje naar het westen en een stukje naar het noorden. Maar hoe ver precies in die beide richtingen kan ik niet zeggen. Dus zou de korte weg weleens kunnen betekenen dat ik er langer over doe. Maar ik weet dat ik niet het geduld heb om de lange weg te nemen.

In de beschutting van de gebouwen is het een stuk minder winderig. In de leemtes blaast hij uit zijstraten en over braakliggende terreinen en duwt me in de richting van het passerende verkeer. Hij is heet en droog, een raspende fluister recht uit de woestijn. Het hek rond het schoolplein is een collage van fladderende vodjes papier. Als ik Natalies kever vind, zit er een tijdschrift vastgehaakt aan de ruitenwisser en het gezicht van een filmster flappert tegen het glas.

Tegen de auto geleund rust ik even uit en pak mijn mobiel. Ik bel Rebecca, maar zij heeft haar telefoon uit staan. Om de film van Max niet te verstoren, waarschijnlijk, of om haar niet te storen terwijl ze met Max ligt te neuken. Ik bel Astrid. Ik hoor de telefoon overgaan en vervolgens de stem van Astrid die me aanmoedigt om een boodschap achter te laten.

'Ik ben ergens, maar ik weet niet precies waar,' zeg ik. 'Het spijt me van daarstraks. Wat een puinzooi. Ik zou wel wat morele steun kunnen gebruiken, eigenlijk, want ik ben naar die bijeenkomst gegaan en Max was er en Rebecca, en, nou ja, het is een lang verhaal... en dus rij ik nu meteen naar Max – en Rebecca natuurlijk – en ga ik het in één keer met allebei tegelijk uitpraten. Met David, trouwens. Bel me, als je zin hebt.'

Ik laat de telefoon in de zak van mijn colbert vallen en kijk omhoog naar de lucht. Als ik wist hoe ik aan de hand van de sterren moest navigeren, zou dat helpen, want daar zul je ze nou eens hebben, gearrangeerd op een groot bord van leegte. Tussen hen in ligt een knapperig schijfje maan. De lucht krijgt, naarmate hij richting de daken zakt, een ziekelijke neongloed. Ik laat mijn hoofd naar voren vallen en als de stoep is opgehouden met draaien, stap ik in de auto.

Ik heb tot aan het volgende kruispunt om me te herinneren hoe ik gas moet geven en hoe ik moet schakelen, voordat ik me in de verkeersstroom voeg, en dan is het, met het gevoel van de wind die me vooruitduwt en loslaat en weer verder duwt, en het gerammel van het roestende chassis van de kever, net een achtbaan.

Met loeiende motor rijd ik in de richting waar ik vandaan ben gekomen en ik kan nog alle kanten op. Voor me uit kruist boven de straat het waas van lichten op de Santa Monica-snelweg en ik weet dat dat de grote glijbaan naar huis is en naar de oceaan – als ik de oprit weet te vinden, als ik kan leren het verlangen te loochenen en op te gaan in het eeuwige. Maar daar zal Rebecca niet zijn. Rebecca is bij Max, boven in de heuvels, en als de oceaan links ligt, dan liggen de heuvels ergens vóór me, en rechts van me ligt, vermoed ik, de woestijn waar de wind vandaan waait, en daar weer voorbij ligt de rest van Amerika, helemaal tot New York, en daar weer voorbij, aan de overkant van de Atlantische Oceaan, Ierland en Engeland en Tufnell Park. De snelweg schiet boven me uit mijn gezichtsveld en nu kan ik niet meer anders.

Ik begin straten te passeren waarvan ik de namen al ken. Het is raar om ze hier tegen te komen, kilometers van mijn eigen buurt vandaan, en zo verwaarloosd. Ik vraag me af waar ze ophouden. Misschien geven ze er gewoon de brui aan ergens in de woestijn, verkruimelen ze tot zand en rotsen, of misschien kruipen ze helemaal tot aan de oostkust, slepen ze zich onherkenbaar voort door kleine stadjes in gebieden waar ik nog nooit ben geweest, zoals Missouri en Arkansas. Mijn hoofd voelt enorm aan bij die gedachte en ik word er opeens zo blij van dat ik moet lachen – een soort ademloze slappe lach. Totdat de straten opeens niet meer in de juiste volgorde verschijnen, en er een nieuwe bezorgdheid in me opkomt die door mijn ingewanden kronkelt, de angst dat het weefsel van de stad aan het uitrafelen is, of dat ik ben omgekeerd en nu van de landkaart af dender, op weg naar Mexico. Maar ook dat gaat weer voorbij. Het vertrouwde patroon herstelt zich en ik realiseer me dat ze alleen maar in de war zijn geraakt, een paar van die oneindige straten, ergens in die stedelijke vaagheid tussen waar wij wonen en waar ik nu ben, wat nu nog meer op nergens lijkt. Het stratenplan is vatbaar voor dergelijke verstoringen.

Ik moet remmen want een eindje verderop staat een drie meter hoge betonnen muur met prikkeldraad erop, dus wijk ik uit in westelijke richting om een andere weg naar het noorden te zoeken. Ook hier zijn weer in onbruik geraakte tramlijnen – ik voel ze door de doorgezakte stoel van de kever – en gaten en stalen platen die op het wegdek zitten vastgeschroefd. Mijn koplampen beschijnen witte spetters in de goten als nestelende zeemeeuwen. De spetters groeien aan tot sneeuwophopingen en ik zie dat het papierafval is. Een krant glijdt langs het passagiersraampje en fladdert uit zicht. Er staan met planken dichtgetimmerde pakhuizen, een eruptie van Greyhoundbussen en een paar winkels. Om me heen schieten torens de hoogte in die elkaar de ogen uitsteken met hun bronskleurige matglas. De straat stijgt en de etalages schitteren van het geld.

Terwijl ik nu weer een snelweg bovenlangs kruis, zie ik dat beneden, vóór me, de weg begint te stijgen en dat de patronen van bewegende lichten worden versplinterd en overschaduwd door vegetatie. Ik zie een bord met Sunset Boulevard. Ik voel me in het gelijk gesteld als ik voor het rode licht stop. Ik zit weer ademloos te lachen, slap van opluchting. Ik heb het stratenplan onder de knie. Ik heb het ereburgerschap van de stad verworven. Als ik hier linksaf sla zal ik in een mum van tijd in de canyon zijn waar de Kleinmannen wonen en bij de ontknoping die deze avond zal brengen, wat die ook moge zijn. Ik ben alwetend en onsterfelijk en belachelijk dronken.

Het stoplicht wordt groen en ik draai naar het westen met de wind in de rug, terwijl ik toonloos fluit en me één voel met de voortratelende kever. Ik passeer de ene zijstraat na de andere. Ik leer me niet te laten intimideren door het oranje licht, maar net als alle anderen op het allerlaatste nippertje over de kruispunten te gassen – en ik begin waardering te krijgen voor de spanning die dat met zich meebrengt. Ik heb nog steeds maar een erg vaag idee over waar ik ben, maar net als ik begin te denken dat er misschien meer dan één Sunset Boulevard is, of dat ik de canyon al voorbij ben, begint mijn omgeving zich te identificeren. De lichten worden feller en de etalages opzichtiger. Er rijden limousines zo lang als een bus. En tussen alle andere winkels zie ik een Hollywood Lingeriewinkel en Hank's Hollywood IJzerwaren en de Hollywood Diner.

En in deze straten beginnen zelfs de gedaanten op de stoep er symbolisch uit te zien, alsof ze hier zijn neergezet voor de toeristen. Bij het volgende kruispunt, bijvoorbeeld, zie ik een heel groepje – een gothic op een skateboard, twee hoeren en een zwerfster met een winkelwagentje vol poedels. Ik neem het allemaal waar met een verhoogde helderheid, als een kiekje voor het album. De skater is in de voorgrond, gehurkt en met zijn armen uitgespreid voor het evenwicht, en de sierspijkers op zijn handbeschermer glinsteren. Ik nader hem, terwijl hij met een noodgang op de meisjes af rijdt. Eentje is mager en draagt een leren hotpants en een kort topje, en ze leunt naar binnen in het passagiersraampje van een Lexus, en de andere, op de stoep, heeft dikke dijen in netkousen en praat in een mobieltje. Verderop staat de zwerfster te wachten tot het licht groen wordt. Ze draait een lok van haar mottige pruik om haar vinger en kijkt met een ontevreden pruillip naar het verkeer. Het meisje met het mobieltje lacht met haar mond open en haar gezicht in de wind. De skater strekt zijn benen en glijdt voor me langs en ik heb net bedacht hoe goed hij is, als ik zie dat het meisje niet meer lacht, maar hem nawijst met een lege hand, en dat haar vriendin met haar hoofd uit de Lexus komt. Die twee, net nog klein en scherp, zijn nu aangezwollen tot een vage vlek aan de rand van mijn gezichtsveld. Nog even en ze zijn gereduceerd tot een vluchtige beweging in mijn achteruitkijkspiegel en dan niets meer. En net als dat ook met de gothic zal gaan gebeuren, botst hij tegen het winkelwagentje op en doet de poedels in de goot belanden. Zijn skateboard tolt uit het zicht en hij tuimelt voor me op de grond, rolt over zijn schouder en terug op zijn knieën, terwijl de gejatte mobiel in de richting van het tegemoetkomende verkeer zeilt.

Ik ruk aan het stuur om hem te ontwijken, zwenk weg van de stoep en er dan weer recht op af. Ik knal op de stoeprand met zowel rem- als koppelingspedaal maximaal ingetrapt. Er klinkt geknars van staal op beton en gepiep van rubber. Mijn jukbeen zit tegen het zijraampje en alles beweegt van rechts naar links. En daar zijn ze weer, de hoeren, verwaaid en razend van woede, terwijl de jongen overeind krabbelt en de zwerfster, die, zie ik nu, een man is in vrouwenkleren, het verkeer ontwijkt met een poedel tegen zijn borst geklemd en zijn rok opwaait in de wind – en dit hele straatpanorama passeert langzaam over mijn voorruit, terwijl ik van de ene hoek van het kruispunt naar de andere tol. Ik maak me klein in afwachting van de volgende botsing. Die komt als een dreun die ik in mijn maag voel, en een krassend geluid, en ik word achteruitgedrukt in mijn stoel, totdat alles schuddend tot stilstand komt. Ik doe mijn ogen open en blijf zitten luisteren naar het getoeter. Ik adem uit en weer in en merk dat dat met horten en stoten gaat. Ik zet de motor uit en trek de handrem aan. Als ik mijn voeten van de pedalen laat glijden, trillen mijn benen. Ik draai mijn hoofd en zie dat de auto achteruit de stoep op is gegaan, tegen de hoek van een afvalcontainer tot stilstand is gekomen en zich met de neus vooruit min of meer heuvelafwaarts heeft geparkeerd.

Vóór me, op Sunset, komt een stilstaande pick-up weer sputterend in beweging. Hij gaat op de tast de kruising over en maakt de stroom los. Het leven wordt hervat. Het is een wonder dat ik het overleefd heb. Kennelijk heb ik niemand doodgereden. Bij die gedachte slaat de schrik als een hete golf door mijn lijf. En als die golf voorbij is, weet ik waar ik ben. Voor het eerst op deze reis door de stad bevind ik me op bekend terrein. Dit is de bocht die ik zocht. Het kan nog niet lang geleden zijn dat we hier stonden te wachten tot het licht groen werd, op weg naar huis van het etentje bij Max en Frankie. Als het verkeerslicht gisteravond, na het televisiefeestje, op rood had gestaan, zou ik misschien hebben gezien wat ik nu zie. Op de hoek van het gebouw, verderop in de straat voorbij de afvalcontainer, staat een gipsen nimf. Ze gebaart zelfvoldaan in een roze schijnwerper naar haar eigen naaktheid. Ik zag haar in de film van Max en wist op dat moment dat ik haar eerder had gezien, en haar zussen, buiten beeld om de hoek. De avond van het faculteitsfeestje, de avond van Astrid en het zwembad, toen was het voor dat gebouw, daarginds op de hoek, dat de SUV tegen de bestelwagen en de Mercedes botste en het blonde meisje bloedend uit haar Porsche kwam wankelen.

En dat komt me nog het vreemdst voor van alles, vreemder dan het feit dat ik het overleefd heb, vreemder dan het feit dat de telefoondief en de poedels het hebben overleefd, want het voelt alsof de gebeurtenis zichzelf heeft herhaald en ik haar alleen vanuit een andere hoek ervaar. En dat gepraat van Astrid over parallelle universums, dat op dat moment kleurrijk en excentriek leek, lijkt nu een soort openbaring. Ik heb de duizelingwekkende gewaarwording dat ik naar mijn eigen leven omlaag kijk. Ik kijk naar de overkant van Sunset en verwacht mezelf te zien, versteend achter het stuur met Rebecca naast me. Dan gaat ook deze golf weer voorbij. En ik ben alleen maar een dronkaard in een auto die blij mag zijn dat hij niet wordt opgesloten.

Ik controleer of er niets aankomt vanaf de heuvel, doe het portier open en stap naar buiten in een storm. Het lawaai doet niet onder voor het verkeer, maar is hoger van toon. Mijn knieën zijn stijf en mijn gezicht doet pijn. De auto biedt een droevige aanblik, met een deuk in de voorbumper en de voorklep open gebogen tot een spottende grijns. Het rechterportier staat tegen de afvalcontainer aan. Natalies bloemen zitten onder de horizontale krassen. Alles is verpest.

Ik kan in mijn toestand beter niet meer gaan rijden. Het lijkt nu sowieso futiel om de confrontatie met Max aan te gaan. Misschien zou ik gewoon Jake op hem moeten loslaten, hem nu bellen en hem het adres van Max geven, zodat hij geen tijd hoeft te verspillen aan een zoektocht op internet. In plaats daarvan bel ik Rebecca. Haar telefoon staat nog steeds uit. Dus bel ik Astrid opnieuw en krijg haar antwoordapparaat.

'Ik had gehoopt dat ik met je kon praten,' zeg ik. 'Ik ben dronken, om eerlijk te zijn. Weer met mij, trouwens, voor het geval je het nog niet wist. Ik dacht dat ik alwetend was geworden, of zoiets, maar ik ben gewoon dronken. Dus ik hoopte dat we konden praten. Het spijt me wat er eerder gebeurd is, met Rebecca. Ze ziet het allemaal helemaal verkeerd. Maar goed – bel even terug als je dit hoort. Of ook niet, als je niet wilt. Ik vrees dat ik Natalies auto in de puin heb gereden. En ik heb Jake weer van streek gemaakt. Ik heb mijn dag niet echt, eigenlijk. Ik hoop dat jouw dag beter is.'

Een jonge vrouw komt uit een steeg met een kleine koffer op wieltjes achter zich aan. Ze ziet de auto in het voorbijgaan. Ze kijkt even naar mij en weer naar de auto en haalt haar schouders op, en ik denk terug aan Evie. Dit is niet Evie, dit donkerharige meisje, maar ze heeft wel iets van haar, zoals ze van me vandaan loopt met haar wippende paardenstaart. Ze slaat de hoek om bij de gipsen nimf. Ik denk aan de Evie uit de documentaire, hoe ze naar haar werk loopt en in een voice-over uitleg geeft over de fooien en de variabele werktijden. Dan denk ik aan de Evie uit de videotape, die boven op Max klimt in haar angoratrui, naakt vanaf het middel. En ik volg dit meisje dat niet Evie is naar de hoek van de straat om haar na te kijken. Daar is de rij gipsen nimfen met de deur in het midden en de uitsmijter die zijn knokkels laat kraken, en de bar ernaast die eruitziet als een saloon uit het Wilde Westen, en mensen die voorbijlopen over de stoep, maar geen spoor van het meisje. Ze is natuurlijk naar binnen gegaan. Ze is naar haar werk. De Zeven Sluiers, zo heet de club. En ik realiseer me dat, als ik met Evie zou willen praten, dit de plek is waar ik haar zou kunnen vinden. Ik ben te ver heen om Max achterna te gaan zitten, en ik heb er de energie niet meer voor. Rebecca wil mijn telefoontjes niet beantwoorden. Natalie is dood. Als ik wil weten hoe het met Max zit, wat hij doet, wat hem die macht geeft over elke vrouw die hij tegenkomt, dan is Evie degene die ik het moet vragen. Daarom ben ik hier terechtgekomen, hou ik mezelf voor, bont en blauw maar levend, pal voor de Zeven Sluiers. Ik geloof er natuurlijk niks van. Ik zou net zo goed kunnen zeggen dat God me hiernaartoe heeft gebracht. Maar ik ben er nu toch, dus waarom niet. Ik voel mijn hart bonzen als ik de uitsmijter passeer en door de open deur naar binnen ga.

15

Het meisje op het podium tilt haar benen op om het laatste minieme kledingstuk over haar enkels uit te trekken. En ik denk: is dat alles? Is dat waar het allemaal om draait – alleen maar naaktheid uiteindelijk? Nu er niets meer te verbergen is, maakt het doelbewuste van de voorstelling plaats voor een soort onschuld. Het gezicht van het meisje ontspant in een grijns. Ze hurkt om haar ondergoed en wat verspreid liggende dollarbiljetten op te rapen. De muziek gaat over in opgenomen applaus. Wat attent is, vind ik – dat wij, die zitten te kijken, ontslagen worden van de taak om te reageren, om te ontwaken uit onze afzonderlijke toestanden van overgave of onverschilligheid.

Ik ben hier om Evie te vinden, natuurlijk, dus wat ik van de show vind doet er niet toe. Behalve dan dat ik hier ook ben omdat mijn vrouw bij me is weggelopen en het zaterdagavond is en ik ver van huis ben. En ik ben hier omdat ik te veel gedronken heb en mijn auto het heeft laten afweten op de stoep bij het afval. Dus misschien ben ik hier gewoon omdat ik hier ben. Wat maakt mij anders dan de rest van de bezoekers? Ik kan niet ontkennen dat er momenten waren van betrokkenheid, opwellingen van verhoogd bewustzijn. Afgeleid door een onverwacht gebaar of een zo subtiele onthulling dat mijn adem even stokte, vergat ik even na te denken. Maar na twintig minuten ken ik de cyclus van verwachting en teleurstelling al, en voel ik de golven daarvan afnemen als een verzwakkende hartslag.

Ik heb een tafel gevonden aan de zijkant, bij de muur. Ik heb een paar meisjes naar Evie gevraagd – Evie of Eva – terwijl ik in het halfdonker naar de gezichten tuurde en mijn stem verhief boven de muziek. Misschien weten ze wie ik bedoel. Waarschijnlijk komt ze wat later. Als ze van het podium af zijn, zijn ze roofdierachtiger, deze meisjes – in korset gesnoerd voor de strijd en ongemakkelijk dichtbij. 'Zin om te spelen?' zeggen ze, of 'Vind je 't goed als ik bij je kom zitten?' of 'Ik heb je nog nooit gezien – ben je hier voor het eerst?' Ze mompelen lieve woordjes en raken met een hand lichtjes mijn knie of mijn elleboog aan. 'Hé, lekker stuk,' zeggen ze, 'gezelschap nodig?' of 'Je hoort hier niet in je eentje te zitten, zo'n knappe vent als jij.' Ik schud het hoofd en ze zweven voorbij, terwijl hun geur blijft hangen.

Veel moeilijker heb ik het met het meisje dat het allemaal nog niet echt doorheeft, dat haar kwetsbaarheid meebrengt – de ogen niet koel genoeg, niet genoeg vlees op haar botten. Ik wil mijn jasje om haar hoekige lijfje slaan, zeggen dat ze iets moet aantrekken, iets moet eten. 'Ga je met me mee, dat ik voor jou alleen dans?' vraagt ze. 'Ik ben echt goed. Je zult er geen spijt van krijgen.' Maar het spijt me nu al – dat ze moet doen alsof ze verleidelijk is en dat ik moet doen alsof ik verleid word, dat ze geen baan heeft die beter bij haar past.

Er is nog een ander deel van de club, aan de zijkant onder een boog door. Van tijd tot tijd loopt een meisje met een van de mannen aan de hand de rode gloed in, en verdwijnen ze achter een gordijn, maar soms zwaait het gordijn opzij en is er een lenige beweging van een hoofd of een arm te zien.

Ondertussen maken ze om de beurt hun opwachting op het podium, waar ze laten zien wat ze in huis hebben. Een stuk of zes mannen zitten er vlakbij, de meeste jonger dan ik en beter gekleed. Af en toe lichten hun hoofden op in de bewegende lichtstralen of zijn ze zichtbaar als silhouetten. In het halfdonker zitten nog meer mannen, alleen of in groepjes rond de tafels. Sommige praten met de meisjes, die lachen en fluisteren, of in verveelde poses rondhangen en met hun lange haar spelen. Een paar mannen zitten bij vrouwen die normale kleren aanhebben, hun vrouwen of vriendinnen. Een van de danseressen, die naar het podium kijkt terwijl ze tussen de tafels door loopt, klapt en slaakt een enthousiaste kreet bij een bijzonder atletische beweging. Mensen kijken om en de danseres op het podium bloost, terwijl haar gezicht opklaart bij de erkenning.

De danseressen laten me ondertussen met rust omdat ze hun energie liever in anderen steken. Gelukkig wil de serveerster niets van me. Haar hand op mijn arm is geruststellend. 'Kan ik je nog iets brengen, schat?' vraagt ze. En haar gezicht drukt bezorgdheid uit over mijn toestand, alsof het wil zeggen dat ik, door deze tent met zijn schelle lichten en donkere hoeken binnen te gaan, mezelf blootgegeven heb en mijn behoefte zichtbaar heb gemaakt. Ze is erg handig met een dienblad vol drankjes dat ze op schouderhoogte op één hand draagt en met een zwaai op tafel zet, terwijl ze met haar vrije hand de geldbuidel van haar riem schuift. In het voorbijgaan duwt ze met een enkele beweging van haar heup een lege stoel tegen een tafel. Ze wisselt een grap met de barman, een grote, gespierde vent met een handsfree-telefoon aan zijn oor. De muziek verandert. Het volume neemt toe. Het tempo daalt. De dj vraagt ons om een groot applaus voor een erg mooie dame die Starlight heet, en Evie komt op. Ik geloof dat het Evie is. Ze is lang en bleek, dit meisje, met lichtblond haar. Natuurlijk heb ik Evies gezicht maar heel kort gezien op het kleine scherm. In mijn hoofd zit het beeld van haar van de video, in een trui, terwijl ze haar benen insmeert met lotion, en het beeld dat ze boven op Max klimt. De documentaire van gisteravond heeft nog vagere indrukken achtergelaten. Starlight draagt een cocktailjurk en haar haar is opgestoken, dus veel aanknopingspunten heb ik niet.

Ik pak mijn drankje en verhuis naar een stoel aan de rand van het podium. Ik wil er zeker van zijn dat dit de vrouw is waarvoor ik gekomen ben. Ze bukt boven aan de trap om haar kleine handtasje neer te zetten en kijkt om zich heen om haar publiek in te schatten. Haar blik kruist de mijne, flitst weg en komt weer terug. Dan kijkt ze naar iets anders. De jurk is zwart met vleugjes zilver. Ze gaat rechtop staan en de jurk is overdekt met glinsterende kleurenkronkels van de halslijn tot de zoom. Als dit Evie is, wat zal ik haar dan vragen? Om Max voor me te verklaren? Om Rebecca te verklaren? Wat ziet mijn vrouw in jouw baas, je vriendje, je agent? Wat heeft hij te bieden, afgezien van een steuntje in de filmbusiness? Wat zoekt een aardig Engels meisje uit de middenklasse met meer cerebrale aspiraties bij hem? Je kunt maar beter weten wat je haar moet vragen, houd ik mezelf voor, want zij is waarvoor je hier gekomen bent. Tenzij je, uiteindelijk, toch alleen maar hier bent omdat je hier bent.

En opeens zit ik te hopen dat zij het niet is en dat ik me er niet toe moet verlagen om een stripper te vragen waarom het slecht gaat met mijn huwelijk. Er zit vast geen tatoeage op haar rug. Ze zal haar mond opendoen om te praten en uit Brooklyn of Texas blijken te komen. Want het accent zou het ultieme bewijs zijn. Ik zou nu weg kunnen gaan. Maar ik ben net gaan zitten. Ik ben gesignaleerd. Weggaan zou een te botte afwijzing zijn, zoiets als weglopen bij een cellorecital in een kerk, of de zeurpiet op kantoor de rug toekeren. Ze heeft haar best gedaan om er mooi uit te zien, deze jonge vrouw die best wel eens Evie zou kunnen zijn, bijpassende schoenen bij haar jurk aangetrokken, en een bijpassend sjaaltje in haar haar, en weglopen zoals je zou weglopen van het verkeerde meubelstuk in een meubelshowroom, zou de grove aard van de transactie te rechtstreeks benadrukken. En die is, op de keper beschouwd, dat ik haar geen seconde beleefde aandacht verschuldigd ben, aangezien haar belangstelling voor mij niet dieper gaat dan mijn beurs. Ik begin te hyperventileren en dat zou best weleens kunnen komen doordat mijn hoofd tolt van de tegenstrijdige gedachten. Tenzij dit tollen alleen maar een symptoom is en ik lijd aan een gevoel van blootstelling dat zich uit als duizeligheid – dat ik hier zit en bekeken word door een meisje naar wie ik eigenlijk zou moeten kijken, omdat ze in mij een soort honger heeft gesignaleerd. Vertel eens, Evie, wil ik haar vragen, vertel eens hoe het is om je te bewegen in de kring van liefde waar ik uit geweerd word.

De andere mannen gooien biljetten op het podium en ze begint achter het geld aan te gaan. Na een poosje wordt mijn ademhaling weer min of meer normaal. Ik zit onderuitgezakt in mijn stoel en probeer het niet erg te vinden wat me overkomt, probeer het niet erg te vinden dat ik er plezier aan beleef. Hoe ongemakkelijk het ook mag zijn, plezier is tenslotte beter dan verveling. Plezier verdringt in elk geval andere gedachten. Het is geen ruimte die erop wacht om volgepropt te worden met spijt en weerzin en een klauwend gevoel dat je van je tijd bent beroofd. Plezier is zijn eigen rechtvaardiging.

Ze is aantrekkelijk, dat lijdt geen twijfel, en ze kan bewegen. Maar wat ze uitstraalt is meer dan dat, krachtiger dan dat, een soort vermenging van tegenstellingen – van het zedige met het hoerige, en later als ze van haar jurk is verlost, van het schaamteloze met het slaafse. Heel even vergeet ik dat dit misschien Evie is. Ik vergeet Evie. Het is als ze om de paal draait en haar lange haar, bevrijd van het sjaaltje, langs haar gezicht zwiert, dat de tatoeage onmiskenbaar wordt, een blauwig waas dat een vliegende zwaluw wordt als ze langzamer gaat draaien.

Als ze naderhand naar me toe komt en zegt: ‘Wil je nu een

lapdance?' aarzel ik en dus komt ze naast me zitten. 'Het is niets, weet je. Het is sexy, maar het is geen seks.' Ze leunt naar me over en laat haar stem zakken. 'Misschien word ik nat en misschien krijg jij een stijve. Dat is niet zo erg, toch?' Haar toon beweegt zich tussen geruststellend en uitdagend. Ze heeft een expressief gezicht. Ze doet plotselinge dingen met haar mond en haar wenkbrauwen. Ze heeft haar ondergoed weer aangetrokken en ook een soort rokje en iets rond haar schouders van een of andere gaasachtige stof – niet echt kleren, maar het haalt de harde kantjes eraf.

'Misschien kunnen we eerst praten,' zeg ik.

Ze haalt haar schouders op. 'Waarom niet? Dit is normaal.'

'Volgens mij ken je Max Kleinman.'

Haar gezicht mimet verrassing. 'Ken je Max? Ben je zijn vriend?'

'Je zou kunnen zeggen dat ik zijn vriend ben, ja.'

'En Max heeft gezegd dat ik hier werk?'

Ik twijfel wat voor leugen ik zal vertellen en besluit dan niet te liegen. 'Nee,' zeg ik. 'Je zat in zijn documentaire. Ik heb gisteravond gekeken.'

Ze kijkt weg en mompelt iets in het Tsjechisch. Dan zegt ze: 'Die klootzakken. Ze hebben me gezegd mijn gezicht blijft verborgen.'

'O, maar dat hebben ze gedaan. Ik had je bijna niet herkend. Het kwam alleen door de tatoeage.'

'De vogel.' Ze kijkt opgelucht. 'Misschien laat ik hem weghalen als ik geld heb. Sommige van de meisjes, weet je, ze sparen geld voor borstvergroting. Of hebben al een gehad. Heb ik borstvergroting nodig? Wat vind je?'

'Wat mij betreft zie je er prima uit.'

'Vergeet ook maar, dat dansen is alleen voor nu, om huur te betalen.' Haar ogen beginnen af te dwalen. Ze slaat haar benen over elkaar en haar voet gaat op en neer in zijn hooggehakte sandaal.

Aan de rand van het podium zit een danseres op haar knieën met haar bh rond de nek van een jongen.

'Is dit sexy, wat dit meisje doet? Misschien moet ik dit doen.'

De jongen voelt zich opgelaten, maar trekt een verlekkerd gezicht voor zijn maatjes – studenten uit de stad.

'Vertel eens wat over Max,' zeg ik.

'Over Max?'

'Over jou en Max.'

Ze kijkt me van opzij aan. 'Wat over mij en Max? Er is niks over mij en Max.'

'Ik dacht dat jullie dikke maatjes waren. Dat jullie iets hadden samen.'

'Nu ben je een politieman? Waarom interesseert dit jou, over mij en Max?'

'Dat is moeilijk uit te leggen.'

Ze lacht. 'Natuurlijk. Ik denk jij bent misschien wel vriend van Frankie.'

'Nee, echt niet.'

'Frankie stuurt je om roddels te zoeken over haar man.'

'Nee, helemaal niet, eerlijk. Dit is alleen voor mij. Ik beloof je dat ik niets zal doorvertellen van wat je zegt.'

'Je belooft! En waarom zou ik je geloven? Dit is niet een plek om mensen te geloven. Ik zeg tegen een man: o, wat ben je knap, en ik lach om zijn grappen. En hij zegt tegen mij dat hij grote producer is en misschien heeft hij werk voor mij. En wat denk je – dat is allemaal niet een grote leugen?'

'Waarom werk je hier dan?'

Ze haalt haar schouders op. 'Welke plek is anders? Nee, echt! Hier doet niemand net of hij de waarheid zegt, wat eigenlijk beter is.' Ze staat op. 'En nu moet ik werken.'

'Hoeveel?'

'Daarvoor ben ik hier, om te werken.'

'Ik bedoel, hoeveel voor een dans?'

'O. Nu wil je een dans?'

Ik haal mijn portemonnee tevoorschijn.

'Twintig dollar,' zegt ze. 'Plus fooi. Fooi is normaal.'

'Twintig dollar, dus, plus fooi, voor vijf minuten van je tijd.' Ik gooi een biljet van twintig dollar op tafel en een tientje.

Ze kijkt naar het geld alsof het niet de moeite waard is om op te rapen.

'Ik wil alleen je verhaal horen.'

Ze kijkt even naar me, haalt dan haar schouders op en gaat weer zitten. 'Dus je wil weten over mij en Max. Wat kan ik vertellen? Het was niets. Ik geef het meisje les, één keer in de week. Ik geef les en Frankie doet of ze me groot plezier doet omdat het meisje zoveel talent heeft, maar ik zie dit talent niet. En ik doe dit alleen omdat Frankie me dan extra studioruimte geeft en zo. Ik verdien natuurlijk meer met dansen. En als ze me die baan aanbiedt, zegt ze niks over het jongetje, die trouwens een monster is. Maar Laura is oké. En dan is Max aardig tegen me als ik er ben, en komt af en toe een kop koffie brengen, of een glas water. En ik maak een paar dingen voor hem, want ik vind het leuk om dingen te maken en we hebben lol samen. Hij maakt me aan het lachen. Hij is grappige man. Vind je niet dat hij grappige man is?'

'Ja, hij is wel grappig, denk ik.'

'Op een dag je kom hem misschien tegen, je vriend Max, en dan weet je wat ik bedoel.'

'Ik ben hem al tegengekomen. Ik ken hem.'

'En dit is niet voor een scheidingszaak of zo?' Ze bekijkt me onderzoekend.

'Dit is voor mij.'

'Je bent een rare jongen.'

'Ik wil de rest horen.'

'Het was niets, zeg ik toch. Een week komen de kinderen niet omdat ze bij hun grootmoeder zijn, en Frankie is naar een vergadering in San Francisco, en niemand zegt iets tegen me. Maar Max is er wel, weet je. Misschien heeft hij het zelf wel bedacht, want hij heeft een cadeautje voor me, een of ander luchtje. En dus hebben we seks en het is leuk zelfs. Hij zegt dat Frankie het niet erg vindt. Zij vindt het leuk als hij dit doet omdat ze niet zo houdt van seks. Wat denk jij? Misschien is het waar maar, je weet wel, mannen zeggen zulke dingen. Dan gebeurt er een paar weken of een maand of zo niks, omdat Frankie terug is en de kinderen zijn er altijd. Alleen laat hij me meedoen in die film die hij aan het maken is over stripclubs. Dan een andere keer dat Frankie weg is. Nu vertelt ze het wel, maar ik kom toch om Max te zien. En zo gaat het verder. Dan op een dag ben ik bij hem en ik pak zijn portefeuille – ik plaag hem maar wat, weet je, en hij komt achter me aan om hem terug te krijgen, en ik kijk erin om te zien wat erin zit. Er is een foto van een vrouw en ze heeft iets voor hem achterop geschreven, hoe fantastisch hij is en hoe hij haar leven heeft veranderd. En ik ben echt geschokt, omdat hij dat andere meisje heeft. En ik zeg kwetsende dingen en we maken ruzie. Maar eigenlijk ben ik ook opgelucht want ik ben niet van plan om een diepe affaire te hebben. Na een poosje leggen we het weer bij en dat is de laatste keer dat ik hem zie, want ik zeg tegen Frankie dat ik het te druk heb om haar dochter les te geven. Dus er komt helemaal niet veel gedoe of zo. Misschien vind je het nu zonde is van je geld.' Ze raapt de bankbiljetten op en stopt ze in haar tasje. 'Dansen zou beter voor je zijn geweest.'

'Hoe was ze, die andere vrouw?'

'Ik weet niet. Wat kan mij het schelen hoe ze was? Ze was niets.' Evie kijkt de club rond. 'Hier zou ze misschien een baantje als serveerster krijgen.' Het lijkt haar geen plezier te hebben geschonken om dit verhaal te vertellen. Ze is rusteloos, afgeleid door de bezigheden rond het podium.

Ik weet dat die andere vrouw wie dan ook zou kunnen zijn,

maar ik kan het niet helpen dat ik een foto van Rebecca zie in de hand van Max en een liefdesboodschap in het artistieke handschrift van Rebecca. 'Je hebt haar foto gezien. Dan kun je je toch nog wel iets herinneren. Het was een schok, zei je.'

'Ja, hij liet me de foto zien, maar ik keek niet. Nu moet ik werken.'

'En wat stond erop geschreven?'

'Niets. Van alles over liefde.' Ze staat op. 'Wil je nog dansen of moet ik een andere man zoeken? Ik ben erg populair, als je dat maar weet. Binnen een minuut heb ik er een. Ik zal je laten zien.'

Ze kijkt de ruimte rond, terwijl ze met haar tasje zwaait en bedenkt op wie ze af zal gaan. Ik wil niet dat ze weggaat. Ik wil dat ze die foto beschrijft, dat ze me genoeg vertelt om te weten of het Rebecca was.

'Hoe zit het dan met die film?' zeg ik. 'Wist je dat Max je aan het filmen was?'

'Ik begrijp je niet.' Ze lacht. 'Hoe denk je dat ze film maken zonder dat mensen het weten? Ze brengen hun eigen lampen mee. En overal mannen met camera's. En die andere mannen doen net of ze kijken en wij doen net of we werken. Het was te vroeg in de morgen. Wat, denk je soms dat ze film maken en mensen weten het niet?'

'Niet de film. De video van jou en Max in bed.'

Ze lijkt in de war. Ik heb weer haar aandacht.

'Hij heeft het gefilmd. Jij in je trui en hij in zijn zwarte zijden kamerjas. Ik heb hem gezien.'

Haar mond valt open van verbijstering. 'Waar heb je het over? Je bent ziek, denk ik.'

'Ik moet alleen maar iets weten over die film.'

'Wat voor film? Je bent een engerd. Je moet maar een hoer zoeken die smerige dingen tegen je zegt. Ik doe dit namelijk niet. Ik ben alleen danseres.'

Ik kijk hoe ze wegloopt. Ze loopt tussen de tafeltjes door, maar ik zie waar ze naartoe gaat. Naar een grote man met de bouw van een worstelaar, die in zijn eentje zit. De serveerster staat op het podium in haar gemakkelijke schoenen en wrijft even snel de spiegel op. Ze ziet iets weerspiegeld waardoor haar aandacht wordt getrokken. De barman staat te klappen voor haar optreden. Ze draait zich om en giechelt. De muziek pulseert om haar heen en de lichten veranderen van roze naar lila. Daarbuiten, in de schaduw, heeft Evie zich om haar worstelaar gedrapeerd en zit ze iets in zijn oor te fluisteren. Hij zegt iets en ze lacht, terwijl ze haar hoofd in haar nek gooit. De worstelaar duwt zich uit zijn stoel omhoog. Evie pakt hem bij de arm en leunt met haar hoofd tegen zijn schouder als ze door de zaal lopen. Hij heeft een trage glimlach op zijn gezicht en zij lacht. Ze slenteren aan me voorbij naar de rode gloed van de boog. Ik heb het gevoel dat mijn hele leven afhangt van deze ene vraag. Ik weet dat het niet alles is. Wat het antwoord ook is, er zullen meer vragen volgen. Maar het voelt alsof alles ervan afhangt. Ik sta op en loop achter hen aan. Ik blijf met mijn voet achter de stoelpoot hangen en struikel tegen de serveerster aan die terugloopt naar de bar met haar keukenpapier en haar schoonmaakmiddel.

'Gaat het, schat?' vraagt ze. Ik vang haar bezorgde blik op als ik snel langs haar naar de boog loop. Er zijn zeven of acht kamertjes met gordijnen ervoor, als de paskamers in een warenhuis. Ik zie Evies vingers van de rand van het gordijn glijden, dat zwaait en tot stilstand komt in de omlijsting.

'Hé, man, volgens mij zit je hier fout.' Het is de barman. Van dichtbij ziet hij er nog groter uit.

'Ik moet Evie iets vragen.'

'Je moet helemaal niks, man, alleen oprotten.'

'Een paar vragen maar.' En ik trek het gordijn opzij. De worstelaar zit tegen de muur. Evie zit schrijlings op zijn enorme dijen, met haar gezicht naar hem toe. Ze draait haar hoofd om. Haar mond gaat open en haar wenkbrauwen schieten verschrikt omhoog.

'Alsjeblieft, Evie,' zeg ik, 'de foto...'

De worstelaar tilt een hand naar me op. 'Geen foto's, godverdomme,' zegt hij.

'Ik wil alleen weten of het mijn vrouw was.'

De schok in het gezicht van Evie wordt intenser en ik voel hoe ik van de grond word getild en mijn kleren met een ruk worden strakgetrokken tussen de benen en onder de oksels. Evie en de worstelaar draaien voor mijn ogen in de rondte. Er schijnt een rood licht in mijn ogen, een groen Uitgang-lichtje op zijn kop, en dan adem ik de onfrisse geur in van mijn eigen colbert. Ik herken het ijzerachtige geluid van een nooduitgang en de warmte en het lawaai van de straat. Ik word verblind door koplampen. Mijn hoofd en schouder raken iets hards, maar verder is het een zachte landing. Dan kijk ik, op mijn zij liggend, naar de barman. Hij staat in de deuropening zijn schouder te betasten en draait zijn arm in de kom. Hij beweegt zijn nek. Hij wacht om te zien of ik genoeg heb gehad. Hij praat met iemand, geeft antwoord op de stem in zijn oor. Het stinkt naar rottende groenten. Ik til mijn hoofd op en probeer uit alle macht op te staan, maar mijn voeten en ellebogen zinken weg in de zachte vuilniszakken. Ik lig daar nog steeds als de deur dichtknalt. Ik lig op de stoep tegen de afvalcontainer aan en luister naar de langsratelende wind en het nerveuze getoeter.

'David aan de haak.'

Ik ken die stem en dat kirrende lachje. Het is Wyman. Hij komt vanaf Sunset aan zwalken met zijn cowboyhoed in zijn hand.

'Ik heb machtig veel gebeden, jawel, meneer, dat ik je ziel zou mogen redden en de Heer heeft mijn verhoord en je als een verloren schaap aan mijn zorg toevertrouwd.' Hij strompelt op me af en strekt een arm uit. Zijn grijns trekt rimpeltjes in het getransplanteerde stuk huid op zijn wang.

'Denk je soms dat die aap voor Jezus werkt?'

'Hij krijgt zijn loon van Satan, maar hij klust bij voor Jezus. Alleen weet-ie dat zelf niet.' Hij trekt me omhoog uit de vuilnis tot ik op mijn knieën zit. Ik probeer overeind te komen, maar hij knielt naast me neer met zijn handen op mijn schouders. 'De Heer maakt ons tot zijn instrumenten, David, en daarin hebben we zelf geen zeggenschap. Zelfs in de dagen van mijn zonde was ik een bestelwagen voor Jezus, en voelde ik zijn voet op mijn gaspedaal. Zo gaat dat nu eenmaal, David aan de haak. We klussen allemaal bij voor de Heer, al zijn er niet veel die zich opgeven voor de reguliere baan.'

'Mag ik nu opstaan?'

'Nou, dat is voor mijn geen vraag, nee meneer. Ben je bereid om op te staan uit je zondigheid en de ketenen van drank en ontucht af te werpen? Want zolang je dat niet doet, ben je een stank in de neusgaten van de Heer.'

'Ja, ik moet me nodig opfrissen, klopt.' Ik voel in mijn jaszak naar mijn telefoon. Als het niet te laat is, moet ik Rebecca nog eens proberen. Wyman heeft zijn ogen dichtgedaan. Hij houdt me nog steeds vast bij mijn schouders en we wiegen inmiddels heen en weer.

'Heer, als het uw wil is, laat deze zondaar dan berouw tonen. En omwille van deze ziel, Heer, uit het slijk omhooggetrokken, sla niet neer deze stad, zoals gij Abraham beloofde bij de poorten van Sodom, opdat gij niet de rechtvaardigen vernietigt met de goddelozen…'

Ik kijk over Wymans schouder naar waar de eerste van de gipsen nimfen over het kruispunt uitkijkt. Wyman heeft het volume gedempt, maar zijn greep is intens. Hij lijkt in een trance te zijn geraakt. Ik begin misselijk te worden van het gedein, maar heb de energie nog niet gevonden om me van hem los te maken.

Een jonge vrouw is de hoek om gekomen en komt op ons af. Het is Evie in een ochtendjas.

'Nu alreeds, Heer,' zegt Wyman, 'heeft deze natie de scherpte van uw tweezijdige zwaard gevoeld...'

Evie haalt een pakje sigaretten tevoorschijn en stopt er een in haar mond. 'Wat is dit? Ben je soms verliefd? Je wilt niet met mij dansen, maar je wilt wel dansen met deze gekke man? Je bent een vreemde jongen.' Ze steekt de sigaret aan, inhaleert diep en leunt tegen de muur.

'Waarom noem je me een jongen? Ik ben oud genoeg om je vader te zijn.'

'Oud genoeg, misschien. Maar nog steeds een jongen.'

'Drieduizend zielen,' zegt Wyman, 'geveld in de rijpheid van hun zonde – woekeraars en echtbrekers en aanbidders van valse goden...'

'Je hebt je telefoon laten vallen.' Ze haalt hem uit de zak van haar ochtendjas. 'Dus heb ik je gezocht.'

'Dank je wel.'

'Je vrouw belde.'

'Rebecca?'

'Ze zei ze was je vrouw. Ik hoorde hem bellen, daarom vind ik hem op de grond.'

'Wyman, ik moet met deze vrouw spreken,' zeg ik tegen hem. 'Echt, Wyman, ik sta nu op.' Ik heb mijn handen op zijn polsen en probeer hem van me af te trekken.

'Keer je af van hoererij,' zegt Wyman, 'wentel je niet in de lust.'

'Zeg, Evie, wat heb je eigenlijk tegen haar gezegd?'

'Wat denk je? Ik zeg dat ik een stripper ben maar het is oké, omdat je me niet zo leuk vindt en me maar dertig dollar geeft.'

'Allemachtig, Evie!'

Wyman is overgestapt op de Openbaring en ik bedenk dat ik op dit moment waarschijnlijk liever in aanraking kom met de vier ruiters van de Apocalyps dan dat Rebecca me weer de waarheid zegt.

'Zo is het genoeg, Wyman,' zeg ik tegen hem. 'Echt. Het is erg aardig van je dat je me wilt redden van de eeuwige verdoemenis, maar op dit moment heb ik urgentere problemen.' En ik duw hem weg en kom overeind. Al dat bidden heeft mijn zere knie geen goed gedaan. Ik hou me vast aan de hoek van de container om hem te wrijven.

Evie staat te lachen. Kleine pufjes rook komen uit haar mond en kringelen weg in de wind. 'Denk je echt dat ik dat zeg? Tegen je vrouw? Ik heb tegen haar gezegd ik werk in een bar, omdat de muziek zo hard is, weet je wel. Ik zeg haar je was hier en per ongeluk je telefoon hebt laten liggen. En ze wilde weten of je erg dronken was. En ik zeg haar niet zo dronken, eigenlijk, maar verdrietig misschien omdat je helemaal alleen was op zaterdagavond, boehoe. En ik zei moet ik een boodschap aannemen. En ze zei het is niet zo belangrijk.' Evie geeft me de telefoon.

'Dank je wel. Dat was aardig van je om me te beschermen.'

'Ze ruikt echt lekker, hè, David aan de haak.' Wyman is achter me komen staan en mompelt in mijn oor. 'Jawel meneer, ze ruikt als een appelboomgaard in bloei. Maar ze is een witgepleisterd graf, een lijk dat stinkt naar het verval van de zonden.'

'Dat is niet erg aardig, Wyman. Ze is naar buiten gekomen om me mijn telefoon terug te geven.'

'Vertel me dan eens, David. Welke nummers heb je opgeslagen in dat ding? Kun je Jezus bellen? Kun je verlossing bestellen als je geest hongerig is?'

'Hé, jij,' zegt Evie. 'Gekke man. We zijn aan het praten.'

'Of is het alleen de hoer van Babylon die je aan de lijn krijgt?'

'De uitsmijter is een vriend van me,' zegt Evie. 'Je kunt maar beter wegrennen of ik vertel hem dat je me een hoer noemt en dan breekt hij misschien ook nog je andere been.'

Wyman fluit. 'Ze staat op ontploffen, David aan de haak. Ze

is verbonden met het ontstekingsmechanisme van Satan en ze neemt jou mee.' Hij legt een hand op mijn schouder. 'Moge de Heer zijn halogeenlicht op je laten schijnen tot je ogen worden opengebrand. Ik bid voor je, David. Misschien kom ik je later nog eens tegen.' En ik kijk hoe hij weghobbelt richting Sunset en uit het zicht verdwijnt.

'Ik moet gaan. Ik denk dat ik het podium op moet, misschien ondertussen.' Evie blaast een rookwolk uit, laat de peuk vallen en trapt hem in het plaveisel. 'Waar ken je die gekke man van, zo'n aardige jongen als jij?'

'Er zijn erg veel gekke mensen in deze stad.'

'Er zijn gekke mensen overal.' Ze draait zich om om weg te gaan.

'Klonk Rebecca oké?'

'Ze klonk, ik weet niet, druk. Ik denk trouwens niet dat ze het meisje is van de foto van Max. Dit meisje was te jong. Is je vrouw jong?'

'Jonger dan ik.'

'Dun, als een tienerjongen, met grote verdrietige ogen?'

'Absoluut niet.'

'Ze is net een jongen, zei ik tegen Max. Misschien hou je nu van jongens. Daar was hij zo kwaad om. Misschien als ze een paaldanseres is denken de mannen dat ze de paal is.' Ze lacht. Dan haalt ze haar schouders op. 'Ze was eigenlijk best wel knap, met te veel haar voor een jongen.'

'Dat was Natalie, denk ik. Haar naam was Natalie.'

'En denk je Max is misschien een beetje verliefd op die Natalie?'

'Een beetje, misschien.'

'En is zij verliefd op hem?'

'Niet meer.'

'Dat zegt ze. Maar Max heeft het veel te goed bij Frankie en er zijn altijd andere meisjes voor de seks, dus jammer voor Natalie.'

Mijn telefoon gaat over. 'Ik kan maar beter opnemen.'

'Misschien zie ik je nog weleens hier.'

'Ja, misschien.' Ik houd de telefoon bij mijn oor. 'Rebecca. Is alles goed met je?'

'Met Astrid. Waar ben je?'

'Astrid, dank je wel dat je me terugbelt.'

Het is een slechte verbinding Ik kijk hoe Evie wegloopt in haar ochtendjas en de mensen omkijken op Sunset als ze de hoek omgaat.

Er klinkt een geluid en Astrid zegt: 'Ben je thuis?'

'Ik ben in Hollywood. Hoor eens, Astrid – over wat er gebeurd is. Rebecca luisterde mee op het andere toestel...'

'David, zoek ergens een televisie.'

'Wat?'

'Een televisie. Er is iets gebeurd met je vriend Kleinman.'

'Is dat op de televisie?'

Er klinkt nog meer gekraak en dan zegt Astrid iets over de politie. 'Snap er niks van,' zegt ze en 'overal in het nieuws'. Dan hoor ik niets meer.

'Astrid... Astrid, ben je daar nog?' Ik luister naar een autoalarm en een paar sirenes in de verte en het getoeter van claxons op Sunset Boulevard. Ik hoor niets meer door de telefoon. Ik bel Astrids nummer. Het is stil. De batterij is leeg.

16

In de band onderlangs het computerscherm staat Laatste Nieuws en nog iets in kleinere lettertjes, wat ik van deze afstand niet kan lezen. Het beeld wordt bepaald door een luchtshot van een snel rijdende jeep. Hij zoeft de zoeklichten in en weer uit door de bewegende schaduwen van reclameborden en palmbomen. Als er geluid bij is, bereikt dat me niet hier op straat. De laptop staat onbeheerd op de tafel, met ernaast een kartonnen bekertje en een halve muffin op een bord. Mijn eigen gezicht dat over het scherm zweeft, kijkt me aan door het raam van de koffieshop. Achter me raast het late avondverkeer over Sunset en de droge wind kruipt onder mijn kleren. De jeep maakt plotseling een rare draai waardoor twee van zijn wielen in stilte de stoep op stuiteren en weer terug op de weg belanden. Het shot wordt wijder en neemt nu ook de straat en de achtervolgende politieauto's mee. De camera zwaait zijwaarts en zoomt in tot de zijkant van de jeep zichtbaar wordt. Hoe roekeloos de bestuurder bezig is, valt af te leiden uit de schaduwachtige bewegingen van zijn bovenlichaam achter het getinte glas.

Ik word afgeleid door het geratel van een helikopter. Ik kijk naar de lucht en ontdek hem in het westen met een lichtkegel in zijn kielzog. Een tweede helikopter duikt mijn gezichtsveld in en draait lawaaiige rondjes. Er klinken sirenes. Mensen komen naar buiten uit nachtclubs, stappen uit limousines, verdringen zich op de stoep, terwijl de hete wind hun in het gezicht blaast. Ik ben de enige die naar boven kijkt. De travestiet met de poedels steekt de straat over. Hij praat, waarschijnlijk tegen zichzelf, maar hij lijkt mij in het oog te hebben.

Als ik me weer omdraai naar het raam van de koffieshop, terug naar het scherm, kijk ik naar Max. Het is een foto. Zijn mond is open en zijn handen zijn geheven in een soort welkomstgebaar. Hij is nauwelijks een seconde te zien. Dan kijk ik weer naar de jeep die met zijn kronkelende staart van politieauto's eigenzinnig zijn gang gaat. Ik heb het me niet verbeeld. Het was absoluut Max. Wat Astrids telefoontje verklaart. Zoek ergens een televisie. Niet om een willekeurige politieachtervolging te bekijken, kennelijk, maar omdat er iets belangrijks is gebeurd.

Ik wil net de deur van de koffieshop opendoen, als de travestiet bij me aankomt.

'Oeh, geile man,' zegt hij, 'baby, baby, geef me er wat van.'

'Nu even niet,' zeg ik. 'Ik heb het nogal druk.'

'Die peperdure schoenen, baby, daar wil ik ook wat van, want je weet best waaraan ik dacht, oeh! baby, baby, dag en nacht.'

Het winkelwagentje staat in de deuropening. De poedels rusten met hun kaken op de rand of op elkaars hoofd, hijgend en deinend in de hitte.

'Ik moet met iemand praten in het café,' zeg ik.

'Nou, met iemand praten is altijd leuk.'

Ik duw de deur open en wurm me langs het winkelwagentje.

'Je zwartzijden hemd,' zegt de travestiet terwijl hij de mouw van mijn jasje aanraakt met de lange vuurrode nagel van zijn wijsvinger, 'schat, daar wil ik ook wat van.'

De deur zwaait dicht en de airconditioning voelt als een koele hand in mijn nek. Er zitten een stuk of zes mensen aan tafeltjes, alleen of in paren, en drie staan bij de toonbank om bediend te worden. Ik ga voor de laptop zitten. Ik kijk om me heen maar niemand reageert.

Op het scherm praten twee mensen in een studio, een bebaarde man en een vrouw met veel haar. De autoachtervolging is verkleind tot een rechthoekje op de revers van de man.

Een dikke man draait zich om van de toonbank met een bagel in de hand. Hij merkt mij op, waarschijnlijk omdat ik naar hem kijk en erop zit te wachten om opgemerkt te worden, maar hij gaat aan een tafeltje zitten, in zijn eentje, brengt de bagel naar zijn mond en laat zijn blik omlaag gaan naar zijn krant. De volgende die aan de beurt is, is een knappe vrouw die haar koffie aanneemt en recht naar de deur loopt. Blijft alleen de jongeman over die met het meisje achter de toonbank staat te praten. De stem van het meisje is broos en melodisch en haar gebaren zijn als die van een danseres.

'Nou, misschien ben ik wel Frans,' zegt de jongeman, 'want ik ben dol op Frans eten, al heeft mijn moeder me ooit verteld dat mijn biologische ouders uit het Midwesten komen.'

'Dan moet je dat ook respecteren, absoluut,' zegt het meisje. 'Ik ben maar voor een vierde deel Koreaans, maar in mijn ziel ben ik honderd procent Aziatisch.'

'En hou jij van Koreaans eten?'

'Ik hou van alle soorten eten.'

'Ik hou voornamelijk van Frans eten.'

'Ik hou van Frans eten zolang het veganistisch is.'

Op de tafel liggen kleine, zilverkleurige schijfjes, die met draadjes vastzitten aan de laptop. De onrust in mijn binnenste neemt toe. Er is iets met Max gebeurd, of Max heeft iets gedaan, en iemand is op de loop voor de politie. Ik pak een van de schijfjes op, veeg het af aan de mouw van mijn colbert en stop het in mijn oor.

De baard praat. 'Dat, Corinne, is de vraag die de politie zich op dit moment moet stellen.'

'Want als ze dat zouden weten...?'

'Nou, dan zou dat hun taak een stuk eenvoudiger maken. Anticiperen wat deze man nu gaat doen moet hun allereerste prioriteit zijn.'

'En als jij het zou moeten zeggen? Waar denk je dat hij naartoe gaat?'

'Terug naar de plaats van het misdrijf is een mogelijkheid. Dat vinden wij dan misschien niet logisch, Corinne, maar vergeet niet dat we hier te maken hebben met een islamitische extremist. Die zitten psychologisch heel anders in elkaar. Een belangrijke factor is natuurlijk dat hele martelaargegeven. Je moet denken in de richting van, hier is een man... er heeft een schietpartij plaatsgevonden, waarvan we het resultaat niet kennen.'

'We moeten de kijkers er wel aan herinneren dat dit vooralsnog onbevestigde berichten zijn.'

'Maar als we ervan uitgaan dat het A, gebeurd is zoals wij het hebben doorgekregen, en B, het niet helemaal volgens plan is verlopen, waar alles op lijkt te wijzen, dan hebben we hier te maken met een man die wellicht had moeten ondergaan met zijn schip. Hij hoeft niet op veel bijval van de broederschap te rekenen als hij gewoon de benen neemt.'

'Dus aan de oostkant van Wilshire, of Sunset...'

'Of San Vicente...'

'Of waar dan ook, maar jij denkt dat hij uiteindelijk op weg is naar de heuvels van Hollywood?'

'Waar de schietpartij heeft plaatsgevonden. Als die theorie juist is, zou dat zijn doel moeten zijn.'

'En zo niet?'

'Zo niet, Corinne...' Zo niet, dan heeft de baard een andere theorie, maar die ontgaat me. Als Max is neergeschoten en als dat in zijn huis is gebeurd, waar was Rebecca dan toen? En waar is ze nu? Ik denk aan haar telefoontje. Het klonk niet alsof ze in moeilijkheden was, maar ik heb alleen maar Evies versie gehoord. En hoe lang geleden was die schietpartij? Ik probeer deze gebeurtenissen met elkaar te verbinden, maar krijg het in mijn hoofd allemaal niet uitgerekend.

De baard heeft het over een moskee in de valley, in het noorden voorbij de heuvels, en een andere ergens in het oosten van de stad.

'En in een moskee zou hij... wat gaan zoeken?' vraagt Corinne. 'Een toevluchtsoord?'

'Of een symbolisch moment,' zegt de baard. 'Je moet het denken van deze man symbolisch duiden, als we ervan uitgaan dat de aanslag werkelijk een godsdienstige achtergrond heeft.'

'Ah, maar daar gaan we dus van uit, volgens mij.'

'Natuurlijk, gezien de doodsbedreigingen die Kleinman ontving.'

'En die andere boodschappen waar wij nog van hoorden – zou je die ook duiden als doodsbedreigingen? Er is geen andere God dan God, bijvoorbeeld?'

'Tja, in deze context...'

'Ja, in deze context, natuurlijk...'

'Natuurlijk, ik bedoel, wat zou het in godsnaam anders moeten zijn, als je het in deze context leest?'

'Bedankt voor je inzichten, Brett. We willen graag dat je hier bij ons blijft, als je het niet erg vindt, terwijl we kijken hoe deze geschiedenis zich verder ontwikkelt.'

Het liefst zou ik de baard zijn inzichten door zijn strot willen duwen. Hij zegt tegen Corinne dat het hem een genoegen zal zijn, en kijkt zelfvoldaan, alsof de wijd opengesperde blik van Corinne voor hem is bedoeld, in plaats van voor de camera. Ik zit tegen het scherm te mompelen: 'Alsof er iemand op jouw imbeciele teringinzichten zit te wachten, jij chaotische klootzak, als je ons niet eens kunt vertellen wie wie heeft neergeschoten?'

De dikke man kijkt van zijn krant op met roomkaas op zijn kin. Hij knippert een paar keer en wendt zich weer tot zijn lectuur. De jongeman vertelt het meisje over zijn script, dat weliswaar droevig is, kennelijk, maar uiteindelijk heel bevrijdend. De laptop die ik heb geleend is vast van hem, maar hij heeft het nog niet gemerkt.

Corinne heeft haar glimlach uitgezet en probeert te kijken zoals iemand zou moeten kijken die het heeft over zaken van leven en dood, al geeft haar gelifte gezicht haar niet veel speelruimte. 'Dat was Brett Spurling,' zegt ze, 'van het Instituut voor Oriëntaalse Studies aan het St. Aloysius College in Yorba Linda. Chuck?'

'Dat is wel stof tot nadenken, professor Spurling.' Chuck laat zijn opmerking vergezeld gaan van een hartelijk hoofdknikje. Hij heeft wit haar en een verweerde huid en een stem als autobanden op grind. 'Weet je, Corinne, een mens vraagt zich toch af wat er op dit moment door die terrorist z'n hoofd gaat.'

'Nou, Chuck, hij zit vast te bedenken of hij zich zou moeten overgeven, of niet.'

'Ik betwijfel of hij bereid is om die tweeënzeventig maagden op te geven, Corinne, daar durf ik wel een wedje aan te wagen. Ik ben Chuck Broderick.'

'En ik ben Corinne Dupont.'

'En dit is SBC met een onderbreking van onze reguliere uitzending voor het laatste nieuws hier op de Westside.'

'En voor degenen die net hebben ingeschakeld, hier het nieuws van dit uur.'

'Na onbevestigde berichten van een schietpartij in het huis van televisieproducent Max Kleinman is verdachte Amir Kadaver in zijn auto op de vlucht geslagen en wordt nu door de politie achtervolgd...'

Amir *Kadaver*. Dus niet Frankies Amir, wiens achternaam... iets anders is. Iets wat ik me niet kan herinneren. Ik zou het me zeker herinneren als het Kadaver was. En trouwens, Frankies Amir is geen godsdienstfanaat.

'Getuigen wisten te melden,' zegt Chuck, 'dat politieagenten Kadaver probeerden te arresteren in zijn appartement in Westwood...'

Dan herinner ik me Amirs naam en weet ik dat hij het wél is.

'Kadivar,' mompel ik. 'Hij heet Kadivar.'

'Neem me niet kwalijk?' De jongeman van het bevrijdende script staat naar me te kijken. Hij houdt zijn armen gespreid, zijn handen open. Zijn hoofd is opzij gedraaid, zijn hele lichaam mimet een vraagteken.

'Ik ken die mensen.'

'En dus heb je het recht om...?'

'Iemand heeft de echtgenoot van de bazin van mijn vrouw neergeschoten, een of andere godsdienstfanaat, of heeft hem misschíén neergeschoten, en nu proberen ze die Amir te arresteren, wat nergens op slaat, want Amir is een atheïst, en ze kunnen zijn naam niet eens goed zeggen, en ik heb geen idee waar mijn vrouw is.'

'Rustig maar, je zit te hyperventileren. Jezus!' De scriptschrijver gaat naast me zitten. 'Ken je die vent?'

Corinne praat over Max Kleinmans controversiële film *De ontsluiering*. Ze belooft ons dat na de reclame alles op de voet gevolgd en van commentaar voorzien zal worden door Carmen Rodriguez, dé autoriteit op het gebied van terrorisme in Los Angeles. Dan zien we een andere achtervolging als reclame voor een film of een videospel. Ik trek het oordopje uit mijn oor en leg het op tafel. De scriptschrijver heeft gelijk, ik moet me beheersen, de dingen rationeel bekijken. Maar de angst om Rebecca begint alles te overschaduwen. Het lijkt wel of hij mijn ademhaling in de weg zit.

'Hé, Kia!' zegt de scriptschrijver, terwijl hij zich naar het meisje achter de toonbank draait. 'Hij kent die vent in de jeep.' Terwijl hij het zegt spert hij zijn ogen wijd open en vervolgens laat hij zijn mond openvallen om zijn verbazing kenbaar te maken. Dan kijkt hij weer naar mij. 'Hoe kom je zulke mensen eigenlijk tegen? Ik kom zulke mensen nooit tegen.'

Kia bijt op haar lip. 'Wat denk je dat hij gaat doen?'

'Ja, inderdaad, ik bedoel, wauw, ik hoop maar dat hij een plan heeft?'

'Hij moet gewoon verder en verder rijden,' zegt Kia, 'tot er niets anders meer is dan hij en de woestijn en de sterren.'

'Hebben jullie het over die vent in die jeep?' Het is de dikke man. Hij schudt het hoofd en grinnikt. 'Ik geef hem tien minuten, hoogstens.' En hij kijkt weer in zijn krant.

Ik doe mijn best om mijn ademhaling weer onder controle te krijgen en vraag aan de scriptschrijver: 'Zou ik misschien even je telefoon mogen lenen?'

'Ga je hem bellen? Dit is echt helemaal te gek.' Hij haalt de telefoon uit zijn achterzak en geeft hem aan mij. 'Wauw!'

Ik toets Rebecca's nummer in en luister naar het overgaan van haar telefoon.

'Ik zou een moord plegen om een terrorist te ontmoeten. Ik zit namelijk met een gigantisch writer's block. Ik ben het zo spuugzat om van die zelfingenomen verhaaltjes te schrijven over mannen die dronken worden en met de vriendinnen van andere mannen slapen en de dombo van een baas en de knappe buurvrouw en wie zei wat tegen wie en bla-bla-bla... En dan bedoel ik niet een of andere oppervlakkige thriller of zo, ik bedoel helemaal in die vent kruipen en het écht maken. Denk je dat hij gaat opnemen?'

Ik hoor de stem van Rebecca.

'Met David,' zeg ik.

De scriptschrijver gaat haast uit zijn bol.

'David, ik ben in het ziekenhuis.' Er klinken andere stemmen. Ze praat tegen iemand, verontschuldigend. 'Ja, sorry, natuurlijk. David, ze zeggen dat ik mijn mobiel moet uitzetten. Luister, met mij is alles goed. Ik weet niet wanneer ik terug ben. Sorry, ja, nu meteen. Ik moet ophangen, David.'

'Oké.'

'Oké?'

'Oké.'

'Nou, doei.'

De scriptschrijver zit me verbluft aan te staren als ik hem zijn telefoon teruggeef. 'Was dat alles? Wat is er gebeurd? Wat zei hij? Gaat hij zich overgeven, of wat?' Hij kijkt naar het scherm, maar daar is alleen een tekenfilmlandschap te zien waar een vlucht tampons zich op een boomtak neerlaat.

Rebecca is in het ziekenhuis, wat niet goed is, maar met haar is alles in orde, dus dat is prima. En de politie denkt dat Amir Max heeft neergeschoten. 'Het is allemaal een idiote vergissing,' zeg ik tegen hen. 'Dat kan niet anders.'

'Wat potentieel nog interessanter is, als er een of andere onverwachte wending in zit. Niet gewoon als truc in de plot, niet iets om het publiek mee te stangen, bedoel ik. Maar iets wat rechtstreeks komt uit wie hij is, een of ander geheim in zijn verleden misschien. Net zoiets als twee wegen die zich scheiden in een geel woud en hij nam de weg die het minst bewandeld was. Wat trouwens helemaal mijn gedicht is, tussen twee haakjes.'

'Heb jij dat geschreven?'

'O god, was het maar waar!'

Buiten op Sunset passeert een ambulance met gillende sirene en als het geluid afneemt klinkt het geratel van de helikopters luider dan voorheen.

De reclame is voorbij en Corinne is terug. De jeep gaat weer slippend een bocht om. Kennelijk zien we gemonteerde hoogtepunten. Ik herken het moment waar de wielen over de stoeprand stuiteren en de zijwaartse zwaai van de camera. Corinne zit in haar vierkantje in de hoek van het scherm. Dan voegt Chuck zich bij haar, en een vrouw met ravenzwart haar, die vast Carmen, dé autoriteit op het gebied van terrorisme, is.

De scriptschrijver pakt een van de oordopjes op en begint te luisteren. Hij biedt mij het andere aan.

Carmen Rodriguez heeft het over het budget dat besteed wordt aan terrorismebestrijding. Ik zou eigenlijk maar beter naar huis kunnen gaan, als ik de auto tenminste aan de praat krijg. Maar als ik nu ophoud met kijken, ben ik bang dat ik iets zal missen.

'Daar is hij,' zegt de scriptschrijver, 'daar is je vriend.'

Het is weer een close-up, schokkerig en plat door de telescopische lens. Ik herken Amir ondanks het donkere glas.

'En heb jij nog dingen gehoord over Amir Kadaver of een van zijn maatjes?'

'Informatie is vaak niet zo specifiek, Chuck.'

'Dus we kijken hier naar een slapende cel, denk je?'

'Dat kan ik op dit moment niet bevestigen.'

'Klinkt alsof de autoriteiten weer een achterstandje hebben weg te werken.'

'Dat zou een ongegronde veronderstelling zijn, Chuck, in het licht van de ontwikkelingen van vandaag.'

'Ken je die vent echt?' Het is de dikke man. Hij is achter ons komen staan om naar het scherm te kunnen kijken. Hij is aan een volgende bagel begonnen.

'Hij heet Amir Kadaver,' zegt de scriptschrijver. 'Niet te geloven toch? Kadaver! Wat een naam. Die vent is zó niet voorbestemd om verder te leven.'

'Klinkt als een toverformule.' De dikke man lacht en spuugt roomkaas en bagelkruimels in het rond. 'Amir Kadaver! Sesam, open u!'

'Hij heet Kadivar,' zeg ik, maar achter me zwaait de deur

open en mijn stem verdrinkt in het lawaai van de straat.

'Hé!' zegt Kia protesterend. Ze beweegt haar mond, maar er komt niet genoeg geluid uit. Ik draai me om en ik zie dat ze tegen de travestiet praat, die achteruit de coffeeshop binnenkomt met zijn winkelwagentje en die de hete lucht en het slagvaardige geratel van de helikopters binnenlaat.

'Je hebt gelijk,' zegt de scriptschrijver. 'Het is de perfecte naam. Je zou een soort flashback kunnen hebben van de andere kinderen die hem pesten in de schoolbus, ergens in Arabië, of waar dan ook. Dat ze roepen van: "Hé, Cadabra, waar is je vliegende tapijt?" Het zou die pure pijnervaring zijn waar hij in gedachten steeds naar teruggaat, terwijl hij zijn plannen smeedt en zijn bommen maakt. En dan zou je een vent in de metro zien, een Arabische vent, die naar zijn werk gaat. En Kadaver zou hem herkennen als een van die pestkoppen, de aanvoerder zelfs. Net als hij op het punt staat om alles op te blazen, zouden hun blikken zich kruisen, dat je zoiets kreeg van: wauw jij bent het! En: waar ging het eigenlijk allemaal over? En dat er dan dat moment zou komen van totale bevrijding. En dan: Beng! Tijd voor de special effects.'

Ik trek mijn oordopje uit en leg Chuck en Carmen het zwijgen op. 'Hij heeft nooit iemand opgeblazen,' zeg ik tegen de scriptschrijver. 'En hij heeft waarschijnlijk niemand neergeschoten. Hij komt niet ergens uit Arabië en hij is godverdomme geen godsdienstfanaat.' Ik sta op en schuif mijn stoel zo hard naar achteren dat hij omvalt.

'Als hij geen terrorist is,' zegt Kia, 'waarom zitten ze dan achter hem aan?'

De travestiet rolt met zijn ogen. 'Die rukkers,' zegt hij. 'Die zitten achter alles aan wat een rok aanheeft.'

De scriptschrijver zit nog steeds naar het scherm te kijken. 'Hé, ik weet waar dat is. Absoluut zeker dat ik die zaak ken. Dat is hier maar drie straten vandaan.'

'Jep,' zegt de dikke man, 'het circus is in aantocht.'

De scriptschrijver grijpt mijn arm beet. 'Kom mee.'

'Wat?'

'We gaan erachteraan, kijken hoe het afloopt.'

'Hoe het afloopt?'

'Hij is jouw vriend. Ben je niet nieuwsgierig?'

Ik moet iéts zijn, maar nieuwsgierig is een te luchtig woord voor wat het ook is. De scriptschrijver heeft zijn auto achter de koffieshop staan. Hij vraagt Kia om op zijn laptop te passen. Hij heeft een plan. En ik heb niets anders dan een ongericht angstgevoel.

Al rijdend herschrijft hij zijn laatste script. Hij wil dat de terrorist de kwelgeest uit zijn jeugd al eerder ontmoet, op zijn minst in het derde bedrijf. Terwijl hij door de voorruit omhoog tuurt, laat hij zich leiden door de lichten van de helikopters en stuurt dan plotseling naar links of naar rechts als het zo uitkomt. Onder het rijden zwiepen de verkeersborden, de straatlantaarns en de flikkerende neonreclames over de voorruit, schieten langs en zweven in de lucht als levende dingen in het duister.

We gaan plankgas een kruispunt over en ik zie voor ons een paar motoragenten die de weg blokkeren. Een van hen stapt van zijn motor met een hand losjes op zijn holster. We gaan er in een bocht voorlangs en zijn in een steeg waar we over het pokdalige wegdek hobbelen. En een poosje lang zijn het alleen de nietszeggende hoeken van gebouwen en hele reeksen afvalbakken die worden opgezogen in de koplampen.

Ik denk aan Rebecca, aan hoe mijn leven opeens zonder vorm en richting is nu ik er niet meer op kan vertrouwen dat zij is waar ik ben. En de dood van Max, als dat het is, of zijn verwonding, en haar wake in het ziekenhuis voelt niet zozeer als het eind van wat ze dan ook zijn met zijn tweetjes, maar meer als een apotheose. Als ik de concurrentie met Max al niet aankan op het moment dat hij vrolijk zijn lulkoek kan spuien, hoe kan ik het dan ooit opnemen tegen Max de martelaar?

'Ze bewegen niet meer,' zegt de scriptschrijver. 'Kijk.'

De helikopters cirkelen. Eronder zwaaien de kegelvormige lichten en komen dan tot stilstand. Hij stopt aan de zijkant van de steeg en doet het stof opwaaien. Door het waas zien we de zwaaiende rode lichten op de politieauto's. Als we de portieren opendoen, worden we getroffen door het lawaai van de sirenes, en een nieuw geluid – een versterkte stem die waarschuwingen en instructies blaft.

Als we bij het eind van de steeg aankomen, verschijnen er nog meer politieauto's, die één voor één opzij zwenken tot ze een leeg stuk weg hebben gevonden, en daarachter de brandweerwagens, de ambulances en de televisiewagens. De scriptschrijver loopt voor me als we de hoek omgaan en opeens in het volle licht staan.

De jeep staat nog geen vijftig meter van ons vandaan, schuin aan de overkant van de straat, tegen een brievenbus aan. Van onder de randen van de motorkap stijgt stoom op. Overal om ons heen springen agenten uit auto's om vervolgens met hun vuurwapens hun positie in te nemen. Verder weg, voorbij het felle licht, zijn andere lichten en een ander soort beweging. Brandweermannen en ambulancepersoneel laden hun spullen uit. Tussen de voertuigen van de hulpdiensten zijn televisieploegen bezig hun camera's in stelling te brengen. Verslaggevers stellen zich zo op dat de actie in beeld is, trekken hun jasje recht, strijken hun haar glad. De versterkte stem echoot tegen de gebouwen, scherper dan het kloppen van de helikopterschroeven.

Er komt een agent zijwaarts naar me toe gerend vanuit de richting van de jeep. 'Ga van de straat af,' zegt hij.

'Hij heeft het niet gedaan,' zeg ik tegen hem, 'hij kan het niet gedaan hebben.'

'Van de straat af, hufter.' En hij duwt me een portiek in.

Aan weerszijden van me zit glas. Ik ben omringd door roestvrijstalen etalagepoppen in zwart leer.

'U begaat een fout,' roep ik hem na. 'Hij is niet eens moslim.' Mijn stem wordt opgeslokt door het lawaai.

Ik heb de scriptschrijver uit het oog verloren. Ik draai me om, om te zien waar hij is gebleven, en zie het portier van de jeep bewegen. Het gaat een paar centimeter open en stopt. Net hoorbaar boven het lawaai uit is een geluid als een veld vol krekels als de pistolen worden doorgeladen. Het portier beweegt nog een paar centimeter en zwaait dan wijd open. Amir klautert er wankel uit. Door de lichten is alle kleur uit zijn gezicht weggebleekt. Hij houdt zijn handen onvast voor zich uit, alsof hij op de tast de weg zoekt in het donker. Zijn ogen staan wild, zoals gisteravond, buiten het huis van Max en Frankie. En ik weet waarom hij het gaspedaal indrukte toen hij de politie zag in Westwood. Hij is zo stoned als een garnaal. En hij heeft waarschijnlijk een verse voorraad in het handschoenenvak. En net als gisteravond doet hij weer zo met zijn mond, alsof hij bij elke ademteug aan een sigaret trekt, terwijl zijn schouders omhooggaan omdat het zoveel moeite kost om te ademen. Hij legt zijn linkerhand op de zijkant van de auto om houvast te vinden. Iemand roept een waarschuwing, naar hem of naar de politie. De hand op de auto balt zich tot een vuist. Een paar seconden lang staat hij daar alleen maar, licht zwaaiend.

En ik bedenk dat er iemand anders hier zou moeten zijn om hiervan getuige te zijn, iemand die hem beter kent dan ik, iemand die hem mag.

Zijn rechterhand trilt als hij hem in zijn zij legt en begint dan tastend naar beneden te kruipen. De versterkte stem blaft hem toe dat hij zich niet moet bewegen, zijn hand omhoog moet houden. Maar de hand heeft de zak van zijn colbert gevonden, van zijn peperdure chique zwarte pak. *Baby, baby,* hoor ik de travestiet in mijn hoofd zingen, *geef me er wat van*. Ik zie dat de hand zich om iets sluit. Het is zijn inhalator. Ik sta tien meter van de dichtstbijzijnde agent vandaan. Hij zit op een knie naast het open portier van zijn auto met zijn pistool voor zich uitgestoken in beide handen. 'Dat is zijn inhalator,' zeg ik, maar zo zachtjes dat ik mezelf nauwelijks kan horen. Het liefst zou ik naar de agent toe rennen en het hem vertellen, het boven het lawaai uit schreeuwen: 'Hij heeft astma, het is zijn inhalator.' Maar al die anderen dan? Ik zou onder de lichten in de richting van Amir moeten rennen om hun aandacht te trekken. De scène speelt zich af in mijn hoofd, de ene take na de andere. Ik ben een held, een dwaas, een dode. Maar ik sta als verlamd in het portiek, want een ademteug kan het hachelijke evenwicht van de straat verstoren.

Dan verandert er iets in de houding van Amir – een lichte helling naar links, een minimale opwaartse beweging van de rechterelleboog. Een centimeter huid is zichtbaar tussen de manchet en de rand van de zak. En dan klinkt er een schot, en vervolgens een heel spervuur aan schoten, te veel om te tellen. Hij hangt achterover tegen de jeep met zijn rechterhand nog steeds in zijn zak, zijn linkerarm weggedraaid achter zijn hoofd. Het zijraampje is wit, alsof het ineens is gaan vriezen. Ik hoor stemmen dingen zeggen die nergens op slaan. Iemand vlakbij zegt: 'O, jezuschristus, dit gebeurt niet echt,' en de scriptschrijver die me hierheen heeft gereden, komt tevoorschijn uit het portiek naast het mijne. Hij ziet er ouder uit dan eerst. En waarom ook niet, denk ik – dat gebeurt er met het verstrijken van de tijd. Ik ben ook ouder. Zelfs de verslaggevers zien er grijs en skeletachtig uit in de verte, terwijl ze in hun microfoons praten. Ze gebaren in de richting van waar het allemaal gebeurd is, waar Amir naar de grond is gezakt en agenten naar hem toe rennen, behoedzaam, alsof hij zou kunnen bijten.

'Gaat het een beetje?' Het is mijn stem. Ik praat tegen de

scriptschrijver, die om zich heen kijkt om te besluiten welke kant hij zal op gaan. Hij kijkt naar me, maar zegt niets omdat hij misschien vergeten is wie ik ben. 'We moeten weg hier.' Ik zeg dit zonder me te verroeren. De scriptschrijver knikt en het knikken verspreidt zich omlaag naar zijn lichaam en hij strompelt naar het glas en steekt zijn hand uit voor steun. Dan staan er mensen om ons heen en een vrouw kijkt naar mij. Ze heeft haar als een suikerspin. Ze duwt me iets onder de neus en het is een microfoon. De man naast haar verstelt iets aan zijn camera.

'Heeft u gezien wat er gebeurde, meneer?'

'Ja.'

'Kunt u misschien wat harder praten? U zegt dat u getuige was van de schietpartij.'

'Ja.'

'Welke woorden komen er bij u op om te beschrijven wat er gebeurde?'

'Ze hebben hem doodgeschoten.'

'En wat voelde u toen?'

'Ik heb nog nooit iemand doodgeschoten zien worden.'

'Was hij bewapend?' Dat is iemand anders, een man met nog een microfoon, die zijn ellebogen gebruikt om bij me te komen en boven het lawaai uit schreeuwt. 'De politie zegt dat de verdachte bewapend was. Heeft u het wapen gezien?' Hij wordt heen en weer geduwd door andere verslaggevers, die allemaal hun microfoon in mijn richting steken.

'Hij kreeg geen lucht.'

'Voordat ze hem neerschoten, had hij toen een vuurwapen?'

'Hij had zo'n... je weet wel... ik ben de naam even kwijt.'

'U weet wat voor soort wapen? Heeft u het zo goed kunnen zien?'

'Zo'n inhalator.'

'Inhalator?'

'Zei hij inhalator? Wat is dat voor pistool?'

'Is dat een bepaald model, of gewoon een soort bijnaam?'

'En u, meneer, heeft u iets gezien?'

De scriptschrijver staat naast me en rolt zijn gezicht over het glas.

'Gaat het wel?' vraag ik hem.

Hij kijkt naar me vanuit een ooghoek. Zijn wang ziet wasbleek. De etalagepoppen, geabsorbeerd door hun eigen elegantie, letten niet op ons.

'Heeft hij iets gezien, meneer?'

'Kunnen we hem een paar vragen stellen?'

De vrouw met het suikerspinhaar praat tegen de camera. 'Bronnen uit de onmiddellijke omgeving van de politie,' zegt ze, 'voeren aan dat de verdachte bewapend was. Deze ooggetuige heeft het vuurwapen geïdentificeerd als een inhalator. Of dit het wapen was dat gebruikt is tegen televisieproducent Max Kleinman is momenteel nog onbekend...' Ze lijkt nog meer te willen zeggen. Maar de scriptschrijver, die zijn gezicht van de etalageruit vandaan heeft gerold en zich voorover heeft gebogen met zijn hand op mijn schouder, kiest dit moment uit om over haar schoenen heen te braken.

'Cut!' zegt iemand. 'Ik zei cut. Jezus, waarom film je dat?'

Ze schuifelen achteruit, de journalisten en de cameramensen. De scriptschrijver ziet eruit alsof hij zo weer kan gaan overgeven.

'Kom maar,' zeg ik tegen hem, 'ik breng je wel terug naar de koffieshop.' Ik leg mijn handen op zijn schouders en help hem overeind. Ik probeer me te herinneren hoe we hier gekomen zijn, waar hij zijn auto heeft neergezet. Ik sla mijn arm om hem heen en loods hem door de steeg.

Een paar van de verslaggevers volgen ons. Een cameraman holt, achteruitlopend, voor ons uit. Een van de verslaggevers bladert door zijn aantekeningen. 'De burgemeester zei net dat dit de vijanden van de vrijheid duidelijk moet maken dat er niet onderhandeld kan worden over vrijheid en dat... dat we ons zorgen moeten gaan maken als we niet langer de vrijheid hebben om degenen die onze vrijheden vernietigen, uit te schakelen. Wat is uw commentaar daarop?'

'Waar ik me voornamelijk zorgen over maak, is mijn vrouw.'

'Pardon?'

'Ik zou graag willen weten of alles in orde is met mijn vrouw. Toen ze Max neerschoten, is er toen nog iemand anders gewond geraakt? Kunt u me dat vertellen?' Ik draai me om naar de massa televisieverslaggevers. 'Kan iemand me vertellen of er nog iemand anders gewond is geraakt toen Max Kleinman werd neergeschoten?' De verslaggevers kijken elkaar niet-begrijpend aan. De vrouw met het suikerspinhaar leunt tegen een lantaarnpaal om haar panty uit te trekken. Een paar camera's wijzen nog steeds naar mij. 'Ik wil me ervan verzekeren dat alles in orde is met mijn vrouw. Kunnen jullie dat werkelijk niet begrijpen?' De verslaggever met de aantekeningen bladert door het blok alsof hij het antwoord misschien ergens heeft opgeschreven.

Als we bij de auto aankomen is de scriptschrijver nog steeds te beroerd om te kunnen rijden. Met nog steeds een paar verslaggevers in de achtervolging rijd ik achteruit door de steeg tot ik bij een plek kom waar ik kan keren. Dan raak ik ze kwijt. De scriptschrijver lijkt wel catatonisch, maar ik weet genoeg uit hem los te peuteren om de weg terug te vinden naar de koffieshop, waar Kia erop gebrand is om het hele verhaal van hem te horen. En voor mij is het tijd om naar huis te gaan.

17

Ik lig uitgeteld op bed. Ik heb bedacht dat ik mijn schoenen uit moet trekken, maar ben er nog niet toe gekomen. De televisiebeelden trekken aan me voorbij en ik neem er vagelijk notitie van. Ik ben uitgeput, bevind me in een toestand tussen dronkenschap en een kater, die de ergste kenmerken van beide in zich draagt – trillerigheid, een droge mond, een ongerichte blik, logge ledematen, en het hoofd protesterend alsof het wordt fijngeknepen in een bankschroef.

De nieuwszenders herhalen voortdurend de belangrijkste gebeurtenis van de avond, met de cruciale momenten in slow motion. De commentatoren, deskundigen en presentatoren fronsen de wenkbrauwen om ons te laten weten hoe zwaarwegend dit is. Ondertussen hebben de meesten van hen doorgekregen hoe ze Amirs naam moeten uitspreken, maar elke ontwikkeling brengt weer nieuwe absurditeiten met zich mee. Ik verspil energie aan het vervloeken van een of andere verslaggever met vierkante kaken en voel me als de inwoner van een krankzinnigengesticht die zijn eigen geestelijke gezondheid betuigt. Dat is de taak van Rebecca, bedenk ik – mij ervan te verzekeren dat ik goed bij mijn hoofd ben. En de mijne om dat omgekeerd bij haar te doen. Misschien is dat wel de fundamentele definitie van het huwelijk, nu ik erover nadenk. En als dat zo is, is het afgelopen met ons. Ik voel me meer van Rebecca afgesneden dan ooit. En ik voel me belachelijk omdat ik dat voel, niet omdat het niet waar is, maar omdat Amir dood is en hij waarschijnlijk ergens een vader heeft en een moeder en andere mensen die om hem geven, bij wier pijn de mijne in het niet valt. En dat maakt dat ik nog meer medelijden heb met mezelf, omdat ik vervallen ben tot een dergelijke onwaardige toestand van zelfmedelijden.

De hoogtepunten bereiken hun onvermijdelijke climax. De beelden van het doodschieten zijn teleurstellend, zoals gewoonlijk bij een gefilmde climax – te bibberig, te veraf. Ze hadden een betere locatie moeten kiezen. Nu wordt de actie ingesloten door hoge gebouwen en de te scherpe belichting spoelt overal het contrast uit weg. Ik kan niet goed het moment voorspellen waarop Amir geraakt wordt, het moment waarop zijn lichaam achteruit schokt, tegen de jeep aan, maar daar is het dan toch, of ik er klaar voor ben of niet. En het is, die paar seconden lang, een opluchting om het daarbuiten te hebben in plaats van steeds opnieuw in mijn hoofd.

En daar heb je mij weer, knipperend tegen het licht – een of andere oude acteur uit het kostuumdrama met gasverlichting van hiernaast, die komt klagen over het lawaai – wat voor mij het teken is om naar een andere zender over te schakelen. Met een nieuwe panty en braakselvrije schoenen aan rondt mijn vriendin met het suikerspinhaar bij SBC net haar verslag af. 'Volgens mensen die hem kenden,' vertelt ze ons, 'noemde hij het de inhalator, een huiveringwekkend ironische naam voor zo'n dodelijk wapen. Voor SBC Nieuws is dit Katrina Cantrell.'

'Dank je, Katrina. Dat was Katrina Cantrell met een liveverslag vanuit de stad, waar Amir Kadivar, hoofdverdachte in de schietpartij op Kleinman, eerder deze avond werd doodgeschoten door de politie. En in direct verband hiermee kunnen we u melden dat vanavond alwéér een van de documentaires van Max Kleinman in opspraak is geraakt. *Een barst in de mal*, een verkenning van de verborgen wereld van de cosmetische chirurgie, staat op het programma om aanstaande zondag te worden uitgezonden als laatste film in Kleinmans serie *Vrouwen spreken vrijuit*. Maar nu al heeft een van de vrouwen die erin voorkomen zich vrijuit uitgesproken… tégen de film. Soapactrice Katherine O'Donnell beweert dat haar bekentenis dat ze ribben heeft laten verwijderen in haar gooi naar het sterrendom, uit de context is gerukt…'

In het nieuws dat onder langs het scherm rolt, staat iets over een aanval door islamitische extremisten… een druk winkelcentrum in Caïro… gevreesd wordt dat er honderden slachtoffers zijn gevallen. Ik zou hier meer over moeten weten, ik zou moeten opletten. Maar terwijl ik op details wacht, word ik afgeleid door een beeld van het huis van Max en Frankie en een verslaggeefster die ervoor staat zonder iets zinnigs te verslaan te hebben. Ze doet alle roddels uit de canyon nog maar eens dunnetjes over – een buurman die de verdachte gisteravond tijdens het premièrefeestje buiten het huis heeft zien staan schreeuwen, de pistoolschoten die vanavond door een tweede buurman gehoord zijn, en het ambulancepersoneel dat te zien is, terwijl ze een man van wie men denkt dat het Max Kleinman is, in een ambulance laden – rusteloos op zijn stretcher, volgens het ene verslag, opgeborgen in een lijkzak volgens een ander. Dan iets nieuws over een gesluierde vrouw die men met roekeloze snelheid bij het huis heeft zien wegrijden. Een medeplichtige? Of Kadivar zelf in een vrouwelijke vermomming? Een foto van een gladgeschoren Amir die digitaal van een hidjab is voorzien maakt het de ruig uitziende verslaggever mogelijk commentaar te leveren op het vrouwelijke uiterlijk van de verdachte. Ik kijk naar de onderkant van het scherm om te zien of er nog meer nieuws is over de Egyptische bomaanslag. Ergens is er een schoolbestuur dat een vers van Genesis plakt over de foto van Darwin in de biologieboeken. Een of andere senator heeft gezegd dat het op genocide neerkomt om de rijken zo hoog te belasten dat ze niet meer bestaan. Maar er is geen nieuws meer uit Caïro.

Een andere verslaggever poseert voor een ziekenhuis om ons mede te delen dat de toestand van Max Kleinman naar verluidt stabiel is en dat hij de best mogelijke verzorging krijgt. En dan verschijnt er ineens een politiewoordvoerder op het scherm in de studio om Chuck Broderick ervan te verzekeren dat de verdachte niet alleen bewapend was, maar voorzien van cocaïne.

'En zijn er in zijn jeep vrouwenkleren aangetroffen?'

De politiewoordvoerder is niet bereid zich daarover uit te laten.

En daar heb je die verrekte professor Spurling van het Instituut van Oriëntaalse Studies weer om ons, enerzijds, te vertellen wat de Koran te zeggen heeft over drugsgebruik en, anderzijds, hoe ver de terrorist bereid is te gaan om in de wereldlijke maatschappij te infiltreren.

'Zouden de verplichtingen van de jihad een vrome moslim toestaan om cocaïne te gebruiken, bijvoorbeeld?' vraagt Chuck Broderick, met een stem nog gruiziger dan voorheen.

'Je moet je zo voorstellen dat een lid van een slaapcel van zulke verbodsbepalingen wordt uitgezonderd als hij zich onder de beroemdheden moet begeven, Chuck.'

'En zou de behoefte om te infiltreren ook zwaarder wegen dan het voorschrift tegen het dragen van vrouwenkleren?'

Dit is het moment dat ik de afstandsbediening door de kamer keil. Als die de toilettafel raakt, valt het geluid weg en verandert het beeld. Een paar tellen lang weet ik niet waar ik naar zit te kijken. Ik zie Rebecca's gezicht en vraag me af of dit nog meer slecht nieuws is. Als in een ontsluiering glijdt er een schaduw voorbij. En daar heb je Rebecca weer, verlegen glimlachend. Ze zit op het bed van Max met een joint in een hand en haar andere hand rust op het dekbed. Het is de tape van Max natuurlijk, de tape met Rebecca's naam erop. Hij gaat precies daar verder waar ik hem vanmiddag heb uitgezet, alsof hij op mij heeft zitten wachten als een achtergelaten hond. De schaduw passeert opnieuw, de andere kant op. Het is de man in eigen persoon, deze donkere vlek – de grote impresario, die zichzelf in de vuurlinie heeft geplaatst voor de vrijheid van meningsuiting. Hij kan nu elk moment vorm gaan aannemen en zijn geile voorstelling gaan geven. En ik zal kijken, want ik heb een man doodgeschoten zien worden, en om dan niet naar mijn vrouw te kijken die geneukt wordt, lijkt onevenredig preuts.

Rebecca zit te praten, maar ik hoor de woorden niet. Ze brengt de joint naar haar mond en tuit de lippen om een trek te nemen. De punt gloeit op en wordt weer donker. Terwijl de rook uit haar neus drijft, legt ze de joint op de asbak naast haar en ademt uit, waardoor de bleke adem haar trekken wazig maakt. Haar gezicht is weer ontspannen en vol. Ze staat op om haar rok uit te trekken, trekt de rits aan de zijkant open, schuift de rok omlaag over haar dijen en laat hem op de grond vallen. Ze lacht als ze eruit stapt, maar het is een verontschuldigende lach. Ze staat te kijk in haar niet bij elkaar passende ondergoed, staat met opgetrokken schouders en een knie naar binnen gedraaid. Het komt door deze verlegen pose, dat ik een steek van verlies voel. Op de promenade van Venice skaten jonge vrouwen rond die veel naakter zijn, maar die er niettemin in slagen hun vlees te dragen als een schild, hard en glanzend. In deze stad wemelt het van de zongebruinde olympiërs die hun kwetsbaarheden verbergen onder hun huid. Evie zou er nooit zo ongemakkelijk bij staan, vragend om niet bekeken te worden. Maar voor mij heeft deze glimp van Rebecca's niet-helemaal-naaktheid meer erotische lading dan alles wat ik me kan herinneren van Evies geposeer. Ze tilt een hand op, reikt naar iets, en door de draaiing van haar schouders verandert het gewicht op de heupen, en de zachte textuur van haar dijen is als de rimpeling in nat zand als de oceaan zich terugtrekt, terwijl de hele beweging de spanning uit haar houding haalt en haar gracieus maakt. Ze heeft er geen idee van hoe mooi ze is, wat deel uitmaakt van haar schoonheid.

De gedaante wordt scherp in de voorgrond. Niet Max, maar Frankie. Echt, het is Frankie. En voordat ik een nieuw idee kan formuleren, zie ik dat ze iets vasthoudt, iets aangeeft. Het is een of ander kledingstuk. Rebecca pakt het aan en draait het om de ingang te vinden. Het is een donkerblauwe jurk met een golvende halslijn en gelaagde stroken onderlangs. Ze trekt hem over haar hoofd en ze lacht als ze haar gezicht weer laat zien. Frankie, die de joint van de asbak heeft gepakt en een trek heeft genomen, glimlacht naar Rebecca door de rook. Ik ben van het bed af en zoek onder de toilettafel naar de afstandsbediening. De achterkant is eraf gevallen en de batterijen liggen eruit. Terwijl ik ermee sta te hannesen, kijk ik hoe Rebecca de jurk omlaag trekt, zich in het strakke middel wurmt, de bandjes op haar schouders rechttrekt. Ze laat haar handen over de stof glijden, strijkt hem glad, beoordeelt het effect in de spiegel met een kritische frons. Hij staat haar goed – feestelijk, met zachte welvingen. Ze draait zich met de rug naar Frankie toe om haar de rits te laten dichttrekken en tilt haar haar omhoog van haar schouders.

Ik druk op het knopje van het geluid en vang het eind op van Rebecca's vraag.

'... echt in vertonen?' zegt ze.

'Natuurlijk kun je dat. Waarom niet? Je ziet er prachtig in uit. Maar ik denk dat deze echt álles slaat.' Frankie geeft haar iets anders aan. Het is zwart en ik zie de glans ervan waar het licht erop valt. Ik kijk hoe de blauwe jurk uit gaat en de zwarte aan. Ik herken hem van het feestje van gisteravond.

Er beweegt iets in me als een luchtbel die naar het oppervlak stijgt. Max ligt in het ziekenhuis, en Amir is dood, en honderden zijn vermoord in Caïro, en de natie hangt aan de lippen van professor Brett Spurling, en de wereld is door de bank genomen een puinzooi. Maar dat ene kleine hoekje ervan waar ik woon werkt nog. Mijn zicht wordt vertroebeld door tranen, en misschien zijn die er om alles wat fout is gegaan, en misschien om dat ene ding dat goed is gegaan, ik weet het niet. Ik veeg over mijn ogen met de muis van mijn hand. Ik ben het eens met Frankie – die zwarte jurk slaat echt alles. Het is zo duidelijk nu ik erover nadenk dat ze nooit zoiets seksueel expressiefs zou hebben gekocht zonder vrouwelijke aanmoediging. Geen enkele man zou haar erin hebben kunnen praten.

Ik spoel de tape snel vooruit en word meegevoerd door een modeshow – kleren die ik herken, kleren die ik nog nooit heb gezien. Ik druk op play om te kijken hoe Rebecca een rok aantrekt of een blouse losknoopt en met steeds meer zelfvertrouwen beweegt. En de hele tijd praten ze over kleren, wat haar soort kleren is, hoeveel van haar benen ze kan laten zien, hoeveel decolleté, wat er professioneel uitziet en wat truttig, waarin hem het verschil zit tussen ordinair en glamoureus, wat ze moet houden en wat ze moet terugbrengen. Dan zit Rebecca op het voeteneind van het bed en Frankie heeft haar schoenen uitgedaan en knielt achter haar op het dekbed. Ze kijken in de spiegel die wij niet kunnen zien. Frankie speelt met Rebecca's haar, houdt het omhoog zodat er meer van haar hals te zien is. Ze geeft vorm aan het kapsel dat Rebecca daar nog niet heeft.

Ik laat de tape doorlopen. Ik word overspoeld door tegenstrijdige gevoelens. Na de opluchting komt de schaamte in hete golven, elke golf een herinnering aan iets wat ik gezegd of gedaan heb, met daartussendoor steeds kleine opwellingen van inzicht. Ik begrijp Rebecca's gekwetste woede, natuurlijk, maar ook dat Max zo raar blasé deed over deze minste van zijn misdaden, nauwelijks een misdaad eigenlijk, vanuit zijn gezichtspunt, alleen niet zo netjes. Dat was de uitdrukking die me op dat moment trof – niet zo netjes. Ik herinner me dat hij zei: *'Ik zou dolgraag weten hoe je ervan af wist, niemand wist ervan.'* Zelfs Rebecca niet – begrijp ik nu.

Dan zegt Rebecca: 'Heb je altijd al kinderen gewild?' En iets in haar stem trekt mijn aandacht – een kalmte, alsof ze Frankie niet wil krenken, al kan ik me niet voorstellen waarom de kinderen voor Frankie een gevoelig punt zouden zijn. Frankie staat. Rebecca zit nog steeds op het bed en ziet er prachtig uit in een nauwsluitende blauwe rok en crèmekleurige blouse. Ze zit iets op te vouwen wat ze al gepast heeft, zodat ze geen oogcontact maakt als ze de vraag stelt. 'Ik bedoel, heb je altijd geweten dat het iets was wat je zou gaan doen?'

'Christus, nee. Het was meer Max dan ik.' Heel even is Frankie een vage vlek in de voorgrond die het zicht belemmert. Als ze weer scherp in beeld komt, steekt ze nog een joint op. 'Ik zou best zonder hebben gekund,' zegt ze door een rookwolk heen. 'Maar toen we het eenmaal besloten hadden, werd het opeens belangrijk, weet je. Voor Max kon het niet vaak genoeg meer, wat geruststellend was maar ook nogal saai – ik bedoel je kunt ook te veel van het goede krijgen – maar er gebeurde niets.' Ze geeft de joint aan Rebecca en nestelt zich naast haar op het bed. 'We lieten ons testen. Het sperma van Max was van uitzonderlijk hoge kwaliteit, wat hij je graag zal vertellen als je hem ernaar vraagt. Dus moest het mijn probleem zijn. Bleek dat ik bindweefselgezwellen had. Wat prima te behandelen is. Maar toen ik eenmaal was opgelapt, kon hij hem niet meer omhoog krijgen. Kun je het je voorstellen? Hij heeft normaal nooit last van faalangst.'

'Arme ziel.'

'Het was echt balen, weet je. Voor hem was het balen. Ik was op het punt gekomen dat ik het wel welletjes vond. Dank je, lieverd.' Ze onderbreekt zichzelf om te inhaleren. 'Maar we waren nu al zo ver gegaan, dat het ook nogal lullig zou zijn om je te laten dwarsbomen door een slappe pik.' Ze lacht er zelf om, waardoor Rebecca ook moet lachen. 'Toen kwam iemand van de vakgroep vrouwenstudies aanzetten met de naam van een therapeute. Maar ja, daar moest ik Max dan wel eerst nog heen zien te krijgen.'

'Het was vast erg moeilijk voor hem.'

'Dat kun je wel zeggen ja. Het was zijn lievelingsfantasie omgevormd tot een griezelfilm. Max en een stel vrouwen – laten we gezellig praten over wat ons opwindt en tussen twee haakjes, ik heb een erectiestoornis. Hij was echt niet te genieten.'

'Maar mannen doen daar altijd over alsof zich een vreselijke ramp heeft voltrokken, toch? Dan zeg je dat het niet belangrijk is, maar het is gewoon een van die dingen die ze niet kunnen relativeren.'

'Is er soms iets waar je over wilt praten, liefje?' Frankie steunt op een elleboog om Rebecca's gezicht te bekijken.

Rebecca tilt haar hoofd op om rook uit te blazen. 'Hoe bedoel je?'

'Heeft David een probleem?'

Rebecca kijkt oprecht verbaasd. 'Nee! Jezus, nee, David niet.' Dan lacht ze. Het is een aardse, wellustige gorgellach die elke erectiestoornis onmiddellijk zou verhelpen. 'Met David is het... nou, met David... gaát het uitstekend.'

En bij de manier waarop ze dat zegt, zou niemand kunnen denken dat ze bedoelde voldoende, of redelijk bevredigend. Er is een heel lichte aarzeling, dan het benadrukken van het woord zelf, en het is nu al mijn favoriete deel van de hele tape geworden. Dus spoel ik hem terug totdat Rebecca haar lach heeft ingeslikt en heeft opgekeken om de rook boven haar gezicht op te zuigen, en Frankie heeft haar hoofd in het kussen laten vallen. En als ik op play druk borrelt dezelfde tevredenheid in Rebecca's stem die zo typisch is voor haar en die me altijd aan seks doet denken, maar die niet iedereen aan seks kan doen denken, anders zou ze aan de lopende band iedereen opwinden. 'Met David is het... nou, met David ... gaat het uitstekend.'

'Uitstekend?'

'Ja,' zegt ze, 'in dat opzicht – seksueel – is het met David altijd uitstekend gegaan.' En ik zie dat ze het nog steeds meent. Het is niet echt zo dat ze haar goedkeuring intrekt. Maar er zit iets verdrietigs in, iets onbevredigds, dat Frankie niet oppikt, een vleugje van maar-aan-de-andere-kant-verdriet dat me met haar bedroeft. Ze ziet eruit alsof ze erover zou willen praten, maar brengt in plaats daarvan de joint naar haar mond.

Frankie gaat achteroverliggen en staart naar het plafond. 'Nou, fijn voor David.'

Rebecca heeft nog maar heel kort ingeademd als ze begint te hoesten. 'Nee, echt,' zegt ze, 'ik dacht aan iemand anders. Somberder tijden. Prehistorie, godzijdank.' En ze lacht, maar haar lach is nu anders, overschaduwd door ironie. Ze glimlacht afwerend, wuift de rook weg en geeft de joint aan Frankie. 'Maar die therapeute. Die heeft Max van zijn probleem afgeholpen, neem ik aan.'

'Nou, ze bleek dus een malloot te zijn, maar ik denk wel dat het werkte.'

'Wat was haar geheim?'

'Nauwelijks een geheim. Ze had een of andere halfbakken theorie over het intensiveren van je bewustzijn, het naar een hoger plan brengen van het moment, dat soort dingen. Werken aan Intensievere Nu-beleving, noemde ze het. Maar ik had het idee dat dat allemaal maar pseudo-academische prietpraat was om het interessant te maken. Waar het op neerkwam was dat we onszelf moesten filmen terwijl we lagen te neuken.'

'O!' Rebecca is verrast. 'Nou, dat kan best opwindend zijn, lijkt me.'

'Vast wel. Of net niet. Eerlijk gezegd deed het mij helemaal niks. Maar Max zag het wel zitten. Voor hem voegde het er, denk ik, het element aan toe dat hij iets verbodens deed.'

'En werden jullie geacht die films te bekijken?'

'Joost mag het weten. Zover zijn we nooit gekomen. Ik liet dat sowieso allemaal aan Max over. Misschien heeft hij ernaar gekeken. Ik was al zwanger, en dat was heel andere koek. En vervolgens stortte hij zich helemaal op het vaderschap, alsof hij de eerste man was die ooit vader was geworden. Zodra Laura was geboren, vertelde hij iedereen dat we gingen proberen om de vijf te halen.'

'Vijf!'

'Je kent Max. Hij wil iedereen in alles overtreffen.'

'Maar vijf! Dan zou je permanent met zwangerschapsverlof zijn.'

'Geloof me nou maar, we zijn er nooit over in details getreden. Het idee was al verworpen voordat het uit de startblokken was gekomen.'

'Ja, natuurlijk.' Rebecca zit aandachtig te kijken, alsof ze een afbeelding zit te bestuderen, maar ze kijkt alleen naar de ruimte vóór haar. 'Maar als hij er werkelijk nog eentje had gewild – ik bedoel, als nog een kind, een derde na Noah, het belangrijkste ter wereld voor hem zou zijn geweest, zou je het dan nog steeds niet hebben gedaan?'

'Lieverd, ik had al meer dan mijn portie gedaan. Hij was niet degene die zwanger werd.'

'En als het nou eens andersom was geweest?' Ze kijkt nu naar Frankie. 'Als jij kinderen had gewild en hij niet.'

'Waar hebben we het nu over?'

'Goede vraag,' zeg ik tegen Frankie. 'Waar hebben we het nu eigenlijk over?'

Over mij, blijkt – over al mijn goede kwaliteiten. Ik ben kennelijk grappig, en makkelijk in de omgang, en ik kan Rebecca op een geweldige manier kalmeren als ze doordraait, allemaal dingen waar ik erg nerveus van word, want zo'n hele inleiding wil nog weleens leiden tot een slecht verlicht achterstraatje waar je in elkaar geslagen kunt worden en voor dood achtergelaten.

'Ik heb me nog nooit bij iemand zo op mijn gemak gevoeld,' zegt Rebecca, en ik zet me schrap voor de bocht waar de brandende straatlantaarns ophouden. 'Het is alleen... nou, eigenlijk ligt het alleen aan mij... het is niet zijn schuld.'

'Wat is niet zijn schuld?'

'Dat ik kinderen wil.'

'O.'

En daar is het dan. Toch geen klap, bij nader inzien – alleen een gevoel alsof ik zweef, alsof mijn hoofd niet meer met mijn lichaam verbonden is.

'En het is écht mijn schuld,' zegt Rebecca, 'want ik ben degene die veranderd is. We hebben het altijd als min of meer vanzelfsprekend aangenomen dat we geen kinderen willen, dat we er niet zo dol op zijn. Al die jaren dat ik zat te werken aan mijn promotie, kwamen mijn zussen hun kinderen bij mij droppen, alsof ik niets beters te doen had, of eraan herinnerd moest worden wat mijn rol werkelijk was. Toen ik David leerde kennen, werd hij mijn excuus om egoïstisch te zijn. Hij heeft eigenlijk niks met kinderen, weet je, zei ik dan tegen hen. En dan hoefde ik niet uit te leggen dat ikzelf eigenlijk ook niks met ze had. Het was een soort overeenstemming tussen ons. Het gebeurde gewoon zonder dat een van beiden er ooit over hoefde te praten. Toen kwamen we hierheen en nou lijkt niks meer zeker.' Om een of andere reden huilt ze.

Frankie strijkt het haar uit haar gezicht. 'Wat rot voor je,' zegt ze.

'Nee, jij bent geweldig, het werk is geweldig. Het is precies wat ik nodig had. Maar het heeft alles min of meer op losse schroeven gezet, me gedwongen om na te denken over waar ik naartoe wil. Ik vind het heerlijk om met je te werken. En Laura te leren kennen...'

'Ze is helemaal weg van jou...'

'Ze is een schat van een kind. Ik weet niet waarom ik huil. En toen verdronk Noah bijna en ik zag hoe geschrokken iedereen was. Het deed me iets. Ik ben vijfendertig, volgende maand zesendertig, en opeens denk ik dat ik maar beter haast kan maken. En dan kijk ik naar David en dan lijkt het wel of die opnieuw begint te puberen, of zoiets. Ik bedoel, in het zwembad springen met die vrouw, terwijl iedereen in paniek was. Nou, weet je, toen was het me allemaal wel duidelijk.'

'Met Noah was niks aan de hand. Voor hem was het alsof er niets gebeurd was.'

'David kan er niet eens mee uit de voeten om een paar maanden híér te zijn. Ik weet dat het zijn geordende leventje op zijn kop zet en zo, maar als hij dit niet eens kan, hoe moet dat dan met kinderen?'

'Dat kan hij best aan. Je moet gewoon eerlijk tegen hem zijn. Je hebt evenveel recht op kinderen als iedereen, dat mag je hem van mij vertellen.'

Rebecca lacht en huilt tegelijkertijd. Ik zie dat het haar oplucht om erover te praten, en ik voel me verpletterd omdat ze er kennelijk niet met mij over kon praten. Want, al heb ik hier dan ademloos zitten luisteren naar wat ze allemaal zei, alsof iemand alle lucht uit de kamer heeft gezogen – en al is het waar dat ik er nooit over heb nagedacht – ik zie ook wel dat het steek houdt, wat me ook weer doodsbenauwd maakt nu het tot me door begint te dringen wat voor implicaties dat heeft.

'Bel hem op,' zegt Frankie. 'Bel hem nu op en vertel het hem. David, ik wil kinderen. Als je daar een probleem mee hebt, zorg je maar dat het overgaat.'

'Ja,' zeg ik hardop, 'bel me op en praat er met mij over.'

'Hij zal het begrijpen.'

'Natuurlijk,' zeg ik tegen de televisie, 'natuurlijk zal ik het begrijpen.' Het doet me pijn om haar zo te zien, verdrietig en niet in staat mij te vertellen waarom ze verdrietig is. En ik weet dat ook ik me beter zou voelen als ik haar kon troosten, haar vast kon houden, en dat alles om me heen zou ophouden te schuiven en dat mijn hart zou ophouden zo tekeer te gaan.

Ze zitten nog steeds te praten en Frankie moedigt Rebecca aan om mij aan te pakken, alsof ik een of ander probleem ben. Rebecca snuit haar neus. Dan geeft Frankie haar de telefoon aan en ze toetst een nummer in, mijn nummer, neem ik aan, al had ik waarschijnlijk mijn telefoon uit staan, want ik herinner me geen telefoongesprek waarin zij aankondigde dat ze een baby wilde, en ik denk dat ik dat toch wel onthouden zou hebben.

'David, met Rebecca.'

Dus ik heb kennelijk wel opgenomen.

'Stoor ik? Ben je aan het schrijven?'

Misschien wel, maar ik kan het me niet voorstellen, want ik heb nauwelijks iets gedaan de laatste tijd.

'Ik wilde alleen even praten. Waar ben je? Ik dacht dat je thuis zou zijn.'

Waar was ik dan? En wanneer was dit?

'Ben je met iemand samen? We kunnen later wel praten als er iemand bij je is...'

En dan herinner ik het me. Ik was in Malibu, in de Moonglow met Astrid, de dag dat ik Jake, Mo en Natalie heb leren kennen. En naar Rebecca's problemen luisteren stond niet boven aan mijn prioriteitenlijstje. Wat lijkt dat al lang geleden, dat Rebecca het prima vond als ik met iemand samen was, voordat de gedachte bij haar was opgekomen dat het misschien een probleem zou kunnen zijn als ik met iemand samen was.

Ze zit nog steeds te praten in de telefoon van Frankie, verbijt haar tranen, wil weten waar ik ben, of ik aan het drinken ben, wat er aan de hand is. Ik krimp nu ineen bij het horen van dit gesprek, ook al hoor ik niet wat ik zelf zeg. Godzijdank hoef ik niet te luisteren naar hoe ontwijkend en defensief ik klink en hoe nijdig ik word om niets.

'O, David, dit heeft geen zin.' Ze huilt. Frankie geeft haar een tissue. 'Laat maar zitten, David, als het zo'n probleem is.' Ze klapt met een boze klik de telefoon dicht. Frankie neemt hem aan en slaat haar armen om haar heen.

'Nou, dat heb ik mooi verknald,' zegt Rebecca, snuffend tegen Frankies schouder.

'Nee hoor, helemaal niet.'

'Wat een tijdverspilling'

'Jullie komen er wel uit. Praat vanavond met hem. Of ga van het weekend ergens naartoe.'

'Je denkt toch niet dat hij bij die vrouw is?'

'Welke vrouw?'

'Die sloerie. Je weet wel – die naaktzwemster.'

'Ze had haar jurk nog aan toen ze erin dook, lieverd. Als je naakt wilt zwemmen, moet je eerst even nadenken.'

'Maar zag je haar toen ze eruit kwam?' zegt Rebecca lachend. 'Ze had net zo goed naakt kunnen zijn.'

'Maar je denkt toch niet echt dat hij bij haar is? Ik bedoel, doet hij zoiets?'

'Nee, natuurlijk niet! David? Ik weet niet eens waarom ik dat zei. Echt niet, dat ligt niet in zijn aard.'

'Blij toe.'

'Het zou nooit bij me opkomen om hem niet te vertrouwen. Absoluut niet.' Het klinkt alsof ze in haar hoofd gestemd heeft, en de uitslag mag dan niet helemaal unaniem zijn, maar er is een meerderheid ten gunste van mij. Althans, toen deze film werd gemaakt. Ze droogt haar tranen en zet haar volwassen gezicht weer op.

'Nou,' zegt Frankie, 'aan het werk dan maar weer?'

'Ja. Ja, natuurlijk. Sorry. Moet ik mijn tas halen?'

'Ben je mal. Ik bedoel, we zijn nog niet aan het ondergoed toegekomen...' Ze tilt een draagtas op het bed. 'Ik weet dat je hier niet zeker van was, maar geloof me nu maar, lieverd, in deze bh ben je onweerstaanbaar.' Ze laat hem, ronddraaiend van zijn stevige onderkant tot zijn kanten bovenrandje, aan een van de bandjes omlaag bungelen. Ergens vandaan klinkt een dreun waar ze van schrikt. 'Jezus, wat was dat?'

'Het kwam uit het kantoor,' zegt Rebecca giechelend. 'Ik neem aan dat Max thuis is.'

'Nee, hij zei dat hij de hele middag moest vergaderen. Ik zei hem dat we kleren gingen passen en hij zei dat we het huis voor onszelf zouden hebben.'

'Hij moet het zijn. Wie anders?'

'Max?'

Rebecca laat zich, slap van het lachen, achterover op het bed vallen, al begrijp ik niet waarom.

'Max, ben jij dat?' Frankie loopt naar de camera toe, wordt wazig en verdwijnt uit zicht.

En daar houdt het op. Er is alleen nog het zwart-witte waas van een onbespeelde band.

'Pech gehad, Max,' zeg ik tegen het flikkerende scherm. 'En je hebt haar niet eens gezien zonder bh.' Ik zet de televisie uit en laat me op het bed zakken. 'Wat erg jammer voor je is, Max, want ze heeft echt te gekke borsten.'

Het plafond is afgewerkt met sierpleister. Een licht vanaf de straat beweegt eroverheen en zet alle schaduwen in beweging. Als ik mijn ogen dichtdoe, zie ik mijn eigen bloed, pulserend door de bloedvaatjes in mijn oogleden.

18

Het is nog donker als ik wakker word. Ik was aan het dromen en ik wil de droom eigenlijk nog niet loslaten. Ik lig in bed met Rebecca. Mijn hele lichaam gonst van hoe zacht haar huid voelt. Frankie staat naar ons omlaag te glimlachen, terwijl we de liefde bedrijven. Er klinkt gebons en het is Max in de kamer naast de onze, die op de muur staat te bonken om binnengelaten te worden. Hij roept mijn naam. Zie je dan niet dat ik het druk heb, zeg ik. Kijk eens naar al die kinderen waar ik voor moet zorgen. En daar zijn ze, ze steken hun handjes omhoog uit de kuil in het midden van het bed – slachtoffertjes van hongersnood, met vliegen op hun gezichtjes. Ik houd de droom nog steeds vast, bevind me nog steeds op de rand van de slaap, als het geklop weer begint en ik mijn naam hoor. Het is zachter dan in mijn droom, maar het klinkt dringend.

Ik sta zo snel van het bed op, dat ik mijn evenwicht verlies. Ik moet me aan de toilettafel vastklampen om overeind te blijven. Ik kijk op mijn horloge. Het is halfvijf. Buiten op straat is een hond aan het blaffen en af en toe is het gesputter te horen van het vroege ochtendverkeer. Ik ga op de tast naar het keukenraam en kijk naar de trap buiten. De rechthoeken van licht die zo hier en daar te zien zijn, identificeren de slapelozen en de vroege opstaanders in de omliggende appartementen. Als ik de klink omdraai, wordt de deur tegen me aan geblazen en de hete lucht prikt in mijn ogen. Beneden in de steeg staat Jake bij zijn auto. Het portier staat open. Hij kijkt naar de verkeerslichten op de hoofdweg, die van groen naar rood verspringen voor niemand. Er klinkt een pinggeluid omdat hij de sleutels in het contact heeft laten steken. Ik kan zijn gezicht onder de baseballpet niet zien, maar hij staat met opgetrokken schouders en de handen diep in de zakken. Zijn canvas tas hangt op zijn rug. Een vuilnisbak wordt omgeblazen en rolt naar hem toe. Hij draait zich om, om hem voorbij te zien kletteren, terwijl het vuilnis eruit valt. Zijn hand gaat naar de schouderband om de tas over zijn hoofd te tillen, zodat hij hem op de passagiersstoel kan gooien en weg kan rijden, als ik zijn naam roep.

Hij kijkt op en ik zie angst in zijn gezicht, en ik bedenk ineens dat het Jake was die op Max heeft geschoten. Toen hij eenmaal doorhad dat Max Rochester was, hoefde hij hem vanuit de bibliotheek alleen maar naar huis te volgen. Zij weegt zwaar, deze gedachte. Het is anders dan het beeld van Amirs dood, dat onverhoeds aan de rand van mijn gezichtsveld opduikt en me ineen doet krimpen. Dit is een dof gewicht dat me vanbinnen omlaag trekt.

Jake komt met twee treden tegelijk, het hoofd gebogen, de trap op. Als hij boven aankomt, is hij buiten adem. 'Ik weet niet wat ik ga doen,' zegt hij. 'Ik kon niet bedenken waar ik anders naartoe moest.'

'Kom binnen. Je ziet er vreselijk uit. Waar ben je geweest?'

'Alleen maar rondgereden. Alleen maar gedaan waar deze teringstad goed voor is. Wat moet ik doen, David? Jij weet altijd wat je moet doen. Jezus, het is zo'n teringzooi.'

'Rustig maar, Jake.' Ik leg mijn handen op zijn schouders om hem te kalmeren. Hij laat zich tegen me aan vallen, slaat zijn armen om mijn middel, klampt zich aan me vast met zijn hoofd tegen mijn gezicht. Ik aarzel even. Dan laat ik mijn handen omlaag glijden over zijn rug. Ik kan zijn ribben voelen. Hij is broodmager. Zijn ademhaling zou hem zo uiteen kunnen doen vallen. Nu hij zo dichtbij is, is de gedachte dat dit kind iets heeft gedaan waar hij nooit meer overheen komt, als een steek van verdriet.

'Ik heb erover zitten denken om naar de politie te gaan,' zegt hij, 'om te zeggen dat ik het had gedaan.'

'Kom binnen en ga zitten.' Ik pak hem bij zijn arm en loods hem door de hal naar de bank. Als ik het licht aandoe, zie ik hoe bleek hij is. 'Als het dat is wat je wilt doen,' zeg ik, 'dan ga ik met je mee. Maar we moeten iemand vinden die je vertegenwoordigt, iemand die weet hoe die dingen werken.'

'Ik stond op het punt om het te doen. Toen begonnen ze die Arabier te achtervolgen.'

'Amir.'

'Ze hebben hem doodgeschoten.'

'Weet ik.'

'Ik bedoel, hoe ziek is dat?' Hij loopt rond, te geagiteerd om te gaan zitten. Hij trekt de schouderband van de tas over zijn hoofd en dumpt hem op de eettafel, naast mijn laptop en een paar boeken die ik nog steeds van plan ben te lezen.

'Precies, en daarom moet je een advocaat hebben, zodat er tenminste wat controle is over wat er gebeurt, iemand die eerst met de politie kan praten om het uit te leggen.'

'Maar wat als hij het heeft gedaan?' Hij loopt naar het aanrecht en legt zijn handen op de kranen.

'Hoe bedoel je? Ik begrijp het niet.'

'Nou, misschien heeft hij het gedaan. En misschien zal niemand ooit weten of hij het wel of niet heeft gedaan.'

Het kost me moeite om hem bij te houden. 'Denk je dat je daarmee zou kunnen leven? Zou het niet beter zijn om gewoon de waarheid te vertellen?'

'Hoe weet ik nou zeker wat de waarheid is? Ik ben God niet.' Hij draait zich weer naar me om, leunt tegen het aanrecht met zijn armen over elkaar heen geslagen, en deint heen en weer. 'Misschien zit ik er wel naast, is wat ik dacht dat er gebeurd is nooit gebeurd, en verdient die moslimjunk het wel om te sterven.'

'Hij was niet echt een junk. Nou ja, misschien was hij wel een junk, maar hij was geen moslim, en hij verdiende het in ieder geval niet om te sterven.'

'Omdat hij geen moslim was?'

'Omdat hij het niet heeft gedaan.'

'En hoe weet je dat?' Hij kijkt me gepijnigd aan. Hij houdt zijn handen omhoog alsof hij op het punt staat een antwoord uit me te trekken. En ik realiseer me dat dit een echte vraag is. Hij wil oprecht weten of het Amir was die Max heeft neergeschoten.

'Maar ik dacht dat je zei... Ik dacht dat je bedoelde...'

Hij laat zijn handen omlaag vallen en staart diep ellendig naar de grond. 'Ik moet mijn moeder zoeken,' zegt hij.

En ik voel een lichte teleurstelling omdat ik hem in de steek heb gelaten, en de gedachte komt bij me op, voordat ik weet of het een hypothese is of een belofte, dat geen kind van mij ooit zo alleen zal zijn op deze wereld. 'Ja,' zeg ik, 'je hebt gelijk. Je zou met je moeder moeten praten.'

'Want tot dan zijn het alleen maar indirecte bewijzen. Ik moet het uit haar eigen mond horen, wat ze wel of niet heeft gedaan.'

'Wacht eens even... zeg je nou...'

'Want als ik het niet van haar hoor, is het gewoon net een verhaal dat ik zelf heb verzonnen en waar ik stapelgek van word.'

'Zeg je nu dat je denkt dat je moeder het heeft gedaan?'

'Dat lijkt me nogal duidelijk, David. Dat is het wat ik tegen je zeg. Kijk.' Hij begint in zijn tas te rommelen. 'Toen ik gisteravond thuiskwam was ze weg, en dat is zo ongeveer de eerste keer in weken dat ze het huis uit is gegaan, en Natalies dagboeken lagen allemaal over de bank en over de grond verspreid, allemaal opengeslagen. En ik heb zoiets van: Jezus, mam, waar haal je het recht vandaan, snap je? En ik raap ze op en ik zie dat ze ergens een stukje tissue tussen heeft gestopt om het te markeren. Hier, kijk, het is van maart, lang voor dat gedoe over Rochester.' Hij trekt het uit zijn tas en slaat het open op de gemarkeerde bladzijde. 'Moet je dit stukje zien.' Hij houdt me het dagboek voor en laat zijn vinger mee glijden onder Natalies woorden, terwijl hij leest. *'Mo is echt een ster, een prachtige PRACHTIGE vijfpuntige ster. En zij gaat ervoor zorgen dat mijn leven vijfhonderdzeventig graden omdraait! Yes! Want die vent waar ze me naartoe heeft gestuurd – zo'n echte zwaargewicht televisieproducer volgens... hallo! praktisch IEDEREEN – vindt dat ik haakjes openen...'* Jake stopt om zijn keel te schrapen. Als hij weer begint te lezen, klinkt zijn stem onvast. '... *vindt dat ik haakjes openen iets lichtgevends heb haakjes sluiten.'* Ongeduldig veegt hij met zijn mouw over zijn ogen. 'En dat had ze ook, toch?' zegt hij. 'Ze had iets lichtgevends.'

'Ja, Jake,' zeg ik, 'dat had ze ook.'

Hij legt het dagboek op de tafel en loopt weg om zijn neus te snuiten.

'Ik zet water op.' Ik glimlach als ik mezelf erop betrap dat ik iets zeg wat in een afgelegen plaats als Tufnell Park de connotatie *Het komt wel goed* en *We regelen het wel* en *Hoe kan ik je helpen?* zou hebben, maar voor Jake waarschijnlijk helemaal niet.

Erger nog, terwijl ik de waterketel vul, staat hij me aan te kijken alsof hij zeggen wil: *Waar heb je het in godsnaam over?* Maar wat hij werkelijk zegt is: 'Wist je dat ma een pistool heeft?'

'Ja, ik vond het onder de bank, de eerste keer dat ik er was.'

'Nou, en nu is het er niet meer. Ik kan het nergens meer vinden. Ze heeft het gekocht toen al dat gedoe met die terroristen begon. Alsof een pistool zou helpen. Ze halen de wolkenkrabbers neer. Ze laten gifgas los in de metro. Boem! Daar gaat een zelfgeknutselde teringbom vol spijkers af, maar wat zou 't! Ik ben niet bang, ik heb een pistool. En je snapt wat dit betekent, toch?' Hij pakt het dagboek weer op. 'Ze kende die Rochester, die Max Kleinman. Het was in de eerste plaats haar idee dat Natalie hem leerde kennen.'

'Ja, natuurlijk. Zij was zijn therapeute.' Ik zet de waterketel aan en pak twee bekers van het aanrecht.

Jake staat me met open mond aan te staren. 'Wist je dat?'

'Niet echt.'

'Zijn therapeute? Tering, je wist dat en je hebt het me niet verteld?'

'Ik ben er net pas achter gekomen. Ik bedoel, ik heb het net bedacht. Ik had de verbinding niet gelegd, totdat jij dat stukje voorlas. Jouw moeder filmde Natalie, toch? Hoe noemde ze het...?'

Hij maakt weer aanhalingstekens met zijn vingers naast zijn oren. 'Werken aan Intensievere Nu-beleving.'

'Juist ja. Het zal zo'n vijf of zes jaar geleden zijn dat ze haar Intensievere Nu-belevingskunstje bij Max deed.'

'Man, hoe komt het toch dat jij dat soort dingen altijd weet? Krijg je dat op een of andere manier door of zo?'

'Wil je een kop thee?'

'Tering, ben je helemaal gek geworden?'

'Rustig maar, Jake. Laten we proberen logisch na te denken.'

'Ze weet dat hij die vent is, ze neemt het pistool mee – is dat logisch genoeg?'

'Laten we geen voorbarige conclusies trekken.'

'Iemand heeft hem neergeschoten. Zo voorbarig is dat niet. Je hebt haar gezien in haar Arabische outfit.'

'Wanneer ben je voor het laatst thuis geweest?'

'Je hebt vast het nieuws gehoord. De mysterieuze gesluierde

handlanger – zou dat misschien Kadivar in vrouwenkleren zijn geweest? Of was het een of andere mallotige therapeute die op huisbezoek kwam?' Hij staat met zijn rug tegen de muur, de armen omlaag langs zijn zij, en trommelt er met zijn vingers tegen. Hij heeft nog steeds zijn pet op. De enige keer dat ik hem die heb zien afdoen, was toen we met onze hoofden tegen elkaar knalden in de bibliotheek.

'Probeer je te concentreren, Jake. Ben je thuis geweest?'

'Een paar uur geleden.'

'Dus misschien is ze nu terug.'

'Astrid is er. Ze zou me bellen.'

'En je moeder heeft geen telefoon bij zich.'

'Als ze hem bij zich heeft, heeft ze hem uit staan.'

'Ze is nog niet lang genoeg weg om naar ziekenhuizen te gaan bellen. En het is nog te vroeg om de politie in te schakelen.'

'Ik ga haar niet aangeven!'

'Precies. Mooi. Dus voorlopig kun je niets doen. Je hebt alles op een rijtje.'

Hij lijkt niet overtuigd.

'En trouwens, ik ben er tamelijk zeker van dat het wel weer goed komt met Max.'

'Hoe kun je dat nou weten? Ze hebben niks gezegd op de radio.'

'Rebecca belde me... mijn vrouw... ze belde me vanuit het ziekenhuis. Ze kon niet lang praten, maar ze klonk oké.'

'Met alle respect voor je vrouw, ik bedoel, maar waar slaat dit nou weer op? Ik bedoel, zijn je hersens wel op de goede zender afgestemd, want zoals ik het gehoord heb, was het niet je vrouw die is neergeschoten.'

'Ze was daar bij Max, neem ik aan. Ik weet zeker dat ze het me verteld zou hebben als het ernstig was.'

Even staat hij glazig te kijken, dan weer hyperalert. 'Heeft hij je verteld dat mijn moeder zijn therapeute was? Heeft Kleinman dat gezegd? Want hij is een vuile teringleugenaar – ik weet niks van hem, maar dat weet ik, dus er is geen reden om ook maar een teringwoord te geloven van wat hij zegt.'

'Wanneer heb je voor het laatst geslapen?'

'Ik kan niet slapen.'

'Je bent vast uitgeput. Je moeder zal op enig moment weer komen opdagen, en je kunt meer voor haar betekenen als je wat geslapen hebt.'

'Hoorde je wat ik zei?'

'Eet dan iets. Wanneer heb je voor het laatst gegeten?'

'Tering, wat is jouw probleem? Waarom zeg je altijd dat ik moet eten?'

'Je ziet er ondervoed uit.'

'Wanneer heb jíj voor het laatst gegeten?'

'Nu je het zegt, ik zou het niet weten.'

'Nou dan!' Hij steekt zijn handen omhoog om dit overtuigende argument kracht bij te zetten.

Ik reageer met een knikje en een schouderophalen om aan te geven dat hij gelijk heeft. Ik vind het best dat hij het laatste woord heeft, want nu kan ik beginnen het ontbijt op poten te zetten.

Ik controleer de koelkast. Veel is er niet meer in voorraad, maar genoeg om nog iets mee te doen. Gelukkig kan ik ontbijt maken – ontbijt is een van mijn sterke punten. Ik haal de overblijfselen van een pakje gesneden ham, een restje kaas, een ui, een rode paprika en een doosje met vijf eieren eruit. Ik doe een stukje boter in de koekenpan en steek het gas aan. Jake heeft zich op een stoel laten vallen en zit in de ruimte te staren. Ik snijd de paprika doormidden, hak een stuk van de ui, gooi de zaadjes en de uienschil weg en snijd de rest fijn. Als het allemaal in de pan ligt te sputteren, dringt het tot me door hoeveel honger ik heb. Ik roer het om met de lepel in mijn linkerhand, omdat ik mijn rechterhand gebruik om koffie in het apparaat te scheppen en een paar sneetjes brood in de toaster te stoppen. Dan klop ik de eieren lichtjes, giet er een scheutje melk bij, zout en peper, wat kaas in dikke krullen rechtstreeks van de rasp en, in de veronderstelling dat Jake zijn eten waarschijnlijk graag pittig heeft, een scheutje tabasco. Ondertussen laat ik heet water in de gootsteen lopen – klaar om af te wassen, maar voornamelijk om de omelet niet op koude borden te hoeven serveren, omdat ik dit zo verleidelijk mogelijk wil maken.

Het blijkt dat de temperatuur van de borden er waarschijnlijk weinig toe doet. Jake kijkt met een nietsziende blik naar zijn omelet alsof het evengoed moderne kunst zou kunnen zijn. Hij pakt zijn vork op, zucht, trekt er een stuk ter grootte van een snijboon af en tilt het naar zijn mond. Hij kauwt er afwezig op. Dan begint hij het naar binnen te scheppen. Wat voldoening geeft. En ik zou hem voor dit compliment voor mijn kookkunst al zijn eerdere onbeleefdheden vergeven, als ik niet toch al genegen was hem te vergeven op grond van het feit dat hij duidelijk een grotere last te dragen heeft dan een zo jong iemand ooit zou moeten meetorsen.

Als hij zijn eetsnelheid genoeg mindert om weer te kunnen praten, ontdek ik tot mijn verbazing dat hij zich bewust is van zijn eigen onbeleefdheid. ‘Gister,’ zegt hij, ‘bij dat burgerrechtengedoe?’

‘Ja?’

‘Dat was niet zo netjes van me.’

‘Wat niet?’

‘Ik heb daar een paar dingen gezegd die ik absoluut niet had moeten zeggen.’

Hij was kwaad, dat herinner ik me nog, maar op dit moment zijn de details me even ontschoten. Ik zou het me wel graag herinneren, als dat lukt, want het moet echt iets voor hem betekend hebben als hij het uit al die andere dingen kiest die hij tegen me heeft gezegd, als iets om zich voor te verontschuldigen.

'Dat zit wel goed,' zeg ik. 'Echt, het is niet belangrijk.'

'Er is een hoop rotzooi aan de gang, weet je?'

'Ja, dat weet ik.'

Hij zit nog steeds te eten maar ziet er verstrooid uit. Hij zit weer met zijn knie te wiebelen. Hij haalt zijn mobiel uit zijn zak, klapt hem open, klapt hem dicht en stopt hem terug in zijn zak. Het herinnert mij eraan dat ik de mijne moet opladen. Hij wijst met zijn vork naar mijn laptop. 'Werk je hier?'

De laptop staat aan de andere kant van de tafel verwijtend stil te zijn.

'Ik zou zeggen dat het een van de plaatsen is waar ik niet werk. Soms werk ik niet op het zonneterras, waar je trouwens een mooi uitzicht op de oceaan hebt, als je op de goede plek gaat staan, en soms werk ik niet in een hoek van de slaapkamer, maar de afgelopen paar dagen heb ik voornamelijk hier niet gewerkt. Lekker dicht bij de koelkast.'

'Het gaat niet best met je boek, huh?'

'Het gaat helemaal niet, om precies te zijn.'

Hij wuift met zijn vork naar me. 'Misschien sta je in je eigen licht. Dat gebeurt mij vaak. Ik bedoel, ik hoor je erover praten en het is net of je alleen maar spirituele ruimte maakt voor mislukking. Dan zeg je bij jezelf: dit gaat niet werken, en dan kun je het verder wel vergeten.'

'Ik snap wat je bedoelt.'

'En je hebt dat ding met woorden.'

'Wat voor dingen met woorden?'

'Alsof de woorden belangrijker zijn dan wat het ook is wat je in godsnaam wilt zeggen. Alsof het medium de boodschapper is of zoiets, terwijl, als je erover nadenkt, het medium gewoon het medium is.'

'Ja, dat snap ik.'

'Dus wat wil je nou eigenlijk zeggen?'

'In mijn boek, bedoel je?'

'Ja, in je boek.'

'Nou ja, het is gewoon een leermethode voor de middelbare school, natuurlijk, dus wat ik persoonlijk wil zeggen doet er niet zoveel toe, niet in die zin. Ik bedoel, niet zoals bij wat jij doet.' Het verontrust me hoe snel ik verval in dit stumperige verontschuldigende gedoe bij de gedachte aan het boek, zelfs tegenover deze negentienjarige jongen.

Jake zit zijn hoofd te schudden en ernstig te fronsen. 'Man, wat haal jij jezelf naar beneden! Ik bedoel, jij bent de schrijver, oké, dus je kunt maar beter weten wat je schrijft.'

'Ja, sorry, je hebt absoluut gelijk.'

Hij kijkt opnieuw op zijn mobiel.

Ik vind het ontroerend dat het bij hem opkomt om naar mijn werk te informeren terwijl hij zoveel andere dingen aan zijn hoofd heeft, en ik vind dat hij een beter antwoord verdient. Ik adem diep in. 'Oké. Het gaat over de grote wereldgodsdiensten. In dit hoofdstuk moet ik de islam behandelen – de ontstaansgeschiedenis, de grondbeginselen, belangrijkste riten en feesten, wat latere culturele aanwassen, dat soort dingen. Wat eigenlijk niet al te moeilijk moet zijn. Behalve dan dat ik het gevoel heb, met alles wat er op dit moment gaande is in de wereld, dat ik de stoffering inspecteer van een op hol geslagen trein. Om eerlijk te zijn geldt dat wat mij betreft voor het hele project. Zou een boek getiteld: *Religie: je kunt niet zonder, maar wat moet je ermee?* niet veel zinniger zijn? Of: *Christendom: beter dan een kogel door je kop?*'

Jake zit in zijn koffie te staren. Ik ben hem kwijt. Hij maakt zich natuurlijk zorgen over zijn moeder en wacht op het catastrofale telefoontje.

'En daar komt natuurlijk nog bij dat er, zoals je terecht zegt, Jake, een hoop rotzooi aan de gang is.'

Hij kijkt op. 'Nou, ga er dan van uit dat ik niets over de islam weet en vertel me erover. Vertel míj erover, bedoel ik. Als je dan schrijft is het alsof je iets communiceert naar iemand anders.' Hij kijkt omlaag naar zijn bord en prikt een paar restjes omelet aan zijn vork. 'Als je wilt, mag je het me mailen.' Hij kijkt fronsend naar me op. 'Maar dat zul je wel een dom idee vinden.'

'Jake, het is briljant.'

Hij kijkt me weifelend aan en wil zijn frons nog niet laten varen. 'Zit je me te stangen, want ik heb zelf al genoeg zooi aan mijn kop...'

'Nee, echt, Jake. Je hoort van me, dat beloof ik. Hoe was de omelet?'

Hij schokschoudert. 'Hé, je weet wel. Het was een omelet.'

En ik ben hem echt niet aan het stangen. Ik ga de maandag eraan besteden Jake te vertellen wat ik denk dat hij moet weten over Mohammed, de Koran, voedselvoorschriften, de oproep tot gebed en wat er verder nog bij me opkomt. Ik heb hier een goed gevoel over – het is tenminste een sprankje hoop. En ik heb er een goed gevoel over dat mijn omelet zonder enige twijfel een omelet was, wat de hoogste lof is die ik kan verwachten. Ik pak de borden op en breng ze naar het aanrecht. Ik sta op het punt om Jake te vragen hoe het met zijn eigen project gaat, maar zijn hoofd ligt op tafel, zijwaarts vanwege de klep van zijn pet. Dus begin ik zo zachtjes mogelijk af te wassen en binnen een minuut ligt hij te snurken.

Als de ringtone van zijn mobieltje opklinkt, schrikt hij wakker en zit hij indrukwekkend snel met het ding aan zijn oor. Het is Mo. Aan Jakes reactie te horen is ze nogal over haar toeren en voor zover ik kan zien doet Jake er weinig aan om haar te kalmeren. Hij probeert nog steeds erachter te komen waar ze in godsnaam uithangt, als de huistelefoon begint te rinkelen. Ik neem hem op met natte handen. Het is Astrid, die op zoek is naar Jake. Ze krijgt hem niet te pakken op zijn mobiel en vraagt zich af of ik van hem gehoord heb. Zij heeft net wat van Mo gehoord, die, zegt ze, behoorlijk de weg kwijt is. Deze twee gesprekken beginnen door elkaar heen te spelen als jazz – het soort jazz waar je hoofdpijn van krijgt – ik, die aan Astrid vraagt: 'Waar denk je dat ze is?' en Jake die zegt: 'Tering, waar hang je dan uit?' en Astrid die zegt: 'Ze is op weg naar de pier,' en Jake die zegt: 'De pier? Tering, waarom...?' en Jake die zegt: 'Ik ben bij David, je weet wel, David,' en Astrid die zegt: 'Ik ben blij dat hij bij jou is, David – iemand moet een oogje op hem houden.'

'Nou, dan zie ik je zo wel op de pier,' zegt Jake.

'Dat is het enige dat ik uit haar heb gekregen,' zegt Astrid, 'dat ze op weg is naar de pier. Ze was nogal warrig. Ze zei maar steeds dat ze Nattie moest loslaten.'

'Wat betekent dat – haar loslaten?'

'Haar geest laten gaan, denk ik.'

'Niet weglopen, mam, oké?'

'Maar ik bedoel, wat betekent het in de praktijk?'

'Tering, mam!'

'Wie zal het zeggen?'

Als ik ophang is er een boodschap ingesproken. 'Waarschijnlijk slaap je.' Het is Rebecca. 'Ik hoop tenminste dat je slaapt. Ik kan sowieso maar heel even praten.'

Ik moet de telefoon tegen mijn oor drukken, omdat Jake nog steeds probeert iets zinnigs uit zijn moeder te krijgen, en aangezien zijn belangrijkste tactiek eruit bestaat heel vaak tering te zeggen, schiet dat niet erg op.

'Ik heb aangeboden om de kinderen op te halen bij de oppas,' zegt Rebecca, 'en ze naar hun oma te brengen. Ik schat dat ik met een uurtje of zo thuis ben, voordat ik hier weg ben. Dus ik zie je zo.' Ik hoor haar in- en uit- en weer inademen.

'Kom mee,' zegt Jake, 'we moeten gaan.' Hij stopt zijn telefoon terug in zijn zak en slingert zijn tas over zijn schouder.

'Wat er eerder is gebeurd, David... Nou, misschien kunnen we erover praten.' Er klinkt een soort explosie in mijn oor als ze haar neus snuit. 'Hoe dan ook, Frankie is voor me aan het uittekenen hoe ik er moet komen.' Ze begint tegen Frankie te praten, zegt dat ze het wel vindt, geen probleem. 'Oké,' zegt ze tegen mij, 'wij praten straks wel.' Er is een pauze voordat ze ophangt, alsof ze nog meer te zeggen had.

'Oké,' zeg ik tegen de zwijgende telefoon, 'wij praten straks wel.' En ik loop achter Jake aan de deur uit.

19

Als we de straat oversteken hebben we de wind in de rug, nog steeds zo griezelig warm. Het is raar om die donkere watermassa te naderen zonder een koel oceaanwindje in het gezicht, maar eindelijk ziet de dorstige schuine stand van de palmen langs de kust eruit zoals het hoort. Op de pier ratelen de hangsloten aan de rolluiken voor de stalletjes met eten en prullaria en de canvas luifels klapperen in de wind. Jake is een en al nerveuze energie en loopt naast me met kortere, snellere stappen, zodat onze voetstappen op de planken klinken als een onregelmatige hartslag. We horen het water onder ons bewegen, tegen de houten palen slaan en op het zand ploffen. Tussen het krijsen van de meeuwen, door het gedruis van de wind, lijkt een menselijke stem te zeggen: 'O... o... o...' Het is een beangstigend geluid dat uit het donker naar ons toe komt, totdat Jake zegt: 'Dat is Astrid,' en ik me realiseer dat ze Mo's naam roept.

De rails van de achtbaan tekenen zich boven ons af, zilverig in de bocht waar het maanlicht erop valt. Eronder staat een gebouw met reclames erop voor bier en hotdogs, en een koffieshop en daartussenin zit een ingang naar de kermis.

De schaduwen bewegen onder de toegangsboog en Astrid komt eronderdoor op ons af gelopen. Haar haar zit in de war, probeert zich los te maken uit een hoofddoek. 'Haar auto staat hierachter bij de carrousel,' zegt ze, 'alsof ze hem heeft achtergelaten. En ik heb deze gevonden.' We blijven staan om te kijken. Er is genoeg maanlicht om Mo's schoenen te herkennen.

'Ze is er toch zeker niet in gesprongen?' vraag ik.

'Ze klonk manisch, David – ze is in een roes.'

'Ben je al tot aan het eind geweest?'

'Ik kom net aan.'

Jake begint weer te lopen, en we halen hem in. Astrid neemt hem bij de arm. 'Dat hebben ze in Zuid-Frankrijk ook, die hete wind. Daar heet het de mistral. Hij kan mensen een beetje gek maken.'

'En ze kon niet naar huis?' zegt Jake.

'Ze kon het niet aan, zei ze tegen mij.'

'Maar wát kon ze niet aan – het huis, de agenten, of wat ze ook maar gedaan heeft? Jezus, Astro, wat hééft ze gedaan?'

'Zover zijn we niet gekomen. Heeft ze het jou dan niet verteld?'

Jake maakt zich van haar los. 'Veel zinnigs kwam er niet uit. Ze zei alleen dat ze hier zou zijn.' Zijn schoenen klinken hol op de planken als hij begint te rennen en een tiental zeemeeuwen fladderen om hem heen de lucht in.

'In Frankrijk begrijpen ze wat het weer met een mens kan doen,' zegt Astrid tegen mij.

Jake ligt al een meter of tien op ons voor en rent met lange stappen tussen de laatste gebouwen op de pier. We hollen achter hem aan langs een Mexicaanse eettent en een informatiestand met gesloten rolluiken.

'Weet je, in Nice of Marseilles zou deze wind een verzachtende omstandigheid vormen.'

'Zo te horen komt het allemaal wel weer goed met Max,' zeg

ik. 'Volgens de verslaggevers is zijn toestand stabiel.'

'God, ik hoop dat je gelijk hebt.' Ik hoor de hapering in haar stem. 'Ze gebruiken die woorden – stabiel, rustig – en ze praten met van die volwassen stemmen, alsof nu alles in orde is, we hebben het onder controle, maar dat wil nog niet zeggen dat je niet verlamd bent of in coma ligt.'

'Denk je dat ze het heeft gedaan?'

'Ik ken haar al zo'n tien jaar, David. Jake was nog maar een jongetje toen we elkaar leerden kennen. Ze is een dierbare vriendin en een echt lief mens, maar haar receptoren stonden altijd nogal vreemd afgestemd.'

Jake loopt voor ons uit te roepen. Zijn stem wordt vervormd door de wind. Dan zien we Mo. Ze zit op een bank met haar rug naar de oceaan. Tussen hen in schittert het water en de maan sprenkelt haar licht in horizontale strepen. Als we dichterbij komen, zie ik dat Mo daar in een onderjurk zit, met blote voeten. Er komt een heftige woordenstroom uit haar mond. De helft van wat ze zegt wordt weggevaagd door de wind en van het uiteinde van de pier geblazen om met de meeuwen over het water te fladderen. Aan de andere helft is nauwelijks een touw vast te knopen. Maar ze valt zo vaak in herhaling, dat ik begrijp wat ze wil zeggen. Ze vertelt Jake dat ze een instrument is van het eeuwige. Ze heeft de vlam gevangen. De vlam is de vlam van het eeuwige, die in elk moment overvloedig aanwezig is, als een oogverblindende helderheid die nooit ophoudt te branden. Ze gebaart terwijl ze praat. Haar vingers schitteren van het zilver en turkoois en de zware deining van haar borsten is zichtbaar door de dunne stof. Nu ze zo lang niet in het licht is geweest, en zonder make-up, ziet haar gezicht er pafferig uit. Maar ze zit daar met het zelfvertrouwen van een koningin. De videocamera ligt in haar schoot. Ze heeft het gedaan voor Nattie, zegt ze. Nattie had er behoefte aan dat het afgesloten werd. Ze heeft de vlam gevangen, maar de vlam brandt onverminderd voort. Jake is buiten zichzelf, smeekt haar om te stoppen met die onzin.

'Hoe gaat het, Mo?' vraagt Astrid.

Mo klaart op als ze haar ziet. 'Je bent gekomen!' zegt ze en ze steekt haar hand uit alsof ze verwacht dat die gekust zal worden. 'Ongelofelijk toch, dat weer? Deze stad zou toch werkelijk ondraaglijk zijn, denk je niet, als we de oceaan niet hadden. Al die misère zonder iets om haar gezicht in te wassen.' Ik moet naar haar lippen kijken om dit te verstaan, zoveel wordt er weggevaagd van het geluid.

Astrid neemt de hand vast en drukt hem tegen haar middel. 'Gaat het een beetje, Mo?'

'Nou, eigenlijk ben ik erover aan het denken om naar het noorden te verhuizen. Santa Rosa, misschien. Maar wat zou er met jou gebeuren, lieverd, wie zou er voor jou zorgen?'

'Ik kan prima voor mezelf zorgen.'

'En er moet hier nog zoveel genezen worden.'

'Je zou de zon missen.'

'Ja, mam,' zegt Jake, 'en als ze je opsluiten zul je de zon ook missen.'

'Zoveel duisternis in de ziel van die jongen! Zo'n gebrek aan vertrouwen!'

'Wie zat er nu eigenlijk met een lap over d'r kop? Wie is er nou de hele nacht op pad geweest met een teringpistool?'

'Ligt het aan mij, Astrid, lieverd, of wordt het warmer?'

Achter me klinkt geratel en als ik me omdraai zie ik een stuk hout ter grootte van een dienblad op ons af komen buitelen over de planken. Het danst langs het Mexicaans restaurant en blijft zo'n tien meter van ons vandaan haken achter het uiteinde van een bank, waar het tussen de latten geklemd blijft hangen en ik zie dat het versierd is met zilveren sterren. *MADAME ZORA handleeskunde tarot leggen $15* staat erop en *Uw TOEKOMST in uw HANDPALM*. Het hout is over de hele lengte opengebarsten.

‘Tering, mam,’ zegt Jake. ‘Wat nou weer!’

Mo staat rechtop met de onderjurk omhooggetrokken tot rond haar buik en haar zachte dijen bloot. ‘Maar het is zo heet, lieverd.’ Ze heeft de videocamera op de bank laten liggen. Astrid houdt haar vast en trekt haar onderjurk naar beneden.

‘Heb je gefilmd, Mo?’ vraag ik haar.

En ze begint opnieuw over het vangen van de vlam en het loslaten van Nattie. ‘Jakey zou ernaar kunnen kijken,’ zegt ze, ‘maar die jongen denkt dat de aarde ophoudt met draaien als hij ophoudt met rennen.’

‘Tering, waar heb je het over, mam?’

Ik heb de camera opgepakt. ‘Astrid, weet jij hoe dat ding werkt?’

‘Tuurlijk weet ik dat.’

‘Ga hier zitten en kijk wat ze gefilmd heeft. Jake, kalmeer nu eens. Probeer je moeder ervan te weerhouden dat ze iets idioots doet.’

Astrid trekt het miniatuurschermpje aan de zijkant van de camera naar buiten en drukt op een paar knopjes. Jake is gehoorzaam naast Mo gaan staan. Ze wendt zich van ons af met een hand verticaal voor haar gezicht, en twee vingers omhoog wijzend, en maakt een zegenend gebaar over het water. Er zitten zeevogels op de boeien die hun vleugels spreiden om hun evenwicht te bewaren. Langs de pier klapperen de restaurantramen in hun kozijnen. Ik ga naast Astrid zitten en zij draait de camera zo dat we het allemaal kunnen zien. Er is een bibberig beeld van een huis. Het is het huis van Max en Frankie, gezien vanuit de oprit – de lage dakranden en de overzichtelijke glaspanelen alleen overschaduwd door vegetatie.

‘Daar zul je het hebben,’ zegt Astrid. ‘Daar zul je het absoluut hebben.’ En de greep van haar hand om de camera verstrakt.

Het schermpje wordt wit als de sensorlamp aangaat. Terwijl het beeld zich aanpast, scannen we de voorkant van het huis, duiken we om onduidelijke redenen naar het plaveisel van het pad en de ruisende rokken van de boerka, en dan weer omhoog naar een kleurloos stuk muur.

Astrid mompelt: 'O mijn god, Mo, wat heb je gedaan?'

Als we aankomen bij de poort aan de zijkant, komt er een grijze mouw in beeld en een hand vol sieraden verschijnt aan het uiteinde ervan om de poort te openen. Hij zit niet op slot, natuurlijk, precies zoals ik hem heb achtergelaten toen ik de gestolen tapes naar de auto smokkelde. In de achtertuin gaat nog een lamp aan. Ik herken stukjes van het huis en het zwembad, terwijl Mo door de bladeren ruist. We horen een schrapend geluid – ze is tegen een boom aan gebotst en een tijd lang is er niets anders te zien dan bladeren en lucht. Als de camera met een ruk uit de takken wordt getrokken, zwaait de schuifdeur naar de zitkamer in beeld. We luisteren naar muziek die Indisch zou kunnen zijn, en een pratende vrouw. Het is het geluid van de televisie dat in de tuin te horen is. De muziek verandert in gelach. We zien de glazen schuifdeur en de stenen onder Mo's voeten en het zwembad ondersteboven, terwijl Mo met de camera worstelt. En daar is de deur weer, met een opening naar het duister. Alleen de televisie is zichtbaar. Dan worden er fragmenten van de zitkamer van de Kleinmannen zichtbaar in de schemer rondom – de spiegel bij de voordeur, en de horizontale open haard, en de salontafel met de schaakstukken nog steeds in dezelfde positie. Op de enorme flatscreen doet een vrouw in een sari haar stand-upcomedy en we horen het schrille, dubbel opgenomen geluid van lachend publiek. Ergens anders vandaan horen we Max zeggen: 'Hé, wie ben jij, verdomme? Maak godverdomme dat je mijn huis uit komt.' De camera vindt hem, staand voor de bank in zijn kamerjas en slippers.

Jake fluistert: 'O, Jezus, mam, nee, nee, nee…'

Astrid pakt mijn hand vast en ik voel haar nagels in mijn handpalm snijden.

Max kijkt angstig en hij doet zijn best om zijn stem onder controle te houden. 'Wat moet je van me? Is dit een beroving of zo? Wat moet je met die verdomde camera? Hoor eens, als dit over die film gaat, kijk naar de film. Ik zweer je, als je er ook maar iets oneerbiedigs in kunt vinden over je cultuur of je religie... Luister, hoe dan ook, ik geef je een kans om te reageren – evenveel zendtijd. Dame, ik respecteer je tradities, absoluut. Ik ben heel traditioneel opgevoed. Niet in jouw geloof, natuurlijk, maar... Jezus!' Ons beeld van Max zwenkt zijwaarts en komt weer overeind en we zien Mo's hand in de grijze mouw die een pistool vasthoudt.

'Shit, mam!'

'Als vrouw,' zegt Max, 'je moet... als vrouw... zien waar ik mee bezig ben, ik steun alleen andere moslimvrouwen in de keuzes die ze maken in hun leven ... O god. Shit, wat gebeurt er met me?' Max grijpt naar zijn borst. Hij ademt met kleine, bibberige ademteugjes. Hij wankelt naar achteren en zakt neer op de bank. Zijn kamerjas is open gegleden en onthult zijn grijs behaarde borstkas en zijn buik en een strakke, zwarte slip. De camera draait weg, terug naar de televisie, waar reclame wordt gemaakt voor een dramaserie die binnenkort te zien zal zijn. Een meisje in een wapperend gewaad wordt jammerend naar een altaar gesleurd, waar een bebaarde priester een mes staat te slijpen. Naakte vlammen flakkeren om hen heen op in het duister. Boven het geluid van trommels uit klinkt een diepe mannenstem: 'Spannend, erotisch. Het team van *Hannibals harem* brengt, na diepgaande research, een geheel nieuw historisch drama. *Stonehenge*.' Er klinkt een explosie en het scherm spat uiteen. Er is nu geen geluid meer dat de strijd aangaat met de stem van Max. 'Een ambulance. Godverdomme já, en of het godverdomme een noodgeval is. In godsnaam, ik ben dood aan het gaan.' De camera draait en blijft even voor de spiegel zweven. We zien de boerkagedaante van Mo met de camera in een hand ter hoogte van haar schouder, en het pistool bungelend in de andere.

'Heb je de televisie kapotgeschoten, mam? Meer niet?'

'Hij is een ín- en índestructief individu.'

'Maar je hebt niet op hém geschoten.' Jake is hysterisch van opluchting. 'Je hebt zijn televisie kapotgeschoten. Dat is niet eens een misdrijf, een televisie kapotschieten. Het is pure kunst, mam. Tering, je moet een beurs aanvragen.'

Ik voel Astrids greep verslappen. 'Mo,' zegt ze, 'jij maffe trut.'

'Heeft hij een hartaanval, of wat?' vraag ik aan hen. 'Wat gebeurt er met hem?'

'Hij heeft me in Egypte beroofd – exquise kunstvoorwerpen die essentieel waren voor mijn reis...'

'Mam, je bent nooit in Egypte geweest.'

'Hij heeft mijn tombe ontheiligd.'

Max maakt nog steeds geluid aan de telefoon als de camera de tuin in zwaait. Er volgt een cut. En zonder enige waarschuwing zien we Natalie ondergaan, haar haar wervelend op het water. Er klinkt geschreeuw op de tape en een plofgeluid en de camera wijst naar een stukje lucht en de houten balken onder Mo's huis.

Jake is ontnuchterd. 'Je hebt eroverheen gefilmd, mam.'

'Nattie heeft ons niet meer nodig, Jake, lieverd. Ze moet verder.'

'Maar je hebt eroverheen gefilmd.'

Mo doet een paar stappen over de pier. 'Volgens mij neemt de wind af.'

'Zeker weten,' zegt Astrid. 'Nog even en de normale smog is terug.'

Het begint lichter te worden. Er hangt een roodachtige gloed boven de palmen en de hotels langs het strand.

'Wie gaat er mee ontbijten?' Mo komt in een pirouette terug op ons af, met zwaaiende armen. 'Tom's Diner in Mainstreet maakt de beste eiwitomeletten. Zijn we allemaal met een eigen auto?'

'Wij hebben al gegeten,' zegt Jake, 'David en ik. Maar, ach, wat kan het schelen.'

'Je moet naar huis gaan, Mo,' zeg ik tegen haar. 'Jake en Astrid nemen je mee naar huis. Oké, Astrid?'

Tegen mij zegt Astrid: 'Ik neem haar auto wel. Ze slepen hem weg als we hem hier laten staan.'

'Nu de videocamera nog,' zegt Mo.

'Tuurlijk, lieverd, we vergeten de camera niet.'

Mo neemt hem van haar over en drukt hem tegen haar boezem, terwijl ze haar lompe dansje danst.

'Ga je niet mee, David?' vraagt Jake.

'Nee, ik kan beter teruggaan.'

'Maar je gaat me mailen, toch?'

'Reken maar.'

Mo maakt een draai in de richting van de reling en voordat ik haar kan tegenhouden, voordat ik me realiseer wat ze gaat doen, mikt ze de camera eroverheen in het water. Het is even stil. Dan klinkt er een zachte plons. En de Intensievere Nu-beleving is geschiedenis.

Terwijl Jake Mo op de passagiersstoel van haar auto installeert, neem ik Astrid terzijde.

'Is er een dokter die haar hiervoor al eens eerder heeft behandeld?' vraag ik haar.

'Haar zover krijgen dat ze erheen gaat, dat is het probleem. Ze heeft medicijnen. Ze weet wat ze moet doen.'

'En jij gaat de politie bellen. Ik bedoel, je kunt niet net doen alsof er niets gebeurd is.'

Ze zucht. 'Nee, ik denk het niet.'

'Het ligt er natuurlijk ook helemaal aan hoe het met Max gaat.'

'Ja, en hoe wraakzuchtig hij is.'

Mo zit Jake te vertellen hoe makkelijk hij het zal vinden om het eeuwige binnen te gaan in Santa Rosa. Jake zegt dat ze over Santa Rosa kunnen praten als ze haar medicijnen heeft genomen.

Ik kijk naar de plastic paarden op de carrousel, trots en schalks, wachtend om aan hun dagvoorstelling te beginnen. 'En ze hebben Amir doodgeschoten,' zeg ik tegen Astrid. 'Heb je dat gezien?'

'God, ja. Ik heb met die man gepraat, weet je dat, dezelfde avond dat ik jou heb leren kennen. Een Iraniër, toch? En jij was erbij toen ze hem doodschoten. Jezus, wat een avond voor jou. Die racistische klootzakken.'

'Ja, dat zullen ze vast wel zijn, maar ik kan het niet helpen dat ik vind dat wij op een of andere manier... ik weet niet... dat wij schuldig zijn. Dat we op een of andere manier niet bij de les waren.'

'Wat hadden we moeten doen dan?'

'Of ik, in ieder geval. Ik heb bijgedragen aan deze puinhoop.' Ik zou willen dat ik dit gevoel onder woorden kon brengen. 'Als ik niet in Max zijn kantoor had ingebroken...'

'Dat zou geen enkel verschil hebben gemaakt. Mo kende Max al.'

'Je zult wel gelijk hebben.' Maar ik bedoel niet iets zo mechanistisch. Ik weet niet hoe ik dit gevoel moet uitleggen – dat we niet op elkaar gelet hebben, dat ik met allemaal verkeerde dingen bezig was. De achtbaan kronkelt zich boven ons, rood nu van onderen. 'Ik voel me gewoon op een of andere manier verantwoordelijk.'

'Omdat dat jouw standaardwaarde is, je ergens verantwoordelijk voor voelen. Kijk maar hoe je voor Jake hebt gezorgd. Het is niet bepaald zo dat je zelf geen problemen hebt. Nu Max in het ziekenhuis ligt, zou daar best weleens een doorbraak in kunnen komen, als je het mij vraagt. Zoiets als een hartaanval brengt mensen ertoe hun ziel te onderzoeken.'

Ze heeft het over Rebecca, neem ik aan – Rebecca en Max en hun fantoomaffaire. 'Luister, Astrid, ik moet iets uitleggen... ik heb een idiote fout begaan...'

'Hé, het was maar een kus – een lekkere kus, weliswaar, dat wil ik best toegeven, maar meer ook niet.'

'Dat bedoel ik niet. Wat ik gistermiddag tegen je zei aan de telefoon, voordat Rebecca ons onderbrak... ik heb een belachelijke vergissing begaan.'

'O, lieverd.' Ze legt een hand op mijn arm en kijkt me begrip-vol aan, het hoofd ietsje schuin. 'Dat is lief van je. Maar het is maar beter zo. Bij dit soort dingen gaat het altijd om de timing.' En haar gezicht ontspant tot een glimlach. 'Dat was me trouwens wel een opsplitsing, hè? Ergens in een andere dimensie zijn jij en ik nu heerlijk aan het vrijen.'

Dat maakt ons allebei aan het lachen.

'Wat een aantrekkelijke gedachte. Maar ik had het over Max en Rebecca.'

'O!'

'Ik had het mis. Het was niet Max op de tape, het was alleen maar Frankie. Ik heb me druk lopen maken om niets.'

'Rebecca en Frankie? En Max filmde hen? En dat vind je best?'

'Nee, nee, zo was het niet.'

'Hé, als jij het niet erg vindt, wie ben ik dan om te oordelen? Ieder zijn meug, weet je wel?'

En het komt bij me op dat onze vriendschap gebouwd is op misvattingen, te beginnen met de illusie van mijn genialiteit, dus kan ik deze ook net zo goed laten bestaan.

Ze is al op weg naar de auto en steekt haar hand op in een groet, als ik me herinner dat ik haar nog iets wilde vragen. 'Hé, Astrid. Is het mogelijk dat je echtgenoot in de stad is?'

Aan de manier waarop ze zich omdraait, zie ik dat ik haar overrompel. 'Weet je iets over hem?'

'Ik zat gisteravond puur toevallig wat te drinken met deze journalist.' Ik haal het kaartje uit mijn zak. 'Jeremy Compton.' Ik geef het haar. 'Je zei toch dat je man Jeremy heette? En dat hij schrijver is. Je zei niet dat hij een Engelsman was, dus misschien is het hem niet.'

Maar ik zie al dat ik het bij het rechte eind heb.

'Ik vroeg me al af waar je dat Engelse accent vandaan had.'

'Ik neem niet aan dat hij het over mij heeft gehad?'

'Het lukte me nauwelijks om hem over iets anders te laten praten.'

'Wauw! Dan is hij dus nog steeds kwaad.'

'Behalve dan over de ijzingwekkende dreiging van het islamo-fascisme en de linkse politiek die geen ruggengraat meer heeft.'

Haar lachje zegt dat ze het herkent. 'En jij zat met hem te drinken? Hoe kwam dat zo?'

'Hij liep nogal met zijn ziel onder zijn arm.'

Daar moet ze om lachen. 'Ik heb me altijd al afgevraagd waar die zat bij Jeremy.'

'Het kwam door het zwammen dat ik het wist.'

'Beschuldigde hij je van gezwam?'

'Hij verontschuldigde zich voor zijn eigen gezwam.'

'O? Dat klinkt als vooruitgang.' En ze laat het kaartje in de zak van haar spijkerbroek glijden.

Ik kijk hoe ze wegrijden van het kermisterrein en loop snel achter hen aan, terug richting oceaan. Een vrouw veegt de planken aan en verzamelt verpakkingen van fastfood en snoep in een blik met een lange steel. In de strook park langs het water rennen de vroege joggers krakend over de palmbladeren die er door de storm zijn afgeblazen. Bij het stoplicht staat een gehavende pick-up te wachten. De chauffeur, een oudere Mexicaan, lacht naar me door zijn open raampje. De truck is volgeladen met bloemen.

'Hoeveel kost een bos chrysanten?' vraag ik hem.

Hij draait zijn hoofd ten teken dat ik het nog eens moet zeggen.

'Kan ik een bos bloemen kopen?'

'Je koop bloemen voor een dame?'

'Voor mijn vrouw,' zeg ik.

'Is laat om naar huis te gaan.'

'Ja, dat denk ik ook.'

'Zes dollar een bos,' zegt hij. 'Of twee voor tien dollar. Jij zo laat naar huis gaan, jij bloemen nodig hebben.' En hij knijpt zijn ogen tot spleetjes en laat me een mondvol verkleurde tanden zien.

20

Rebecca draait zich van het aanrecht naar me toe als ik binnenkom, en kruist haar armen voor haar borst. 'En wat is dit voor tijd om thuis te komen, als ik vragen mag?' zegt ze. Het is een persiflage van haar moeder. Het gaat niet echt van harte, maar ik waardeer het gebaar. Zulke zinnetjes zijn niet grappig bedoeld. Op zijn best zijn ze aangenaam, zoals oude kleren. Toen we elkaar voor het laatst zagen, verkeerde zij in de veronderstelling dat ik iets had met Astrid, en beschuldigde ik haar, met veel minder redenen, ervan dat ze met Max neukte, dus laat ze me er makkelijk van afkomen. Ze opent tenminste de onderhandelingen. Haar ogen zijn opgezet en vlekkerig van de eyeliner en de vermoeidheid.

'Ik ben al gewaarschuwd dat je boos zou zijn,' zeg ik.

Haar wenkbrauwen gaan omhoog. 'Door wie?'

'Door de man die me deze bloemen heeft verkocht.' Ik houd ze omhoog en probeer net zo berouwvol te kijken als ik me voel.

De spanning in haar gezicht neemt ietsje af als ze ze aanneemt, de schouders ontspannen. 'Heb je bloemen gekocht voor mij?'

'Nou, hij zag er ook wel uit alsof hij het kon gebruiken om

wat te verdienen, maar ja, ik heb ze hoofdzakelijk voor jou gekocht.'

'Dat is lief. Dank je wel.' Ze ruikt eraan. Dan draait ze zich om om ze op het aanrecht te leggen en blijft even met haar gezicht naar het raam staan. 'We zouden bloemen moeten halen voor Amir.'

'Ja, dat zouden we moeten doen. Dat is een goed idee.'

'Er liggen er al, op de stoep, vlak bij waar het is gebeurd. Ik ben er gestopt toen ik naar huis kwam. Ik had Frankie beloofd...'

Ik weet niet zeker of ze klaar is met praten of vecht tegen de tranen. Ik sta op het punt om een stap in haar richting te doen, mijn armen om haar heen te slaan, als ze zich weer naar me omdraait, haar ogen vlammend van boosheid. 'De halve straat is afgezet en er is overal politie. Ik neem aan dat het een plaats delict is, en dat ze zich ervan verzekeren dat niemand knoeit met het bewijsmateriaal, behalve dan dat ze zelf de criminelen zijn, dus hoe groot is de kans...' Ze schudt het hoofd, haalt een paar keer diep adem en begint opnieuw. 'Ik had Frankie beloofd dat ik zou gaan kijken wat er gaande is en dat ik het haar zou laten weten. Er waren een paar studenten en een paar Iraanse families, zo te zien, en een paar andere mensen. Het is een soort wake, denk ik, of een demonstratie. Want iedereen weet dat hij het niet heeft gedaan – dat is volslagen onzin – ik snap er echt niks van.' Als ze me aankijkt is het alsof ze iets zoekt in mijn gezicht. 'En jij moest het allemaal aanzien. Dat was vast afschuwelijk.'

'Dus je hebt me op het nieuws gezien?'

'Er stond een televisie aan op de eerste hulp.'

'Niet mijn beste kant, vrees ik. Het staat in het contract, alleen mijn linkerprofiel, maar je kunt die regisseurs nooit vertrouwen.'

Ze reageert niet op de grap – niet als grap. Ze reageert ook niet op de zwakte ervan. Ze negeert hem gewoon. Ze weet wat ik heb meegemaakt zonder dat ik het haar hoef te vertellen, misschien wel beter dan ikzelf. Haar ogen hebben de overdreven scherpte van iemand die tegen de slaap vecht. 'Dat was trouwens lief, wat je zei.'

'Had ik een rol met tekst dan?'

'Nee, ik meen het.' Ze bijt op haar lip. 'Dat was echt lief.'

'Maar wat zei ik dan?'

'Weet je dat niet meer?'

'Ik was in shock.'

'Je zei dat je je zorgen maakte om mij.'

'Ja, natuurlijk.' Ik herinner het me weer – de microfoons en de achterlijke vragen en mijn angst om Rebecca. En ik begrijp waarom ze niet meer zo boos op me is. 'Natuurlijk maakte ik me zorgen.' Ik pak haar hand vast. 'Ze vroegen zich vast af waar ik het in godsnaam over had.'

'Ze noemden je een verwarde toeschouwer.'

'Verward! Ik doe ze een proces aan.'

'Dus je hebt niet gekeken?'

'Ik heb telkens een andere zender opgezet als ik kwam.'

'Wat ben je toch een ijdeltuit.' Ze pakt mijn andere hand vast. 'En ik heb met een aardige Russische vrouw gepraat die jouw telefoon had. Dat was eerder, toen ik naar het ziekenhuis was gegaan.'

'Evie. Ze is Tsjechisch.'

'Nou, Evie is duidelijk een fan als je ooit een goede referentie nodig hebt.' Ze kijkt omlaag en ik voel de greep van haar handen om de mijne verstrakken. 'Ik had bijna niet gebeld omdat ik bang was dat je in de weer was met je sloerie.'

'Nou, dat was ik niet.'

Ze kijkt op en haar ogen zijn strak op de mijne gericht.

'Nooit geweest ook,' zeg ik. 'Nooit gewild ook, niet echt. Dat telefoongesprek – volgens mij zag je de dingen verkeerd.'

'Maar er was niet toevallig ook een dingetje goed?'

'Een heel klein dingetje.'

Ze glimlacht flauwtjes. 'Een klein dingetje met een strak klein kontje en neuk-me-suf-haar.'

'Ja, dat haar was wel een soort statement.'

'Een statement dat niets aan duidelijkheid te wensen overliet, als je het mij vraagt.'

En het dringt tot me door dat dit is waarom ik met haar getrouwd ben, omdat zij de persoon was met wie ik na een feestje altijd naar huis wilde gaan, al was het maar om haar te horen zeggen: 'Waar had ze het in hemelsnaam over?' en 'Zag je wat die vent aanhad?' en 'Is me iets ontgaan, of waren al die mensen volslagen krankjorum?' En ook als ze al die dingen niet zegt, ik weet dat ze ze denkt, omdat ik heb gezien hoe ze keek, en dat ze haar best deed om zich netjes te gedragen. Het genoegen van deze heimelijke verstandhouding maakt zoveel van wat er doorstaan moet worden goed. En dit oordeel over Astrid, al is het dan wat scherper dan gewoonlijk, is een uitnodiging die ik niet zal afslaan. 'Ik heb altijd jouw mening nodig,' zeg ik. 'Hoe moet ik anders weten wat ik moet denken?'

'David, soms lul je uit je nek.'

'Je hebt gelijk, laten we ophouden met praten en naar bed gaan.'

'En wat je zei over mij en Max, daar bij de bibliotheek...'

'Was onzin. Weet ik. Het spijt me.' Dit maakt haar losser. Ik voel het via haar handen. 'Nee, echt, het was absurd dat ik zoiets belachelijks dacht.'

'Dat iemand op mij zou kunnen vallen?'

'Dat het je iets zou kunnen schelen, gezien de vele mannelijke studenten die zoveel naar je moeten kijken dat ze zich niet kunnen concentreren.'

'O, is dat zo? Wie heeft je dat verteld?'

'Ik heb ogen in mijn hoofd.'

'En een oververhitte fantasie.'

'Zeg maar eens dat ik ongelijk heb – als jij op de rand van je tafel met je benen zit te zwaaien. En al die tieners maar onder je rok zitten te gluren.'

'Je zou sommige van de meisjes eens moeten zien aan wie ik lesgeef. Daar kan ik niet tegenop. Het is een sexy onderwerp, kunstgeschiedenis. Voor de meesten is het handelswaar met een cultureel laagje – iedereen wil zijn eigen galerie beginnen.'

'Maar allemaal bonenstaken, wed ik.'

'Bonenstaken met erg dure implantaten, in sommige gevallen.'

En ik kus haar. En ik heb gelijk over haar vasthouden en vastgehouden worden, het doet me goed aan het hart. Het doet haar ook goed – haar ademhaling wordt regelmatiger. En als we elkaar een tijdje hebben vastgehouden, kus ik haar in haar nek en in haar hals en omlaag naar waar de knoopjes van haar blouse beginnen. Ik proef het zoutige van de nachtelijke hitte op haar huid en voel een nieuw soort rusteloosheid in haar ademhaling. 'Kom naar bed.'

'Goed idee.' Ze laat haar hand over mijn borstkas glijden. 'Laat me alleen even je mooie bloemen in het water zetten.'

Ze draait zich om en gaat op haar blote tenen staan om een vaas te pakken. Ze heeft mooi gevormde voeten, mijn Rebecca. Goede enkels. Ze heeft een blouse aan waarvan het kraagje rechtop staat en die ze over haar broek draagt, met een riem om het middel. Ze zet de vaas in de gootsteen om er water in te laten lopen en begint de chrysanten van elkaar te scheiden. Ik heb die broek eerder gezien – zwart katoen, tot net onder de knie. Ze had hem gisteravond aan, natuurlijk. En ik heb korter geleden gekeken hoe ze hem aanpaste op de tape van Max – hoe ze hem aantrok en uitpelde toen ik snel vooruitspoelde. Ik ben blij dat hij de auditie doorstaan heeft. Ze haalt het groen van de stelen met een keukenschaar en schikt de bloemen in de vaas.

'Je hebt nog niets verteld over Max,' zeg ik.

Ze kijkt me bijna verlegen aan. 'Ik was er niet zeker van of Max een veilig onderwerp was.'

'Maar komt het weer goed met hem?'

'Hangt ervan af wie je dat vraagt. Toen ik wegging werd er nog hevig gediscussieerd over de diagnose.' Ze moet even grinniken en beheerst zich dan, en ik krijg een idee van de spanning die ze met zich mee heeft gedragen om zichzelf bijeen te houden, terwijl alles uit elkaar leek te vallen. 'Sorry, maar het lijkt wel een slechte grap wat er allemaal is gebeurd.'

'Was het zijn hart?'

'Zeiden ze dat op het nieuws?'

'Nee, alleen dat zijn toestand stabiel was. Maar wat is er dan gebeurd? Waarom duurt het zo lang voordat de dokters het eens zijn?'

'Niet de dokters. De dokters zijn het erover eens dat het een paniekaanval was.'

'Bedoel je dat hij eigenlijk niks mankeert?'

'Naar het schijnt heeft het kleine bronzen naakt nog de meeste schade geleden. Ik vond het wel mooi. Volgens Frankie is het veel geld waard.'

'Dus Max heeft een second opinion gevraagd, of zo?'

'Niet precies. In het ziekenhuis hebben ze allerlei tests gedaan en konden ze geen problemen met zijn hart ontdekken, of met wat dan ook. Maar tegen die tijd was de advocaat van Max ten tonele verschenen en zijn publiciteitsagent, en die hebben onderling besloten dat het vast een milde hartstilstand is geweest, al wees de hoofdarts hen erop dat dat net zoiets is als zeggen dat iemand een beetje zwanger is. En toen kwam er een griezel van het stadhuis die zich ertegenaan ging bemoeien en die tegen iedereen een grote mond opzette.'

'En hoe is het afgelopen?'

'Ik weet het niet. Toen ik wegging, stond die griezel er nog steeds op aan te dringen dat het een kogelwond moest zijn.'

De timing is als die van een clou, maar het verhaal is niet grappig meer.

'Het is niet te geloven.'

'Het is walgelijk, dat is het. Er zijn mensen verantwoordelijk voor Amirs dood en die zullen alles doen om buiten schot te blijven.'

Ik zie dat ze zonder het zelf te weten hard in de schaar knijpt en dat haar knokkels wit worden, dus neem ik haar de schaar af, leg hem op het aanrecht en trek haar naar me toe.

'En Max heeft weer een boodschap gekregen,' zegt ze tegen mijn schouder. 'Een paar mensen die zichzelf de Vlam van de Islam noemen, schijnen te denken dat hij het bloed van een broeder aan zijn handen heeft.'

Dit is weer op een heel andere manier verontrustend, deze herinnering aan de gekte die door de wereld waart. 'God, arme Max.'

'Zeg dat wel. Hij denkt dat hij maar een bodyguard moet inhuren.' Ze tilt haar hoofd op en kijkt me aan. 'Stel je voor dat je een bodyguard nodig hebt.'

'Dus hij neemt het serieus?'

Ze haalt haar schouders op. 'Ze zijn één keer dichtbij gekomen. Dat kan zo weer gebeuren.'

Ik zou haar moeten vertellen dat het Mo was die op de televisie heeft geschoten. Er is een heleboel dat ik haar zou moeten vertellen. Maar nu even wil ik uitroepen als *Dat meen je niet!* en *Jezus, nee toch!* buitensluiten en het gedachteloze genoegen van *O, God, ja!* vinden.

Ze begint de blaadjes en de stukjes van de stelen op te ruimen.

Over niet zo lang, waarschijnlijk wat later in de ochtend, zal ik haar alles uitleggen – over Mo, natuurlijk, wat ze alleen zal begrijpen als ik haar vertel over Natalies affaire met Max, en de geheime tapes van Max – inclusief de Beckstape, ook al weet ik dat haar dat van streek zal maken. Ik zal alles uitleggen, deels omdat alles met elkaar in verband staat, maar eigenlijk om iets veel belangrijkers, want wat voor zin heeft ons leven samen anders, als we wat ons bedrukt niet samen delen?

Ze draait de vaas met de chrysanten. De zon is boven het appartementencomplex naast ons uitgekomen en het hele vertrek is gevuld met licht. De puntjes van de ingewikkelde trosjes bloemblaadjes gloeien op . 'Hoe vind je het?'

'Prachtig.'

'Ja, dat zijn ze. Dank je wel.' Ze geeft me een knuffel en nestelt haar neus in mijn nek. 'Nu ga ik douchen.'

'Dat hoeft niet.'

'En mijn tanden poetsen, David, en mijn pessarium indoen.'

'Als jij gaat douchen, dan zal ik ook wel moeten.'

'Alleen als je dat wilt.'

'En mijn tanden poetsen.'

'Oké, ga jij maar eerst. Ik bel Frankie nog even.'

'Becca, kan dat niet wachten?'

'Twee minuten, dat beloof ik.'

'Oké, wat denk je hiervan? Bel Frankie, neem een douche, maar laat dat pessarium maar achterwege.'

Ze trekt zich los. 'David, dat is niet iets om grapjes over te maken.'

'Ik vind gewoon dat het tijd wordt om over de toekomst te gaan nadenken. We kunnen dit egoïstische leventje niet voor eeuwig blijven leiden.'

Ik zie de agitatie in haar ademhaling en ze krijgt een blos. 'Zoiets moet je niet zeggen als je het niet meent.'

'Natuurlijk meen ik het.'

'Maar heb je er ook over nagedacht?'

'Vertel me nou niet dat jij er nooit over hebt nagedacht?'

'Nou en? Het is niet iets wat je licht moet opvatten. Ik bedoel, wat is dit eigenlijk voor wereld om kinderen in te zetten, waar onschuldige mensen vermoord worden door de politie en gestoorde gekken bij mensen inbreken?'

'En er zijn honderden doden in een of ander hotel in Caïro...'

'Dat bedoel ik.'

'En de honger en de slavenarbeid en de kinderprostitutie...'

'En oorlogen waar maar geen eind aan komt. Hoe wordt het dan voor haar?'

'Ze zal zich wel redden. Wij redden ons ook.'

'En je zult zes maanden lang niet slapen, en ze zal driftaanvallen krijgen in de supermarkt.'

'Dus het is definitief een meisje?'

De tranen wellen op in haar ogen en lopen over haar wangen, die al vlekkerig zijn van het huilen. 'Ik denk niet dat we daar veel over te zeggen hebben.'

'Maar goed, als het een meisje is, dan denk ik dat ze haar tong laat piercen en veganist wordt en ons zal haten omdat we haar leven hebben verpest.'

Ze lacht een bibberig sniklachje. 'Het klinkt vermoeiend. Alleen al erover nadenken is vermoeiend.'

Het is zo'n opluchting om haar gelukkig te kunnen maken – zoveel fijner dan haar ongelukkig maken.

'Dan gaan we maar naar bed.'

En de voorbereidingen daartoe werden getroffen – op een ordelijke manier, want we zijn oud genoeg en hoeven alleen aan elkaar verantwoording af te leggen. Zij belt Frankie, terwijl ik onder de douche sta. En terwijl ik wacht tot ze de badkamer uit komt, rozig en mooi en zich ontdoend van haar handdoek, trek ik de telefoons eruit en sluit de jaloezieën om de ochtendzon buiten te houden. En nu, even, hoeft alleen dit stukje wereld zinvol te zijn.